# 자기주도학습 체크리스트

- ✓ 선생님의 친절한 강의로 여러분의 예습·복습을 도와 드릴게요.
- ✓ 공부를 마친 후에 확인란에 체크하면서 스스로를 칭찬해 주세요.
- ✓ 강의를 듣는 데에는 30분이면 충분합니다.

| 날짜 | 강의명 | 확인 |
|---|---|---|
| 강 | | |
| 강 | | |
| 강 | | |
| 강 | | |
| 강 | | |
| 강 | | |
| 강 | | |
| 강 | | |
| 강 | | |
| 강 | | |
| 강 | | |
| 강 | | |
| 강 | | |
| 강 | | |
| 강 | | |
| 강 | | |
| 강 | | |
| 강 | | |
| 강 | | |
| 강 | | |
| 강 | | |
| 강 | | |

| 날짜 | 강의명 | 확인 |
|---|---|---|
| 강 | | |
| 강 | | |
| 강 | | |
| 강 | | |
| 강 | | |
| 강 | | |
| 강 | | |
| 강 | | |
| 강 | | |
| 강 | | |
| 강 | | |
| 강 | | |
| 강 | | |
| 강 | | |
| 강 | | |
| 강 | | |
| 강 | | |
| 강 | | |
| 강 | | |
| 강 | | |
| 강 | | |
| 강 | | |

KB214043

자기주도학습 체크리스트로 공부의 기쁨이 차곡차곡 쌓일 것입니다.

수학
꽉 잡아

EBS

EBS 초등
인터넷·모바일·TV
무료 강의 제공

초 | 등 | 부 | 터 EBS

예습, 복습, 숙제까지 해결되는

교과서 완전 학습서

만점왕

BOOK 1
개념책

국어 4-1

# BOOK 1

# 개념책

**BOOK 1 개념책**으로
교과서에 담긴 **학습 개념**을
꼼꼼하게 공부하세요!

↓ 해설책은 EBS 초등사이트(primary.ebs.co.kr)에서 다운로드 받으실 수 있습니다.

**교 재**
**내 용**
**문 의**
교재 내용 문의는 EBS 초등사이트 (primary.ebs.co.kr)의 교재 Q&A 서비스를 활용하시기 바랍니다.

**교 재**
**정오표**
**공 지**
발행 이후 발견된 정오 사항을 EBS 초등사이트 정오표 코너에서 알려 드립니다.
교재 검색 ▶ 교재 선택 ▶ 정오표

**교 재**
**정 정**
**신 청**
공지된 정오 내용 외에 발견된 정오 사항이 있다면 EBS 초등사이트를 통해 알려 주세요.
교재 검색 ▶ 교재 선택 ▶ 교재 Q&A

초등 기본서

만점왕

국어

4·1

# 구성과 특징

## BOOK 1 개념책

### ❶ 단원 도입

단원을 시작할 때마다 도입 그림을 눈으로 확인하며 안내 글을 읽으면, 공부할 내용에 대해 흥미를 갖게 됩니다.

### ❷ 교과서 내용 학습

국어 교과서에 실린 지문, 활동을 꼼꼼하게 살펴보며 교과서에 담긴 개념을 빈틈없이 학습할 수 있습니다.

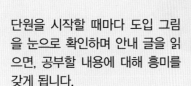

### ❸ 국어 활동

국어 활동 교과서 내용도 보기 쉽게 제시하였습니다.

### ❹ 서술형 수행 평가 돋보기

단원의 주요 개념과 관련된 서술형 문항을 심층적으로 학습하여, 학교에서 출제되는 서술형 수행 평가를 미리 준비할 수 있습니다.

### ❺ 교과서 문제 확인

교과서 문제와 답을 제시하여 만점왕 하나로 학교 숙제까지 해결할 수 있도록 하였습니다.

**❻**
## 단원 정리 학습

지문과 활동을 통해 접했던 단원 학습 개념을 정리하는 단계입니다. 자세한 개념 설명과 그림, 예시를 통해 핵심 개념을 분명하게 파악할 수 있습니다.

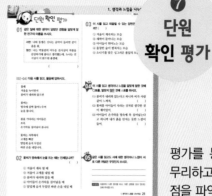

**❼**
## 단원 확인 평가

평가를 통해 단원 학습을 마무리하고, 자신이 보완해야 할 점을 파악할 수 있습니다.

꼭꼭이          쑥쑥이          쏙쏙이

꼭꼭이, 쑥쑥이, 쏙쏙이가 핵심 개념, 심화 개념, 문제 푸는 방법을 자세히 설명해 줄 거예요. 세 친구와 함께 쉽고 재미있게 공부해 보세요.

## BOOK 2 실전책

**❶**
## 핵심 복습 + 쪽지 시험

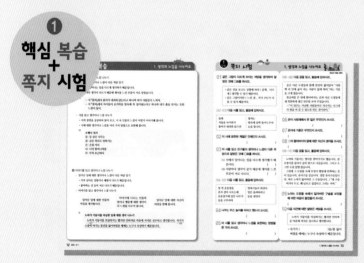

핵심 정리를 통해 학습한 내용을 복습하고, 간단한 쪽지 시험을 통해 자신의 학습 상태를 확인할 수 있습니다.

**❷**
## 학교 시험 만점왕

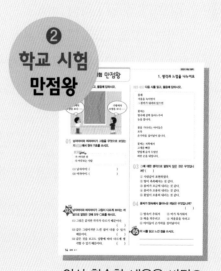

앞서 학습한 내용을 바탕으로 보다 다양한 문제를 경험하여 단원별 수시 평가를 대비할 수 있습니다.

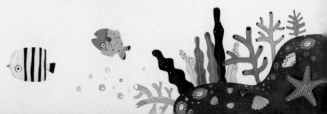

 # BOOK 1 자기주도 활용 방법

## 평상 시 진도 공부

### 교재(북1 개념책)로 공부하기

**만점왕 북1 개념책**으로 진도에 따라 공부해 보세요.

개념책에는 학습 개념이 자세히 설명되어 있어요. 따라서 학교 진도에 맞춰 만점왕을 풀어보면 혼자서도 쉽게 공부할 수 있습니다.

### TV(인터넷) 강의로 공부하기

개념책으로 혼자 공부했는데, 잘 모르는 부분이 있나요? 더 알고 싶은 부분도 있다고요?
**만점왕 강의**가 있으니 걱정 마세요.
만점왕 강의는 TV를 통해 방송됩니다. 방송 강의를 보지 못했거나 다시 듣고 싶은 부분이 있다면 인터넷(EBS 초등 사이트)을 이용하면 됩니다.

만점왕 방송 시간: EBS홈페이지 편성표 참조
EBS 초등 사이트: http://primary.ebs.co.kr

앗, 만점왕 방송 시간이네!

이 부분은 잘 모르겠으니 인터넷으로 다시 봐야겠어.

## 시험 대비 공부는 북2 실전책으로! (북2 2쪽 자기주도 활용 방법을 읽어 보세요.)

# BOOK 1 차례

오빠는 책을 보면서 재미있어 하는데 동생은 그 책이 재미없나 보네요. 같은 책을 보면서도 서로 생각이나 느낌이 다른가 봐요.

이제, 1단원에서는 시나 이야기를 읽고 서로의 생각이나 느낌을 나누어 볼 거예요. 친구들의 서로 다른 생각을 들어 보고 내 생각도 표현해 봐요.

# 1 생각과 느낌을 나누어요

## 단원 학습 목표

20쪽 단원 정리 학습에서 더 자세히 공부해 보세요.

1. 시를 읽고 생각이나 느낌을 나눌 수 있습니다.
    - 장면을 떠올리며 시를 읽어 봅니다.
    - 시에 등장하는 인물의 마음을 생각하며 실감 나게 읽어 봅니다.
    - 시에 대한 생각이나 느낌을 여러 가지 방법으로 표현해 봅니다.

2. 이야기를 읽고 생각이나 느낌을 나눌 수 있습니다.
    - 인물의 마음을 생각하며 이야기를 읽어 봅니다.
    - 인물의 말이나 행동에 대한 생각이나 느낌을 나누어 봅니다.
    - 일어난 일에 대한 자신의 의견을 말해 봅니다.

## 단원 진도 체크

| 회차 | | 학습 내용 | 진도 체크 |
|---|---|---|---|
| 1차 | 단원 열기 | 단원 학습 내용 미리 보고 목표 확인하기 | ✓ |
| | 교과서 내용 학습 | 생각이나 느낌이 서로 다른 까닭 말하기 / 「꽃씨」/ 「등 굽은 나무」 | ✓ |
| 2차 | 교과서 내용 학습 | 「가훈 속에 담긴 뜻」 | ✓ |
| 3차 | 교과서 내용 학습 | 「의심」 | ✓ |
| 4차 | 교과서 내용 학습 | 국어 활동 학습하기 | ✓ |
| | 교과서 문제 확인 | 교과서 문제 학습하며 학교 숙제 해결하기 | ✓ |
| 5차 | 단원 정리 학습 | 단원 학습 내용 정리하기 | ✓ |
| | 단원 확인 평가 | 확인 평가를 통한 단원 학습 상황 파악하기 | ✓ |

해당 부분을 공부하고 나서 ✓표를 하세요.

# 교과서 내용 학습

| 국어 32~33쪽 내용 | 학습 목표 ▶ 생각이나 느낌이 서로 다른 까닭 말하기 | 국어 32~33쪽 |
|---|---|---|

**[01~02]** 다음 그림을 보고, 물음에 답하시오.

청록색의 모양을 보니…….

주황색의 모양을 보니…….

**01** 남자아이와 여자아이는 그림을 무엇으로 보았을지 알맞은 것을 찾아 선으로 이으시오.

(1) 남자아이 •

(2) 여자아이 •

• ① 커다란 잔

• ② 마주 보는 사람

**중요**
**02** 두 아이가 그림이 다르게 보이는 까닭을 두 가지 고르시오. (    ,    )

① 그림을 자세히 보지 못했기 때문에
② 다른 사람이 그린 그림이기 때문에
③ 그림의 색깔은 같지만 모양이 다르기 때문에
④ 같은 그림이지만 느낀 점이 다를 수 있기 때문에
⑤ 같은 것을 보고도 상황에 따라 다르게 생각할 수 있기 때문에

**[03~04]** 다음 그림을 보고, 물음에 답하시오.

나는 박물관의 어두운 전시실이 작품을 감상하기에 좋다고 생각했는데, 누나는 전시실이 더 밝았으면 좋겠대.

㉠나는 영화 주인공이 용감하다고 생각했는데, 내 친구는 그 주인공이 겁 없이 위험한 행동만 한다고 생각했대.

**03** 대화의 상황으로 알맞은 것에 ○표를 하시오.

(1) 즐거웠던 일에 대한 경험 말하기 (    )
(2) 같은 일에 대해 생각이 달랐던 경험 말하기 (    )

**04** ㉠에서 '나'와 친구는 같은 영화의 주인공에 대해 어떻게 생각했는지 쓰시오.

(1) '나': (                    )
(2) 친구: (                    )

**서술형**
**05** 오른쪽 그림을 보고 어떤 느낌이 들었는지 **보기**와 같이 쓰시오.

**보기**

사람들이 한가롭게 쉬고 있는 모습이 평화로워 보인다.

**도움말** 그림에서 가장 눈에 띄는 부분에 대한 느낌을 떠올리고, 그런 느낌이 드는 까닭을 생각해 봅니다.

## 꽃씨

1연 몰래

　겨울을 녹이면서

　봄비가 내려와 앉으면 ★
　봄이 되어 꽃씨가 싹을 틔울 때가 됨.

2연 ★꽃씨는

　땅속에 살짝 돌아누우며
　　　　　싹을 틔우려고
　눈을 뜹니다.
　겨울 동안 잠을 자던 꽃씨가 깨어나서

3연 봄을 기다리는 아이들은

　쏘옥

　손가락을 집어넣어 봅니다.
　　아이들이 한 행동

4연 꽃씨는 저쪽에서

　고개를 **빠끔**
　꽃씨가 싹을 틔워 나오는 모습
　**얄밉게** 숨겨 두었던

　㉠파란 손을 내밉니다.

★ 바르게 쓰기

| 앉으면 | 안즈면 |
|--------|--------|
| ( ○ ) | ( × ) |

★ 바르게 읽기

| [꼳씨] | [꼬씨] |
|--------|--------|
| ( ○ ) | ( × ) |

• 글의 종류: 시
• 글쓴이: 김완기
• 글의 특징: 봄이 되어 꽃씨가 싹을 틔우는 모습을 노래한 시입니다.

■ 시에 대한 생각이나 느낌이 서로 다른 까닭

• 시에서 일어나는 일을 다르게 생각했기 때문에
• 사람마다 생각이 달라 재미를 느낀 부분이 서로 달랐기 때문에

**낱말 사전**

**빠끔** 살며시 문 따위를 조금 여는 모양. 예 문을 열고 고개를 빠끔 내밀었습니다.
**얄밉게** 말이나 행동이 약빠르고 밉게. 예 동생은 얄밉게 맛있는 것을 먼저 먹었습니다.

---

**06** 이 시는 어느 계절을 표현하였습니까? (　　)

① 봄　　　　　　② 여름
③ 가을　　　　　④ 겨울
⑤ 늦가을

**07** 땅속에 손가락을 집어넣은 아이들의 마음으로 알맞은 것은 무엇입니까? (　　)

① 꽃을 꺾으려는 마음
② 봄을 기다리는 마음
③ 봄비를 맞으려는 마음
④ 꽃씨를 꺼내려는 마음
⑤ 소꿉놀이를 하고 싶은 마음

**08** 아이들이 땅속에 손가락을 집어넣어 보는 모습을 흉내 내는 말을 찾아 쓰시오.

（　　　　　　　　　　）

**09** ㉠이 의미하는 것은 무엇입니까? (　　)

① 꽃씨　　② 나무　　③ 새싹
④ 봄비　　⑤ 땅속

**중요**
**10** 다음과 같이 같은 시를 읽고 시에 대한 생각이나 느낌이 서로 다른 까닭으로 알맞은 것에 ○표를 하시오.

봄비가 내려와 앉는다고 하니까 비가 사람같이 느껴져.

아이들이 손가락을 땅속에 쏙 집어넣는다고 하니까 내가 흙을 만지는 듯한 느낌이 들어.

(1) 시를 읽고 재미를 느낀 점이 달랐기 때문이다. （　　）
(2) 시 속에 일어나는 일을 서로 비슷하게 생각했기 때문이다. （　　）

## 등 굽은 나무

학습 목표 ▶ 시를 읽고 생각이나 느낌 나누기

• **글의 종류**: 시
• **글쓴이**: 김철순
• **글의 특징**: 운동장에서 혼자 나무를 올라타며 놀았던 경험을 노래한 시입니다.

■ 같은 시 「등 굽은 나무」를 읽고 생각이나 느낌이 다른 까닭

• 「등 굽은 나무」를 보고 떠올린 생각이나 느낌이 다르기 때문에
• 등 굽은 나무를 할머니나 할아버지처럼 느낄 수 있기 때문에
• 「등 굽은 나무」를 읽고 시인의 생각이나 상상을 다르게 느끼기 때문에

**낱말 사전**

네거리 한 지점에서 길이 네 방향으로 갈라져 나간 곳.
㉠ 네거리 건널목에서 친구를 만났습니다.

1연 텅 빈 운동장을

혼자 걸어 나오는데

「운동장가에 있던 나무가

등을 구부리며

말타기놀이하잔다」
「 」: 나무를 말이라고 생각함.
얼른 올라타라고

등을 내민다

2연 내가 올라타자
나무에
따그닥따그닥

달린다

학교 앞 문방구를 지나서
말을 타고 간 곳 ①
네거리를 지나서
말을 타고 간 곳 ②
우리 집을 지나서
말을 타고 간 곳 ③
달린다

★ 바르게 쓰기

| 있었는데 | 있었는대 |
|---|---|
| ( ○ ) | ( × ) |

3연 달리고 또 달린다

차보다 빠르다

어, 어, 어,

구름 위를 달린다
말을 타고 구름 위를 달리는 상상을 함.
비행기보다 빠르다

저 밑의 집들이

점점 작게 보인다

4연 "성민아, 뭐 해?"

5연 은찬이가 부르는 소리에

말은 그만
말을 타고 여기저기를 다니는 상상이 끝나서
걸음을 뚝, 멈춘다

6연 아깝다,

달나라까지도 갈 수 있었는데
아깝게 생각한 까닭

---

**11** 성민이는 어디에 올라탔는지 쓰시오.

( )

**12** 성민이는 나무를 무엇이라고 생각했습니까?

( )

① 말
② 로켓
③ 구름
④ 자동차
⑤ 비행기

**중요**
**13** 이 시를 읽고 생각이나 느낌을 여러 가지 방법으로 표현하려고 합니다. 알맞지 않은 것은 무엇입니까? ( )

① 오행시 짓기
② 몸으로 표현하기
③ 그림으로 표현하기
④ 시의 내용 파악하기
⑤ 인물이 되어 말하기

**서술형**
**14** 이 시를 읽고 성민이가 되어 가 보고 싶은 곳을 쓰시오.

_____

_____

**도움말** 성민이는 말을 타고 있는 것을 상상하고 있으므로, 말을 타고 가 보고 싶은 곳을 자유롭게 씁니다.

# 가훈 속에 담긴 뜻

학습 목표 ▶ 이야기를 읽고 생각이나 느낌 나누기

· 글의 종류: 이야기
· 글쓴이: 조은정

· 글의 내용: 최 부잣집 도령 준이 할아버지가 다른 사람에게 베푸는 모습을 알게 되면서 가훈을 마음속 깊이 새기게 되었습니다.

**중심 내용** 옛날 경주에 재산도 마음도 어마어마한 최 부자가 살았습니다.

1 옛날 옛적 경주에 최씨 성을 가진 아주 큰 부자가
　　　시간적 배경
살았습니다. 일 년에 쌀이 만 석 정도 나올 만큼의 많
　　　　　　　　곡식을 셀 때의 단위.
은 논을 가진 큰 부자였지요. 할아버지의 할아버지, 또
그 할아버지의 할아버지부터 대대로 부자였습니다. 곳
　　　　　　　　　　　　　　　곡식을 간직해 두는 곳.
간도 어마어마하게 크고, 논도 어마어마하게 많았습니
다. 부리는 하인도, 찾아오는 손님도, 아무튼 모든 것
이 다 어마어마했습니다. 그중에서 가장 어마어마했던
　　　　　　　　　　　　　최씨 부자가 맘이 넓다는 것을 알 수 있음.
것은 바로 최씨 부자의 마음이었답니다.

**중심 내용** 최 부잣집 도령들은 아침마다 가훈을 쓰는데, 도령 준이 종이에 낙서를 하다가 할아버지에게 혼나고는 곳간에서 잠이 들었습니다.

2 최 부잣집 도령들은 매일 아침마다 사랑채에서 붓
　　　　　결혼하지 않은 총각을 높여 부르는 말.　　손님을 접대하는 곳.
글씨로 **가훈**을 씁니다.

㉠"너 이놈, 종이를 아낄 줄 모르고 이렇게 함부로
쓰다니!"

아침부터 최 부잣집 도령 준이 할아버지에게 야단

맞고 있습니다. 종이에 낙서를 하다가 할아버지에게
들킨 것이지요.

"대감마님, 준 도련님이 안 계시는데요."

해가 뉘엿뉘엿 지는데, 준이 보이지 않았습니다. 하
　　　해가 곧 지려고 산이나 지평선 너머로 조금씩 차츰 넘어가는 모양.
인들이 **안채**와 사랑채를 다 뒤져도 준은 어디에도 없
었습니다. 할아버지는 아침에 준을 혼낸 것이 마음에
　　　　　　　　　준이 할아버지께 야단맞고 사라진 것 같아서
걸렸습니다.

'설마 저 곳간에 있을까?'

할아버지는 곳간 안을 살펴보았습니다. 준은 곳간
**빼꼼히** 쌓인 쌀가마니 사이에서 새근새근 잠들어 있었
습니다.

"녀석도 참." / 할아버지는 준을 방에 눕혔습니다.

**중심 내용** 이튿날 화가 덜 풀린 준은 할아버지가 손님들과 이야기하는 틈을 타 붓글씨 쓰는 것을 내팽개치고 논으로 놀러 나갔습니다.

3 이튿날 늦잠을 잔 준은 헐레벌떡 사랑채로 갔습니
　　그 다음날　　　　　　　　　　가훈을 쓰는 시간이 늦어서
다. 할아버지는 준이 늦은 것을 애써 모른 체했습니다.

**낱말 사전**

가훈(家 집 가, 訓 가르칠 훈)　한 집안의 조상이나 어른이 자손들에게 일러 주는 가르침.

안채　한 집 안에 안팎 두 채 이상의 집이 있을 때, 안에 있는 집채.
빼꼼히　사람이나 물건이 어떤 공간에 빈틈없이 꽉 찬 모양.

**15** 최 부잣집 도령들은 매일 아침마다 사랑채에서 무엇을 하였습니까? (　　　)

① 세수　　　② 글공부　　　③ 투호놀이
④ 정리정돈　　⑤ 가훈 쓰기

**16** 준이 할아버지께 야단을 맞은 까닭은 무엇입니까? (　　　)

① 가훈을 잘 못 써서
② 곳간에서 잠을 자서
③ 사랑채에 늦게 와서
④ 종이에 낙서를 하여서
⑤ 붓글씨를 쓰고 정리를 하지 않아서

**중요 17** ㉠을 읽고 친구들이 다음과 같이 대화를 했습니다. 알맞게 대화하지 <u>못한</u> 친구의 이름을 쓰시오.

진혁: 손자에게 어릴 때부터 아끼는 습관을 가르쳐 주기 위해 할아버지께서 엄하게 말씀하신 것 같아.

은수: 그렇구나. 나는 할아버지께서 좀 더 친절하게 말씀해 주셨으면 준이 말을 더 잘 듣지 않았을까 생각했는데.

현지: 그런데 너희들은 왜 같은 내용을 읽고 다른 생각을 하니? 같은 내용을 읽으면 생각도 같아야 하는 거 아닌가?

(　　　　　　)

어제 일에 화가 덜 풀린 준은 입을 쭈욱 내밀고 붓글
<u>화가 덜 풀려서</u>
씨를 쓰기 시작했습니다. 오늘도 사랑채는 손님으로
북적였습니다. 할아버지는 항상 하인들에게 정성껏
음식을 차려 손님을 맞게 했습니다. 준은 먹어 보지도
못한 귀하디귀한 마른 청어도 내놓았지요. 손님들에게
만 맛있는 것을 주는 할아버지가 조금 **야속했습니다.**
준에게는 종이를 아낄 줄 모른다고 하면서 손님들만 챙기는 것 같아서
『㉠준은 할아버지가 손님들과 이야기하는 틈을 타
붓글씨 쓰는 것을 내팽개치고 논으로 놀러 나갔습니
다.』 마을 아이들이 "흰죽 논, 흰죽 논." 하면서 논 사
이를 뛰어다니고 있었습니다. 흉년에는 흰죽 한 끼 얻
<u>흉년에는 헐값에 논을 판다, 흉년에 농민들이 더 어렵다는 것을 의미함.</u>
어먹고 논을 팔아넘긴다고 해서 흰죽 논이라는 말이
생겨났지요.

| ★ 바르게 쓰기 | | ★ 바르게 읽기 | |
|---|---|---|---|
| 내팽개치고 | 내팽게치고 | [굼꼬] | [굼고] |
| ( ○ ) | ( × ) | ( ○ ) | ( × ) |

**낱말 사전**

**야속했습니다** 따뜻한 정이 없이 쌀쌀맞고 인정이 없는 행동을 한
사람이 섭섭하게 여겨져 언짢았습니다.

중심내용: 농부는 준에게 논을 헐값으로 사지 않고, 굶고 있는 사람에게 죽을 끓
여 먹이며, 헐벗은 이에게 옷을 지어 준 할아버지를 칭찬하였습니다.

4 "아이고! 최 부잣집 도련님 아니십니까? 이 근방에
는 흰죽 논이 없습죠. 대감마님께서 올해같이 논이
<u>최 부잣집 대감의 선행 ①</u>
**헐값**일 때는 논을 사지 않으신답니다. 이거 정말 감
사할 노릇입죠." / 농부는 하던 일을 멈추고 논에서
나와 준에게 이야기를 해 주었습니다.

"한번은 이런 일도 있었습죠. 큰 흉년이 들어 굶어
죽는 사람이 허다했는데, 대감마님께서 곳간을 열고
<u>최 부잣집 대감의 선행 ②</u>
굶고 있는 사람들에게 죽을 끓여 먹이라고 했습죠."
농부는 낫을 내려놓으며 말을 이었습니다.

"어디 그것뿐이겠습니까? 헐벗은 이에게는 옷까지
<u>최 부잣집 대감의 선행 ③</u>
지어 입혔습죠."

하인들이 바깥마당에 큰솥을 걸고 연일 죽을 끓이는
<u>집에서 끓인 죽들이 굶고 있는 사람을 위한 것임을 알게 됨.</u>
모습이 준의 머릿속에 그려졌습니다. 할아버지를 칭찬
하는 농부의 말에 준은 우쭐해졌습니다.

**헐값** 그 물건의 원래 가격보다 훨씬 싼 값.
예 딸기가 한두 개 상해서 헐값에 판매되었습니다.

**18** 준이 할아버지를 야속하게 생각한 까닭은 무엇입
니까? ( )

① 하인들에게 무섭게 대해서
② 손님들을 잘 챙기지 않아서
③ 귀하디 귀한 음식을 혼자 먹어서
④ 손님들에게만 맛있는 것을 주어서
⑤ 도령들에게만 맛있는 것을 주어서

**서술형**
**19** ㉠『 』부분에 나타난 인물의 행동에 대한 생각이
나 느낌을 정리하여 쓰시오.

_____

_____

**도움말** 자신의 경험을 떠올리며 생각이나 느낌을 정리합니다.

**20** '흰죽 논'의 뜻으로 알맞은 것을 이 글에서 찾아
쓰시오.

( )

**21** 최 부잣집 근방에 '흰죽 논'이라는 말이 없는 까닭
은 무엇입니까? ( )

① 최 부잣집 곳간에 쌀이 많아서
② 최 부잣집 대감마님은 논이 필요 없어서
③ 최 부잣집 근방에는 흉년이 들지 않아서
④ 최 부잣집 근방에는 팔 수 있는 논이 없어서
⑤ 최 부잣집 대감마님은 논이 헐값이면 사지
않아서

**중심내용** 준은 작년에 헐값에 생선을 사 온 하인이 혼이 난 뒤로 장사치들이 좋은 물건을 가지고 찾아온 일이 생각났습니다.

5 준은 문득 작년 이맘때 일이 생각났습니다. 한 하인이 장사가 끝날 때쯤 생선 가게에 가서 헐값에 청어를 사 왔다가 할아버지에게 **호되게** 혼이 났습니다.

할아버지의 선행에 대한 농부의 말을 듣고 헐값으로 물건을 사지 않는 할아버지를 떠올림.

㉠『"물건을 살 때는 아침에 가서 제값을 주고 사 오라고 했거늘 어찌 끝날 때쯤 헐값을 주고 사 오느냐? 헐값에 생선을 넘기는 생선 장수의 마음을 헤

할아버지가 물건을 제값에 사려는 까닭
아릴 줄 모른단 말이냐?"』

그 일이 있은 후 장사치들은 너도나도 좋은 물건들

최 부잣집 대감이 물건 값을 제대로 쳐주어서
을 가지고 최 부잣집을 찾아오게 되었지요.

**중심내용** 밤에 제사가 끝나고 나서 전쟁터에서 함께 싸운 하인들의 제사가 시작되었으며, 준은 그것을 훌륭한 일이라고 생각하였습니다.

6 할아버지에게 화를 냈던 준은 슬며시 부끄러워졌

할아버지의 넓은 마음을 이해하지 못해서
습니다. 준이 집으로 돌아왔을 때, 할아버지는 제사를

준비하느라 바빴습니다. 밤이

되어 제사가 시작되었습니다.

★ 바르게 쓰기

| 훌륭한 | 훌룡한 |
|---|---|
| ( ○ ) | ( × ) |

**낱말 사전**

**호되게** 매우 심하게.
⑩ 동생과 싸워서 엄마한테 호되게 혼났습니다.

그런데 제사가 끝나자 ㉡또 다른 제사가 시작되었습니다.

'왜 제사를 또 지내지?'

할아버지가 절을 하고, 아버지도 절을 했습니다. 준은 **영문**도 모른 채 절을 했습니다.

절을 한 뒤에 준이 하인에게 물어보았습니다.

"이건 누구 제사지?"

"모르셨습니까? 이 제사는 장군이셨던 윗대 대감마

두 번째 드리는 제사
님과 전쟁터에서 함께 싸우고, 끝까지 그 곁을 떠나

지 않았던 하인들의 제사입죠. 하인들의 제사까지

지내 주는 집은 최 부잣집밖에 없을 겁니다요."

양반 사회에서 양반이 하인의 제사를 드리는 일은 거의 없음.
준은 양반인 할아버지와 아버지가 죽은 하인들에게

절을 하는 것이 좀 이상하기는 했지만, 주인을 위해

양반이 하인에게 절을 해서
목숨을 아끼지 않았던 하인들의 제사를 지내는 것은

하인의 제사를 지내는 것에 대한 준의 생각
★
훌륭한 일이라는 생각이 들었습니다.

**영문** 일이 돌아가는 형편이나 그 까닭.
⑩ 영문도 모르는 채 선물을 받았습니다.

---

**22** 한 하인이 헐값에 청어를 사 왔다가 할아버지에게 혼이 난 까닭은 무엇입니까? (    )

① 좋은 물건을 찾아오지 못해서
② 생선 장수의 마음을 헤아리지 않아서
③ 헐값에 생선을 사 오면 싱싱하지 않아서
④ 헐값에 생선을 넘기는 생선 장수에게 속아서
⑤ 끝날 쯤에 생선을 사면서 제값을 주고 와서

**중요**
**23** ㉠『』 부분을 읽고 인물의 말에 대한 생각이나 느낌을 알맞게 말한 친구의 이름을 쓰시오.

은진: 헐값으로 사 오지 못한 하인은 지혜롭지 못했던 것 같아.
준수: 생선 장수의 마음을 헤아리라는 말을 통해 함께 살아가는 법을 말씀하신 것 같아.

(                    )

**24** ㉡은 누구의 제사인지 찾아 쓰시오.

(                         )

**25** 준은 할아버지가 하인들의 제사까지 지내는 것을 보고 어떤 생각을 하였습니까? (    )

① 훌륭한 일이다.
② 자신에게는 관심이 없다.
③ 제사를 지내서는 안 된다.
④ 윗대 할아버지가 노할 것이다.
⑤ 하인을 챙기는 것이 속상하다.

**중심 내용** 다음 날 준은 가훈을 크게 썼으며, 할아버지는 가난한 사람들을 위해 쌀을 담아 놓은 뒤주를 보여 주었습니다.

**7** 다음 날 준은 아침 일찍 일어나 사랑채로 건너갔습 <sub>할아버지의 선행을 듣고 가훈을 쓰고 싶어진 준</sub> 니다. 어젯밤 늦게까지 제사를 지내 조금 피곤했지만 꾹 참았지요. 할아버지는 모처럼 일찍 사랑채에 건너 온 준이 신기한 듯 동그란 눈으로 준을 바라보았습니 <sub>평소에 열심히 안 하던 준이라서</sub> 다. 준은 다른 도령들과 함께 얌전히 꿇어앉아 "사방 백 리 안에 굶어 죽는 사람이 없게 하라."라는 가훈을 <sub>최 부잣집 가훈</sub> 크게 썼습니다.

붓글씨를 쓴 뒤에 할아버지는 준과 다른 도령들에 게 희한하게 생긴 **뒤주**를 보여 주었습니다. <sub>매우 드물거나 신기하게.</sub>

"이 뒤주는 가난한 사람들이나 지나가는 나그네가 <sub>뒤주를 만든 까닭</sub> 쌀을 퍼 갈 수 있도록 만든 것이란다."

준은 쌀을 한 **줌** 꺼내 보았습니다. 할아버지의 훈훈 한 마음이 전해지는 것 같았지요. 최 부잣집에는 가난 <sub>이웃을 도우려는 마음</sub> 한 사람들을 위해 쌀을 담아 놓은 뒤주가 있었습니다. 쌀 삼천 석 가운데 천 석을 불쌍한 사람들을 돕는 데 <sub>가훈을 실천하는 모습</sub> 썼다고 합니다.

**낱말 사전**

**뒤주** 쌀과 같은 곡식을 담아 두는 나무로 만든 통.
예 뒤주 안에 쌀이 가득 들었습니다.

**중심 내용** 준은 마을 사람들에게 칭찬을 받는 할아버지가 자랑스러웠고, 할아 버지가 가르쳐 주신 가훈을 마음속에 새겼습니다.

**8** 그때 아랫마을에서 사람이 찾아왔습니다.

"대감마님! 아랫마을에 논이 하나 나왔는데, 대감마 님께서 사시면 어떨까요?"

마을 사람들은 어디에선가 팔 땅이 나오면 할아버 지에게 사라고 했습니다. 할아버지는 쌀이 만 석 이상 <sub>마을 사람들이 할아버지에게 땅을 팔려는 까닭</sub> 곳간에 쌓이면 농부들이 최 부잣집의 논밭을 사용하 고 내는 돈을 조금만 받기 때문이었지요. 그래서 마을 사람들은 할아버지가 땅을 사면 오히려 좋아했습니다.

준은 할아버지가 무척 자랑스러웠습니다. 다른 사 람들에게 베풀고, 잘 살도록 도와주며 아랫사람들에 <sub>할아버지가 자랑스러운 까닭</sub> 게도 나누어 줄 줄 아는 할아버지가 참 좋았습니다.

'나도 꼭 할아버지처럼 되어야지.' <sub>할아버지를 본받고 싶은 마음</sub> 준은 할아버지가 가르쳐 주신 가훈을 다시 한번 마 음속 깊이 새겼습니다.
★

★ 바르게 쓰기

| 새겼습니다 | 세겼습니다 |
|---|---|
| ( ○ ) | ( × ) |

**줌** 수량을 세는 말 뒤에 쓰이는 말, 주먹의 준말.
예 흙 한 줌을 화분에 더 넣었습니다.

---

**26** 할아버지가 뒤주를 만든 까닭은 무엇입니까?
( )

① 가훈이 귀하여 보관하려고
② 귀중한 물건을 숨겨 두려고
③ 가족들의 식량을 미리 넣어 두려고
④ 가난한 사람들이 퍼 갈 쌀을 담아 놓으려고
⑤ 쌀을 나누어 준 가난한 사람의 명단을 적어 놓으려고

**27** 마을 사람들이 할아버지가 땅을 사면 좋아했던 까닭을 찾아 쓰시오.

( )

**중요**
**28** 준이 할아버지가 자랑스러웠던 까닭을 두 가지 고르시오. ( , )

① 가훈을 붓글씨로 잘 쓰셔서
② 할아버지의 재산이 어마어마해서
③ 아랫사람들에게 나누어 줄 줄 알아서
④ 아랫마을 사람까지 찾아와 논을 사 가서
⑤ 사람들에게 베풀고 잘 살도록 도와주어서

**서술형**
**29** 최 부잣집 가훈에 담긴 의미는 무엇일지 쓰시오.

_____

_____

**도움말** 최 부잣집 가훈은 "사방 백 리 안에 굶어 죽는 사람이 없게 하라."라는 것입니다.

## 의심

학습 목표 ▶ 일어난 일에 대한 의견 말하기

- 글의 종류: 이야기
- 글쓴이: 현덕

- 글의 내용: 유리구슬 한 개를 잃어버린 노마는 기동이를 의심하다가 유리구슬을 찾게 되어 얼굴이 벌게지고 말았습니다.

**중심내용** 노마는 유리구슬 한 개를 잃어버리고 아무리 찾아도 없자 누가 집어갔다고 생각했습니다.

**1** 어쩌다가 노마는 유리구슬 한 개를 잃어버렸습니다. <u>아주 이쁘게 생긴 파란 구슬인데요</u>, 어디서 어떻게
    노마가 잃어버린 유리구슬
하다 잃었는지 아무리 생각해도 모르겠습니다. 아마 토끼처럼 깡충깡충 뛰고 놀다가 흘렸나 하고 **우물둔덕**에도 가 보았습니다. 거기도 없습니다. 영이하고 나뭇잎을 줍다가 흘렸나 하고 집 뒤 버드나무 밑에도 가 보았습니다. 거기도 없습니다. 아무리 찾아도 연기처럼 아주 없어진 듯이 구슬은 간 데를 모르겠습니다.

  하지만 유리구슬은 연기나 그런 것이 아니니까 아주 없어질 리는 없는데요, <u>이렇게 아무리 찾아도 없을 때엔 아마 누가 집어서 제 것처럼 가졌나 봅니다.</u>
<u>자신의 구슬을 누가 집어갔다고 생각함.</u>

★ 바르게 읽기
[나문닙] [나무입]
( ○ ) ( × )

**낱말 사전**

**우물둔덕** 우물 둘레의 작은 둑 모양으로 된 곳.
예 우물둔덕에 걸터앉아 물을 길었습니다.

**중심내용** 그러다가 노마는 기동이를 만나고, 기동이를 의심하였습니다.

**2** 그러다가 노마는 담 **모퉁이**에서 기동이를 만났습니다.

  그리고 노마는 기동이 아래위를 보다가 입을 열어 물었습니다.

  "너, 내 구슬 봤니?" / "무슨 구슬 말야?"

  "파란 유리구슬 말야." / "난 못 봤다."

  그러나 노마는 그 말을 정말로 듣지 않나 봅니다.
                   기동이의 말을 믿지 않음.
㉠<u>여전히 기동이 조끼 주머니를 보고, 두 손을 보고</u>
           기동이의 조끼 주머니 속에 있는 것 같아서
합니다.

  그러다가 노마는 입을 열어 또 물었습니다.

  ㉡"너, 구슬 가진 것 좀 보자."

  "그건 봐 뭣 해." / "보면 어때." / "봐 뭣 해."
하고 기동이는 조끼 주머니를 손으로 가립니다.

**모퉁이** 구부러지거나 꺾어져 돌아간 자리.
예 학교 앞 모퉁이에 있는 문방구에서 공책을 샀습니다.

**30** 노마는 구슬을 잃어버린 것을 알고 어떻게 하였습니까? (      )

① 구슬을 사러 갔다.
② 기동이를 찾으러 다녔다.
③ 기동이의 구슬을 가져갔다.
④ 구슬을 찾으러 돌아다녔다.
⑤ 영이에게 구슬을 달라고 했다.

**중요**
**31** 잃어버린 구슬을 찾아다닌 일에 대한 노마의 마음으로 알맞은 것의 기호를 쓰시오.

| ㉮ 기동이에게 미안한 마음 |
| ㉯ 잃어버린 구슬을 다시 가지고 싶은 마음 |

(          )

**32** 노마가 ㉠과 같이 행동한 까닭에 ○표를 하시오.

(1) 기동이의 구슬이 부러워서 (    )
(2) 기동이가 도와주기를 바라서 (    )
(3) 기동이의 말을 믿을 수가 없어서 (    )

**33** ㉡의 말에 대한 자신의 생각을 알맞게 말한 것에 ○표를, 알맞지 <u>않은</u> 것에 △표를 하시오.

(1) 친구의 구슬을 가지고 있으면서 모르는 척하는 것은 나쁜 일이다. (    )
(2) 구슬을 잃어버린 마음은 이해하지만 자꾸 친구를 의심하면 안 된다. (    )

정말 기동이가 그 구슬을 얻어 제 것처럼 가졌나 봅니다. 아니면 **선선하게** 보이지 못할 게 뭡니까.
　　　　　　　　　　　　노마가 더욱 의심이 나는 까닭

노마는 더욱 의심이 났습니다. 그래서,

"내가 잃어버린 구슬 네가 집었지?"

"언제 네 구슬을 내가 집었어?"

"그럼 보여 주지 못할 게 뭐야?"
　　　　조끼 주머니에 있는 구슬을 보여 주지 못할 게

그제는 기동이도 하는 수 없나 봅니다. "자아." 하고 조끼 주머니에서 구슬을 꺼내 보입니다. 하나를 꺼냅니다. 둘을 꺼냅니다. 셋, 다섯도 넘습니다. 모두 똑같은 모양, 똑같은 빛깔입니다. 노마가 잃어버린, 모두 똑같은 그런 파란 유리구슬입니다.
　　　　　노마가 잃어버린 구슬과 같은 구슬

어쩌면 그중에 노마가 잃어버린 구슬이 섞여 있을 성싶습니다. 그래서 노마는,

"너, 이 구슬 다 어디서 났니?"

"어디서 나긴 어디서 나. 다섯 개는 가게서 사고 한

---

개는 영이가 준 건데, 뭐."

"**거짓부렁.** 영이가 널 구슬을 왜 줘?"
　　거짓말

"그럼 영이한테 가서 물어봐."
　　노마와 기동이가 영이를 찾아가기로 한 까닭

〈중심내용〉 노마와 기동이는 영이를 찾아가다가 노마가 잃어버린 구슬을 찾게 되었고, 기동이를 의심한 노마는 얼굴이 벌게졌습니다.

③ 그래서 노마와 기동이는 영이를 찾아가기로 했습니다. 담 모퉁이를 돌아서 골목 밖으로 나갔습니다. 그리고 조그만 도랑 앞엘 왔습니다.
　　　　　　매우 좁고 작은 개울.

그런데 그 도랑물 속에 무엇이 햇빛에 번쩍하는 것이 있습니다. 유리구슬 같습니다. 정말 유리구슬입니다. 바로 노마가 잃어버린 그 구슬입니다.
　　　　노마가 잃어버린 구슬을 발견함.

㉠"네 구슬 여기다 두고, 왜 남보고 집었다고 그러는 거야."

하고, 기동이가 바로 **을러메는데도** 할 말이 없습니다.
　　　　　　　　　　　　기동이의 말이 다 맞아서

그만 노마는 얼굴이 벌게지고 말았습니다.
　　기동이를 의심한 것이 미안해서

★ 바르게 쓰기

| 잃어버린 | 잊어버린 |
|---|---|
| ( ○ ) | ( × ) |

---

〈낱말 사전〉

**선선하게** 성질이나 태도가 까다롭지 않고 주저함이 없게.
㉘ 윤서는 선선하게 내 말을 따라 주었습니다.

**을러메는데도** 위협적인 말이나 행동으로 을러서 남을 억누르는데도.
㉘ 민서는 규찬이 을러메는데도 굽히지 않았습니다.

---

**34** 노마가 잃어버린 구슬을 찾았을 때의 마음으로 알맞은 것을 두 가지 고르시오. (　　,　　)

① 구슬을 찾아 기쁜 마음
② 기동이를 의심하는 마음
③ 기동이에게 미안한 마음
④ 기동이 말이 틀리기 바라는 마음
⑤ 기동이가 구슬을 내놓기 바라는 마음

〈서술형〉
**35** 자신이 노마라면 기동이가 ㉠과 같이 이야기했을 때 어떻게 말할지 쓰시오.

_____

_____

〈도움말〉 ㉠은 의심을 받던 기동이가 구슬을 찾은 노마에게 한 말입니다.

---

〈중요〉
**36** 노마가 기동이를 의심한 일에 대해 세진이와 우정이가 한 다음 말에서 의견은 무엇인지 쓰시오.

> 세진: 노마가 친구를 의심한 것은 잘못입니다. 기동이 주머니에 구슬이 있지만 그 구슬이 노마의 것인지는 알 수 없기 때문입니다.
> 우정: 노마가 기동이를 의심하기는 했지만 안타까운 마음에 저지른 실수라고 생각합니다. 자기가 소중히 여기는 물건을 잃어버렸을 때에는 누구나 속상하기 때문입니다.

| (1) 세진 | |
|---|---|
| (2) 우정 | |

## 옳은 표현 찾기

금방 ( 갈께 , (갈게) ).

일찍 ( 일어날껄 , (일어날걸) ).

tip  '갈게'는 [갈께]로, '일어날걸'은 [이러날껄]로 소리 나지만, 소리 나는 대로 쓰지는 않습니다.

무엇을 ( 먹을가 , (먹을까) )?

왜 ( 늦을고 , (늦을꼬) )?

 tip  '먹을까?'나 '늦을꼬?'와 같이 묻는 말은 소리 나는 대로 씁니다.

## 바르게 쓴 낱말에 ○표를 하고 소리 내어 읽기

이 일은 내가 먼저 ((할게), 할께 ).
[할께]

너도 같이 왔으면 ((좋았을걸), 좋았을껄 ).
[조아쓸껄]

누가 여기를 ( 청소할가 , (청소할까) )?
[청소할까]

방이 왜 이리 ( 좁을고 , (좁을꼬) )?
[조블꼬]

• **활동 내용:** 자주 혼동할 수 있는 표현 중 올바른 표현을 찾는 활동입니다. 발음은 비슷하게 나지만 묻는 말일 때만 소리 나는 대로 씁니다.

▶ 옳은 표현 예

| 일반 문장 | 금방 갈게. 일찍 일어날걸. |
|---|---|
| 묻는 문장 | 무엇을 먹을까? 왜 늦을꼬? |

확인 문제

※ 다음 물음에 답하시오.

1. 다음 중 옳은 표현에 ○표를 하시오.
   (1) 일찍 일어날껄.  (     )
   (2) 무엇을 먹을까?  (     )

2. 다음 중 바르게 읽은 것에 ○표를 하시오.
   (1) 이 일은 내가 먼저 할게.
       [할게]
       (     )
   (2) 누가 여기를 <u>청소할까</u>?
       [청소할까]
       (     )

정답 1. (2) ○, 2. (2) ○

교과서
32~33쪽

## 교과서 32~33쪽

○ 생각이나 느낌이 서로 다른 까닭 알아보기

• 남자아이는 그림을 무엇으로 보았을까요? 예 청록색 부분을 마주 보는 사람으로 보았습니다.

• 여자아이는 그림을 무엇으로 보았을까요? 예 주황색 부분을 커다란 잔으로 보았습니다.

• 그림이 다르게 보인 까닭은 무엇일까요?

　예 같은 것을 보고도 상황에 따라 다르게 생각할 수 있기 때문입니다. / 같은 그림이지만 느낀 점이 다를 수 있기 때문입니다.

• 그림을 보고 어떤 느낌이 들었는지 말해 봅시다.

　예 공원에서 즐겁게 나들이하는 사람들을 보니까 행복했습니다.

교과서
35쪽

## 「꽃씨」

○ 봄이 되어 꽃씨가 싹을 틔우는 모습을 노래한 시

• 「꽃씨」에 대한 생각이나 느낌이 서로 다른 까닭을 말해 봅시다.

　예 '봄비가 내려와 앉는다'는 부분을 읽고 사람 같다고 느낀 친구도 있고, 봄비가 조금씩 내리는 것 같다고 생각한 친구도 있습니다. 시에서 일어나는 일을 다르게 생각했기 때문입니다. / 사람마다 생각이 다르기 때문에 재미를 느낀 부분이 서로 달랐습니다.

교과서
38쪽

## 「등 굽은 나무」

○ 운동장에서 혼자 나무를 올라타며 놀았던 경험을 노래한 시

• 성민이는 어디에 올라탔나요? 예 나무에 올라탔습니다.

• 성민이는 나무를 무엇이라고 생각했나요? 예 말이라고 생각했습니다.

• 성민이가 상상 속에서 간 곳은 어디어디인가요? 예 학교 앞 문방구, 네거리, 성민이네 집, 구름 위입니다.

교과서
45쪽

## 「가훈 속에 담긴 뜻」

○ 최 부잣집 도령 준이 할아버지가 다른 사람에게 베푸는 모습을 알게 되면서 가훈을 마음 속 깊이 새기게 된다는 내용의 이야기

• 「가훈 속에 담긴 뜻」을 읽고 인물의 말이나 행동에 대한 생각이나 느낌을 정리해 봅시다.

| 인물의 말이나 행동 | 생각이나 느낌 |
|---|---|
| 준은 할아버지가 손님들과 이야기하는 틈을 타 붓글씨 쓰는 것을 내팽개치고 논으로 놀러 나갔습니다. | 예 준은 할아버지에게 서운한 마음을 핑계로 하라는 글공부 대신 놀러 간 것 같아. |
| 예 할아버지 – "헐값에 생선을 넘기는 생선 장수의 마음을 헤아릴 줄 모른단 말이냐?" | 예 생선 장수의 마음을 헤아리라는 말을 통해 함께 살아가는 법을 말씀하시는 것 같아. |

• "사방 백 리 안에 굶어 죽는 사람이 없게 하라."라는 가훈의 의미에 대하여 말해 봅시다.
  예 다른 사람의 불행을 그냥 넘기지 말고 도와주라는 뜻입니다. / 되도록 먼 곳의 사람들도 도와주라는 뜻입니다.

## 「의심」

◯ 유리구슬 한 개를 잃어버린 노마는 기동이를 의심하다가 유리구슬을 찾게 되어 부끄러워하는 내용의 이야기

• 노마는 구슬을 잃어버린 것을 알고 어떻게 했나요? 예 구슬을 찾으러 돌아다녔습니다.

• 노마가 기동이에게 가지고 있는 구슬을 보여 달라고 한 까닭은 무엇인가요? 예 기동이의 말을 믿지 않았기 때문입니다.

• 노마가 잃어버린 구슬은 어디에 있었나요? 예 도랑물 안에 있었습니다.

• 「의심」을 다시 읽고 일어난 일에 대한 노마의 마음을 정리해 봅시다.

| 일어난 일 | 노마의 마음 |
|---|---|
| 노마는 기동이에게 자신의 구슬을 가지고 있는지 캐물었다. | 예 기동이를 의심하는 마음 / 기동이가 구슬을 내놓기를 바라는 마음 |
| 노마는 기동이와 함께 영이를 찾아 나섰다. | 예 영이가 기동이에게 구슬을 주었는지 확인하고 싶은 마음/ 기동이의 말이 틀리기를 바라는 마음 |
| 노마는 도랑물 속에서 잃어버린 구슬을 보았다. | 예 구슬을 찾아 기쁜 마음 / 기동이에게 미안한 마음 |

• 자신이 기동이나 노마라면 뭐라고 말했을까요?

노마: 너, 구슬 가진 것 좀 보자.
기동: 예 여기 봐. 비슷하게 보여도 이 가운데에서 네 것은 없어.

기동: 네 구슬 여기다 두고, 왜 남보고 집었다고 그러는 거야.
노마: 예 의심해서 미안해.

• 노마와 기동이의 행동에 대한 자신의 생각을 말해 보세요.

| 인물 | 행동 | 자신의 생각 |
|---|---|---|
| 노마 | 여전히 기동이의 조끼 주머니를 보고, 두 손을 보고 한다. | 예 구슬을 잃어버린 마음은 이해하지만 자꾸 친구를 의심하면 안 된다. |
| 기동 | "자아." 하고 조끼 주머니에서 구슬을 꺼내 보인다. | 예 기동이는 아무런 잘못 없이 의심을 받아서 기분이 나빴겠지만 노마의 기분을 이해하고 자신의 구슬을 정확히 설명해 주는 것이 좋겠다. |

• 노마가 기동이를 의심한 일에 대한 세진이와 우정이의 의견과 그렇게 생각한 까닭을 알아봅시다.

| 세진 | 의견 | 예 노마가 친구를 의심한 것은 잘못입니다. | 우정 | 의견 | 예 노마가 기동이를 의심하기는 했지만 안타까운 마음에 저지른 실수라고 생각합니다. |
|---|---|---|---|---|---|
| | 까닭 | 예 기동이 주머니에 있는 구슬이 노마의 것인지는 알 수 없기 때문입니다. | | 까닭 | 예 자기가 소중히 여기는 물건을 잃어버렸을 때에는 누구나 속상하기 때문입니다. |

• 노마가 기동이를 의심한 일에 대한 자신의 의견을 말해 봅시다.
  예 아무리 속이 상해도 친구를 의심하면 안 된다고 생각합니다.

# 단원 정리 학습

## 핵심 1 시를 읽고 생각이나 느낌 나누기

**1 시를 읽고 생각이나 느낌이 다른 까닭**
- 시에서 일어나는 일을 다르게 생각하기 때문입니다.
- 사람마다 생각이 다르기 때문에 재미를 느낀 부분이 서로 달랐습니다.

 시 「꽃씨」에서 봄비가 내려와 앉는다고 하니까 비가 사람같이 느껴져.

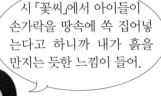 시 「꽃씨」에서 아이들이 손가락을 땅속에 쏙 집어넣는다고 하니까 내가 흙을 만지는 듯한 느낌이 들어.

└ 같은 시 「꽃씨」를 읽고 생각한 점이 서로 다릅니다.

**2 시를 읽고 생각이나 느낌 나누기**
- 시의 장면을 상상하며 읽어 보고, 시 속 인물의 느낌이 어떨지 이야기해 봅니다.
- 시에 대한 생각이나 느낌을 여러 가지 방법으로 표현해 봅니다.
  - 예 오행시 짓기, 몸으로 표현하기, 그림으로 표현하기, 인물이 되어 말하기

## 핵심 2 이야기를 읽고 생각이나 느낌 나누기

**1 일어난 일에 대한 생각이나 느낌이 다른 까닭**
- 각자 살아온 경험이나 체험이 다르기 때문입니다.
- 좋아하는 것 등이 서로 다르기 때문입니다.

**2 이야기를 읽고 생각이나 느낌 나누기**
- 일어난 일에 대한 인물의 마음을 생각합니다.
- 이야기에 나오는 인물의 말이나 행동에 대한 생각이나 느낌을 나누어 봅니다.
- 일어난 일에 대한 자신의 의견을 말해 봅니다.
  └ 일어난 일에 대한 자신의 의견을 말할 때에는 까닭과 함께 말합니다.
    의견은 어떤 일이나 대상에 대한 생각이고, 까닭은 그런 생각을 하게 된 원인이나 조건입니다.

예

| 일어난 일 | | 세진이의 생각 |
|---|---|---|
| 노마가 기동이를 의심한 일 | 의견 | 노마가 친구를 의심한 것은 잘못입니다. |
| | 까닭 | 기동이 주머니에 있는 구슬이 노마의 것인지는 알 수 없기 때문입니다. |

# 단원 확인 평가

**01** 같은 일에 대한 생각이 달랐던 경험을 알맞게 말한 친구의 이름을 쓰시오.

> 라현: 나와 동생은 신나는 음악이 들리면 같이 춤을 춰.
> 형진: 나는 박물관의 어두운 전시실이 작품을 감상하기에 좋다고 생각했는데, 누나는 전시실이 더 밝으면 좋겠대.

(          )

**[02~04] 다음 시를 읽고, 물음에 답하시오.**

> 몰래
> 겨울을 녹이면서
> 봄비가 내려와 앉으면
>
> 꽃씨는
> 땅속에 살짝 돌아누우며
> 눈을 뜹니다.
>
> 봄을 기다리는 아이들은
> 쏘옥
> 손가락을 집어넣어 봅니다.
>
> 꽃씨는 저쪽에서
> 고개를 빠끔
> 얄밉게 숨겨 두었던
> 파란 손을 내밉니다.

**02** 꽃씨가 땅속에서 눈을 뜨는 때는 언제입니까?

(      )

① 겨울이 계속 될 때
② 겨울이 고개를 내밀 때
③ 봄비가 내려와 앉을 때
④ 아이들이 손가락을 집어넣을 때
⑤ 얄밉게 숨겨 두었던 파란 손을 내밀 때

**03** 이 시를 읽고 떠올릴 수 있는 장면은 무엇입니까? (      )

① 겨울이 계속되는 모습
② 새싹이 돋아나는 모습
③ 아이들이 뛰어노는 모습
④ 울창한 숲이 펼쳐지는 모습
⑤ 소나기를 맞은 싱그러운 풀잎의 모습

**04** <sup>중요</sup> 이 시를 읽고 생각이나 느낌을 알맞게 말한 것에 ◯표를, 알맞지 않은 것에 △표를 하시오.

(1) 봄비가 내려와 앉는다고 하니까 비가 사람같이 느껴져. (      )
(2) 꽃씨를 아이들이 자라는 것처럼 생각한 것이 재미있어. (      )
(3) 아이들이 손가락을 땅속에 쏙 집어넣는다고 하니까 내가 흙을 만지는 듯한 느낌이 들어. (      )

**05** <sup>서술형</sup> 같은 시를 읽고도 시에 대한 생각이나 느낌이 서로 다른 까닭은 무엇인지 쓰시오.

_____

_____

_____

**도움말** 사람마다 다른 생각을 하고, 다른 경험을 갖고 있다는 것에 주의합니다.

**[06~07]** 다음 시를 읽고, 물음에 답하시오.

> 텅 빈 운동장을
> 혼자 걸어 나오는데
> 운동장가에 있던 나무가
> 등을 구부리며
> 말타기놀이하잔다
> 얼른 올라타라고
> 등을 내민다
>
> 내가 올라타자
> 따그닥따그닥
> 달린다
> 학교 앞 문방구를 지나서
> 네거리를 지나서
> 우리 집을 지나서
> 달린다

**06** 말하는 이는 운동장가에 있는 나무를 무엇이라고 생각하였는지 쓰시오.

(               )

**07** 이 시에서 말하는 이의 느낌이 어떨지 친구들과 이야기를 하였습니다. 알맞지 <u>않은</u> 것은 무엇입니까? (    )

① 나무에 올라타니 신나게 말을 타는 느낌이었을 것 같아.
② 학교 앞 문방구를 지나는 상상을 하면 재미있을 것 같아.
③ 네거리와 우리 집을 지나 달리는 상상을 하며 신났을 것 같아.
④ 혼자 선 나무가 같이 말타기놀이 하자고 이야기한 것을 상상했어.
⑤ 숲속에서 친구들과 재미있게 노는 것을 상상하며 즐거웠을 것 같아.

**[08~12]** 다음 글을 읽고, 물음에 답하시오.

⑺ 준은 문득 작년 이맘때 일이 생각났습니다. 한 하인이 장사가 끝날 때쯤 생선 가게에 가서 헐값에 청어를 사 왔다가 할아버지에게 호되게 혼이 났습니다.

㉠"물건을 살 때는 아침에 가서 제값을 주고 사 오라고 했거늘 어찌 끝날 때쯤 헐값을 주고 사 오느냐? 헐값에 생선을 넘기는 생선 장수의 마음을 헤아릴 줄 모른단 말이냐?"

그 일이 있은 후 장사치들은 너도나도 좋은 물건들을 가지고 최 부잣집을 찾아오게 되었지요.

⑷ 준은 다른 도령들과 함께 얌전히 꿇어앉아 "사방 백 리 안에 굶어 죽는 사람이 없게 하라."라는 가훈을 크게 썼습니다.

붓글씨를 쓴 뒤에 할아버지는 준과 다른 도령들에게 희한하게 생긴 뒤주를 보여 주었습니다.

㉡"이 뒤주는 가난한 사람들이나 지나가는 나그네가 쌀을 퍼 갈 수 있도록 만든 것이란다."

준은 쌀을 한 줌 꺼내 보았습니다. 할아버지의 훈훈한 마음이 전해지는 것 같았지요. 최 부잣집에는 가난한 사람들을 위해 쌀을 담아 놓은 뒤주가 있었습니다. 쌀 삼천 석 가운데 천 석을 불쌍한 사람들을 돕는 데 썼다고 합니다.

**08** 하인이 할아버지에게 호되게 혼이 난 까닭으로 알맞은 것에 ○표를 하시오.

⑴ 생선을 잘못 사 와서        (     )
⑵ 제값을 주고 청어를 사 와서    (     )
⑶ 생선 장수의 마음을 헤아릴 줄 몰라서

(     )

**09** 장사치들이 좋은 물건들을 가지고 최 부잣집에 온 까닭은 무엇입니까? (    )

① 물건 값을 싸게 쳐주어서
② 헐값으로 물건을 팔 수 있어서
③ 물건 값을 제대로 받을 수 있어서
④ 최 부잣집 대감이 귀한 물건을 좋아해서
⑤ 최 부잣집에 물건 사려는 사람이 많아서

---

**서술형**

**10** ㉠의 할아버지 말에 대한 자신의 생각이나 느낌을 쓰시오.

_____

_____

**도움말** 먼저 할아버지의 말에 담긴 의미를 이해하고, 자신의 생각이나 느낌을 정리해 봅니다.

**11** 최 부잣집 가훈은 무엇인지 쓰시오.

(                         )

**12** ㉡의 할아버지 말에 대한 자신의 생각이나 느낌을 알맞게 말한 친구의 이름을 쓰시오.

> 서은: 붓글씨를 아침마다 쓰게 하시는 할아버지는 너무 엄하신 것 같아.
> 현민: 어려운 사람을 도와주려는 할아버지의 깊은 뜻이 느껴졌어.

(                         )

**[13~15]** 다음 글을 읽고, 물음에 답하시오.

> "너, 이 구슬 다 어디서 났니?"
> "어디서 나긴 어디서 나. 다섯 개는 가게에서 사고 한 개는 영이가 준 건데, 뭐."
> "거짓부렁. 영이가 널 구슬을 왜 줘?"
> "그럼 영이한테 가서 물어봐."
> 그래서 노마와 기동이는 영이를 찾아가기로 했습니다. 담 모퉁이를 돌아서 골목 밖으로 나갔습니다. 그리고 조그만 도랑 앞엘 왔습니다.
> 그런데 그 도랑물 속에 무엇이 햇빛에 번쩍하는 것이 있습니다. 유리구슬 같습니다. 정말 유리구슬입니다. 바로 노마가 잃어버린 그 구슬입니다.
> "네 구슬 여기다 두고, 왜 남보고 집었다고 그러는 거야."
> 하고, 기동이가 바로 을러메는데도 할 말이 없습니다.

**13** 기동이와 함께 영이를 찾아가기로 했을 때 노마의 마음으로 알맞지 **않은** 것은 무엇입니까?

(        )

① 기동이를 의심하는 마음
② 구슬을 찾아서 기쁜 마음
③ 기동이의 말이 틀리기를 바라는 마음
④ 기동이가 구슬을 내 놓기를 바라는 마음
⑤ 영이가 정말 구슬을 주었는지 확인하고 싶은 마음

**14** 기동이가 을러메는데도 노마가 할 말이 없었던 까닭으로 알맞은 것에 ○표를 하시오.

(1) 구슬을 찾아서 너무 기뻐서 (        )
(2) 기동이를 의심한 것이 미안해서 (        )
(3) 기동이에게 자신의 구슬이 있어서 (        )

**중요**

**15** 노마가 기동이를 의심한 일에 대하여 다음과 같이 생각을 말하였습니다. 의견과 까닭으로 구분하여 각각 선으로 이으시오.

(1) 자기가 소중히 여기는 물건을 잃어버렸을 때에는 누구나 속상하기 때문이다. · · ① 의견

(2) 노마가 기동이를 의심하기는 했지만 안타까움 마음에 저지른 실수라고 생각한다. · · ② 까닭

　남자아이가 여자아이에게 책의 내용을 이야기해 주고 있네요. 그런데 여자아이는 무슨 말인지 모르는 것 같아요. 여자아이는 중요한 내용만 듣고 싶어 하는 것이 아닐까요?

　이제, 2단원에서는 글의 내용을 간추리는 방법을 알아보고, 글의 내용을 간추려 볼 거예요.

# 2 내용을 간추려요

37쪽 단원 정리 학습에서 더 자세히 공부해 보세요.

## 단원 학습 목표

1. 들은 내용을 간추릴 수 있습니다.
   - 내용을 들으면서 빨리 씁니다.
   - 중요한 내용만 골라서 짧게 씁니다.

2. 글의 내용을 간추릴 수 있습니다.
   - 중심 문장을 연결하여 글 전체의 내용을 간추립니다.
   - 이야기에서 일어난 중요한 사건을 중심으로 간추립니다.
   - 글의 전개에 따라 내용을 간추립니다.

## 단원 진도 체크

| 회차 | | 학습 내용 | 진도 체크 |
|---|---|---|---|
| 1차 | 단원 열기 | 단원 학습 내용 미리 보고 목표 확인하기 | ✓ |
| | 교과서 내용 학습 | 「일기 예보」 / 「동물이 내는 소리」 | ✓ |
| 2차 | 교과서 내용 학습 | 「나무 그늘을 산 총각」 | ✓ |
| 3차 | 교과서 내용 학습 | 「에너지를 절약하자」 | ✓ |
| 4차 | 교과서 내용 학습 | 국어 활동 학습하기 | ✓ |
| | 서술형 수행 평가 돋보기 | 서술형 수행 평가 대비 학습하기 | ✓ |
| | 교과서 문제 확인 | 교과서 문제 학습하며 학교 숙제 해결하기 | ✓ |
| 5차 | 단원 정리 학습 | 단원 학습 내용 정리하기 | ✓ |
| | 단원 확인 평가 | 확인 평가를 통한 단원 학습 상황 파악하기 | ✓ |

해당 부분을 공부하고 나서 ✓표를 하세요.

# 교과서 내용 학습

## 일기 예보

**학습 목표 ▶ 들은 내용 간추리기**

- **글의 종류**: 일기 예보(뉴스)
- **글의 특징**: 오늘의 전국 날씨 정보를 알려 주고 있습니다.

■ 들은 내용을 정리할 때 메모하면 좋은 점
- 중요한 내용을 빠짐없이 기억할 수 있습니다.
- 나중에 기억하기 쉽습니다.

■ 들은 내용을 쉽고 정확하게 정리하는 방법
- 읽으면서 쓸 때보다 빨리 씁니다.
- 중요한 내용만 골라 짧게 씁니다.

안녕하십니까? 날씨 정보입니다. 저는 지금 봄꽃이 가득한 공원에 나와 있습니다.
<u>일기 예보임을 알 수 있음.</u>
다. 날씨가 따뜻해지면서 공원에는 나들이를 나온 시민들이 많아졌습니다. 활짝
핀 벗꽃이 성큼 찾아온 봄을 느끼게 해 줍니다. 오늘 하루는 <u>전국적으로 맑은 날씨</u>
★
가 되겠습니다. <u>서울, 춘천은 19도, 강릉, 청주, 전주 등은 20도까지 낮 기온이 올</u>
중요한 날씨 정보          오늘 전국의 낮 기온
라가겠습니다. 일요일에도 산책하기 좋은 날씨가 되겠습니다. <u>서울, 춘천은 20도,</u>
<u>청주와 진주 등은 21도의 따뜻한 날씨가 예상됩니다.</u> 하지만 <u>아침저녁으로는 5도</u>
일요일의 낮 기온
<u>에서 6도의 쌀쌀한 날씨가 예상됩니다.</u> 일교차가 크니 감기에 걸리지 않도록 조심
일요일의 아침저녁 기온               기온, 습도, 기압 등이 하루 동안에 변화하는 차이.
하세요. ★ 바르게 쓰기

| 벗꽃 | 벗꽃 |
|------|------|
| ( ○ ) | ( × ) |

---

**01** 가족 나들이를 위해 일기 예보를 들을 때에 생각해야 할 점을 보기 에서 찾아 기호를 쓰시오.

> ㉮ 듣는 목적을 생각한다.
> ㉯ 아는 내용이나 경험을 떠올린다.
> ㉰ 들은 내용을 어떻게 할지 생각한다.

(1) 일요일에 춘천으로 나들이 가도 좋은 날씨인지 확인하며 들어야겠어.

( )

(2) 작년 이맘때는 봄이었는데도 추웠던 것 같아.

( )

(3) 나에게 필요한 내용을 써 놔야겠어.

( )

**02** 일기 예보에서 오늘 춘천의 낮 기온은 몇 도로 예상하고 있는지 쓰시오.

( )

**03** 다음은 일기 예보를 듣고 쓴 내용입니다. ㉮를 쓴 방법으로 알맞은 것에 ○표를 하시오.

> 일기 예보
> • 오늘 날씨: ㉮<u>전국적으로 맑음.</u>
> • 일요일 날씨 –산책하기 좋은 날씨
> –춘천 낮 기온 20도
> –아침저녁으로 일교차가 큼.
> → • 나들이 가능
> • 따뜻한 옷 필요

(1) 중요한 날씨 정보를 썼다. ( )
(2) 나들이 갈 때 필요한 준비물을 썼다.

( )

**중요**
**04** 들은 내용을 쉽고 정확하게 정리하는 방법으로 알맞은 것을 모두 찾아 ○표를 하시오.

(1) 읽으면서 쓸 때보다 빨리 쓴다. ( )
(2) 중요한 내용만 골라서 짧게 쓴다. ( )
(3) 들으면서 모든 내용을 빨리 쓴다. ( )

## 동물이 내는 소리

학습 목표 ▶ 글의 내용을 간추리는 방법 알기

국어 70~74쪽

**중심 내용** 동물들이 소리를 내는 방식은 다양합니다.

**1** 동물들이 소리를 내는 방식은 다양합니다. **성대**를 이용하여 소리를 내는 동물
도 있고 다른 **부위**를 이용하는 동물도 있습니다.
<u>중심 문장</u>

★ **바르게 쓰기**

| 부위 | 부이 |
|------|------|
| ( ○ ) | ( × ) |

**중심 내용** 개나 닭은 사람과 같이 성대를 울려 소리를 내지만 다양한 소리를 내지는 못합니다.

**2** 개나 닭은 사람과 같이 성대를 울려 소리를 내지만 다양한 소리를 내지는 못합
니다. 왜냐하면 성대나 입과 혀의 생김새가 사람과 다르기 때문입니다. 그래서 몇
가지 소리만 낼 수 있습니다. 동물들은 대개 서로를 부르거나 위협하기 위해서 소
리를 냅니다.
<u>대부분</u>        <u>동물들이 소리 내는 상황</u>

**중심 내용** 매미는 발음근으로 소리를 냅니다.

**3** 매미는 발음근으로 소리를 냅니다. 매미는 수컷만 소리를 낼 수 있고, 암컷은 소
<u>중심 문장</u>
리를 내지 못합니다. 매미의 배에 있는 **발음막**, 발음근, 공기주머니는 매미가 소리
<u>매미가 소리를 낼 수 있게 도와주는 부위</u>
를 내게 도와줍니다. 그런데 암컷은 발음근이 발달되어 있지 않고 발음막이 없어서
<u>매미의 암컷이 소리를 낼 수 없는 까닭</u>
소리를 낼 수 없답니다.

- **글의 종류**: 설명하는 글
- **글쓴이**: 문희숙
- **글의 내용**: 동물들은 성대나 발음근, 부레 등을 이용하여 다양한 방식으로 소리를 낼 수 있습니다.

**낱말 사전**

**성대**(聲 소리 성, 帶 띠 대)  후두의 중앙부에 있는 소리를 내는 기관. 예 사람은 성대를 울려 소리를 냅니다.
**부위**(部 거느릴 부, 位 자리 위)  전체에 대하여 어떤 특정한 부분이 차지하는 위치.
**발음막**(發 필 발, 音 소리 음, 膜 막 막)  진동하여 소리 내는 막.

**05** 개나 닭이 다양한 소리를 내지 못하는 까닭은 무엇입니까? (        )

① 성대가 없어서
② 발음막이 없어서
③ 성대의 위치가 사람과 달라서
④ 성대를 이용하지 않고 발음막을 이용해서
⑤ 성대나 입과 혀의 생김새가 사람과 달라서

**06** 동물들이 소리를 내는 까닭으로 알맞은 것에 ○표를 하시오.

(1) 먹이와 잠잘 곳을 바로 찾기 위해서
(        )

(2) 서로 잘 듣거나 냄새를 잘 맡기 위해서
(        )

(3) 대개 서로를 부르거나 위협하기 위해서
(        )

**중요**
**07** 다음과 같은 방법으로 소리를 내는 동물들을 찾아 각각 쓰시오.

동물들이 소리 내는 방법

| 성대를 울려 소리를 낸다. | 발음근으로 소리를 낸다. |
|----------------------|---------------------|

(1) (                )    (2) (                )

**서술형**
**08** ②문단의 중심 문장을 찾아 쓰시오.

_____

_____

_____

**도움말** 중심 문장은 그 문단에서 가장 중요한 중심 내용입니다.

■ 글의 내용을 간추리는 방법
· 문단의 중심 문장을 찾습니다.
· 문장을 이어 주는 말을 생각합니다.
· 중심 문장을 연결해 전체 글의 내용을 간추립니다.

★ 바르게 읽기

| [높낮이] | [놈나지] |
|---|---|
| ( × ) | ( ○ ) |

**낱말 사전**

**부레** 어류의 몸속에 있는 공기 주머니.

수컷은 발음근을 당겨서 발음막을 움푹 들어가게 한 다음 '딸깍' 하고 소리를 냅니다. 이 소리가 커지고 반복되면 '찌이이' 하고 소리가 납니다.

**중심내용** 물고기는 몸속에 있는 부레로 여러 가지 소리를 냅니다.

4 물고기는 몸속에 있는 **부레**로 여러 가지 소리를 냅니다. 부레 안쪽 근육을 수축
　　　　　　　　　　　　　　중심 문장　　　　　　　　　　　오그라들거나
하거나 부레의 얇은 막을 진동해 소리를 낼 수 있습니다. 물고기가 조용하다고 느
　　　　　　　　　　　　　　　　★
끼는 이유는 우리가 들을 수 없는 높낮이로 소리를 내기 때문입니다.
　　　　　　　　물고기가 조용하다고 느끼는 이유

**중심내용** 동물들은 자신만의 방법으로 소리를 낼 수 있습니다.

5 이와 같이 동물들은 성대나 발음근, 부레를 이용해 소리를 냅니다. 그 밖에도
날개를 비비거나 꼬리를 흔들어 소리를 내는 동물들도 있습니다. 이렇게 동물들은
메뚜기가 소리 내는 방법　뱀이 소리 내는 방법
자신만의 방법으로 소리를 낼 수 있습니다.

**09** 매미가 소리를 내는 방법으로 알맞은 것은 무엇입니까? ( )

① 날개를 비비며 소리를 낸다.
② 꼬리를 흔들며 소리를 낸다.
③ 부레를 진동하여 소리를 낸다.
④ 성대를 이용하여 소리를 낸다.
⑤ 발음근을 당겨서 발음막을 움푹 들어가게 한 다음 소리를 낸다.

**10** 우리가 물고기의 소리를 들을 수 <u>없는</u> 까닭은 무엇입니까? ( )

① 소리가 점점 작아져서
② 지느러미가 미끄러워서
③ 소리가 연속적으로 반복되어서
④ 공기 주머니에서만 소리가 나서
⑤ 우리가 들을 수 없는 높낮이로 소리를 내서

**중요 11** 5문단의 내용을 중심 문장과 뒷받침 문장으로 나누려고 합니다. 중심 문장에는 ○표, 뒷받침 문장에는 △표를 하시오.

| | |
|---|---|
| (1) | 이와 같이 동물들은 성대나 발음근, 부레를 이용해 소리를 냅니다. |
| (2) | 그 밖에도 날개를 비비거나 꼬리를 흔들어 소리를 내는 동물들도 있습니다. |
| (3) | 이렇게 동물들은 자신만의 방법으로 소리를 낼 수 있습니다. |

**서술형 12** 글의 내용을 간추리는 방법을 생각하여 「동물이 내는 소리」를 간추려 쓰시오.

| 처음 | 1 동물들이 소리를 내는 방식은 다양합니다. |
|---|---|
| 가운데 | 2 개나 닭은 사람과 같이 성대를 울려 소리를 내지만 다양한 소리를 내지는 못합니다. |
| | 3 매미는 발음근으로 소리를 냅니다. |
| | 4 |
| 끝 | 5 |

**도움말** 중심 문장은 그 문단의 가장 중요한 문장입니다. 글의 내용을 간추릴 때에는 중심 문장을 연결해서 씁니다.

# 나무 그늘을 산 총각

학습 목표 ▶ 이야기의 흐름에 따라 내용 간추리기

국어 75~82쪽

- **글의 종류**: 이야기
- **글쓴이**: 권규헌
- **글의 내용**: 욕심 부려 나무 그늘을 팔았던 욕심쟁이 영감은 총각의 지혜로 마을을 떠나게 되었고, 욕심쟁이 영감의 기와집과 나무 그늘은 마을의 쉼터가 되었습니다.

---

**중심 내용** 옛날 어느 마을에 커다란 느티나무가 있었습니다.

**1** 옛날 어느 마을에 커다란 느티나무가 있었어요. 동네 사람이 모두 쉬어 갈 만큼 큰 나무였지요. 느티나무 앞에는 기와집이 한 채 있었어요. 욕심쟁이 부자의 집이었지요. 부자는 느티나무 그늘에서 낮잠 자는 걸 무척 좋아했어요.

*지붕을 흙을 구운 기와로 얹은 집.*
*욕심쟁이 부자의 집*
*중심 인물 ①*
*공간적 배경*

**중심 내용** 어느 더운 여름날 총각이 나무 그늘에서 잠을 자는데 욕심쟁이 영감이 나무 그늘이 자기 것이라고 우겼습니다.

**2** 어느 더운 여름날이었어요.
*시간적 배경*

"어휴, 덥다. 그늘에서 잠깐 쉬어 갈까?"

총각이 뜨거운 볕을 피해 나무 그늘로 들어섰어요.
*중심 인물 ② 총각이 느티나무 그늘로 들어온 까닭*

"드르렁, 드르렁, 푸!"

나무 그늘에는 부자가 코를 골며 자고 있었지요. 잠깐 쉬어 가려던 총각도 그만 잠이 들고 말았어요.

얼마 뒤, 욕심쟁이 부자가 깨어났어요. 부자는 총각
*총각이 잠이 들고 얼마 뒤*

을 보자 버럭버럭 소리를 질렀어요.

"너 이놈, 허락도 없이 남의 나무 그늘에서 잠을 자다니!"

총각이 부스스 눈을 뜨며 물었어요.

"나무 그늘에 무슨 주인이 있다고 그러세요?"

"이건 우리 할아버지의 할아버지가 심은 나무야. 그러니 그늘도 당연히 내 것이지!"
*그늘까지 자기 것이라고 우기는 욕심쟁이 부자*

부자 영감의 말에 총각은 기가 딱 막혔어요.
*그늘이 자기 것이라고 우겨서*

**중심 내용** 총각은 욕심쟁이 영감을 혼내 주려고 나무 그늘을 샀습니다.

**3** '이런 욕심쟁이 영감, 어디 한번 당해 봐라!'

총각은 욕심쟁이 부자를 혼내 주기로 했어요.

"영감님, 저한테 이 나무 그늘을 파는 건 어때요?"
★
*욕심쟁이 부자를 혼내 주려고 꾀를 냄.*

부자는 귀가 솔깃했어요.
*그럴듯해 보여 마음이 쏠리는 데가 있었어요.*

| ★ 바르게 쓰기 | |
|---|---|
| 솔깃했어요 | 쏠깃했어요 |
| ( ○ ) | ( × ) |

---

**13** 다음 빈칸에 욕심쟁이 영감이 총각을 보자 버럭버럭 소리를 지른 까닭을 쓰시오.

> 자기의 허락도 없이 [ ]에서 잠을 잤기 때문이다.

(                              )

**14** 욕심쟁이 영감이 나무 그늘을 자기 것이라고 우긴 까닭은 무엇입니까? (     )

① 자기의 할아버지가 산 그늘이라서
② 자기 집 안에 있는 나무 그늘이라서
③ 자기가 직접 심은 나무의 그늘이라서
④ 할아버지가 좋아하신 나무 그늘이라서
⑤ 할아버지의 할아버지가 심은 나무의 그늘이라서

**15** 총각이 나무 그늘을 사려는 까닭은 무엇입니까?

(     )

① 욕심쟁이 영감이 나무를 싫어해서
② 욕심쟁이 영감이 나무 그늘을 싸게 팔아서
③ 나무 그늘에서 낮잠을 잔 것이 부끄러워서
④ 나무 그늘을 가지고 있는 욕심쟁이 영감이 부러워서
⑤ 그늘까지도 자신이 주인이라는 욕심쟁이 영감을 혼내 주기 위해서

**중요 16** 다음 사건이 일어난 장소를 쓰시오.

> 총각이 욕심쟁이 영감에게 나무 그늘을 산다고 말함.

(                              )

2. 내용을 간추려요 **29**

'아니, 이런 멍청한 녀석을 봤나?'
그늘을 팔라고 해서
부자는 억지로 웃음을 참으며 말했어요.
사거나 바꾼 물건을 원래 임자에게 도로 주고 돈이나 물건을 되찾자고
"흠, 자네가 원한다면 할 수 없지. 대신 나중에 무르

자고 하면 절대로 안 되네!"
총각이 나중에 돈을 돌려달라고 할까 봐
부자는 못 이기는 척 나무 그늘을 팔았답니다.

총각은 열 냥을 주고 나무 그늘을 샀어요.
총각이 나무 그늘을 산 값
"영감님, 제 나무 그늘에서 나가 주시지요."

"허허, 그러지. 이제 자네 것이니까."
총각의 나무 그늘
부자는 콧노래를 부르며 집으로 돌아갔어요. 총각은
나무 그늘을 돈 받고 판 것이 기뻐서
나무 그늘에 벌렁 드러누웠어요. 그리고 해님을 보며

빙긋이 웃었지요. 시간이 지나자 나무 그늘은 점점 부
총각이 다른 꾀가 있음을 알 수 있음.
자 영감의 집 쪽으로 옮겨 갔어요.

**중심 내용** 욕심쟁이 부자의 집 쪽으로 나무 그늘이 옮겨 가자 총각은 욕심쟁이 부자의 집 마당과 안방까지 들어갔습니다.

4 마침내 나무 그늘은 부자 영감의 집 마당까지 길어

졌지요.

★ 바르게 쓰기

| 빼앗긴 | 빼았긴 |
|---|---|
| ( ○ ) | ( × ) |

'슬슬 시작해 볼까?'

총각은 성큼성큼 부자 영감의 집 안으로 들어갔어요.

"아니, 남의 집엔 왜 들어오는 게냐?"

부자 영감은 담뱃대를 휘둘렀어요. 총각은 나무 그
늘에 서서 말했어요.

"하하하, 영감님, 여기는 제 그늘인걸요."
부자 영감 집에 들어간 그늘
마당까지 들어온 그늘을 보고 부자 영감은 아무 말
총각이 산 그늘에 있었으므로
도 할 수 없었지요.

총각은 부자의 마당에서 뒹굴뒹굴 신이 났어요.

"역시 비싼 나무 그늘이라 시원하군!"

마당을 ★빼앗긴 부자는 그늘을 피해 다니며 부글부글

속을 끓였지요. 시간이 지날수록 나무 그늘은 점점 더

길어져 안방까지 들어갔어요.

총각은 그늘을 따라 안방으로 들어갔어요.
총각이 산 그늘이 안방으로 들어가서
부잣집 식구들이 깜짝 놀라 소리쳤어요.
한 집에서 함께 살면서 끼니를 같이하는 사람.
"아니, 여기가 어디라고 함부로 들어오는 거예요?"

"제가 영감님께 이 나무 그늘을 샀답니다."

식구들은 총각의 말을 듣고 어이가 없었어요.

---

**17** 시간이 지나자 나무 그늘은 어떻게 되었는지 알
맞은 것을 찾아 ○표를 하시오.

(1) 뒷산으로 점점 기울어졌다.　　　　（　　　）
(2) 욕심쟁이 영감의 집 마당까지 길어졌다.
　　　　　　　　　　　　　　　　　　（　　　）

**18** 총각이 욕심쟁이 영감의 집 안으로 들어간 까닭
은 무엇입니까? (　　　)

① 욕심쟁이 영감을 감시하려고
② 욕심쟁이 영감이 들어오라고 하여서
③ 욕심쟁이 영감의 집 안에 있는 그늘도 사려고
④ 욕심쟁이 영감에게 그늘을 산 것을 무르자
　 고 하려고
⑤ 자기가 산 그늘이 욕심쟁이 영감의 집 안으
　 로 들어가서

**중요**
**19** 글 4에서 시간과 장소의 변화에 따라 일어난 일
을 찾아 바르게 선으로 이으시오.

글 4

• 

㉠ 욕심쟁이 영감
의 집 마당과 안
방

㉡ 욕심쟁이 영감
의 집 앞 느티나
무 그늘

⑦ 총각은 그늘을
따라 안방으로
들어감.

④ 총각이 욕심쟁
이 영감에게 나
무 그늘을 삼.

**중심내용** 그날 저녁 그늘이 사라지자 욕심쟁이 부자의 생각대로 총각은 집으로 돌아갔습니다.

⑤ "아이고, 영감. 어쩌자고 그늘을 팔아요?"

┌ "아버지, 얼른 돈을 돌려주고 저 사람을 내쫓아요!"
│ <u>안방까지 들어온 총각이 너무 불편해서</u>
㉠ 식구들이 부자 영감을 달달 볶았어요.
└ "조금만 참아 봐. 저 녀석도 곧 집에 가겠지."

부자는 식구들을 달랬어요. 돈을 돌려주기는 싫었거든요. / "아함! 잘 잤다!"

저녁이 되어 그늘이 사라지자 총각은 집으로 돌아갔
<u>시간적 배경</u>
어요. / "허허, 그것 보라니까. 별 수 없이 집으로 가잖

아. 저 멍청한 녀석 덕분에 열 냥이나 벌었다니까!"

**중심내용** 매일매일 총각이 부잣집을 드나들자 욕심쟁이 영감은 다른 마을로 떠났고, 총각은 기와집과 나무 그늘을 큰 쉼터로 만들었습니다.

⑥ 그런데 다음 날도 그다음 날도 총각은 매일매일 부
<u>시간적 배경-다음날 이후</u>
잣집을 드나들었어요. / "당장 돈을 돌려주세요!"
<u>총각이 매일 부잣집에 드나드는 게 싫어서</u>
식구들은 팔딱팔딱 뛰었어요. 부자도 더 이상은 참

을 수가 없었지요. / "여보게, 그늘을 다시 나에게 팔
<u>이미 있던 것에 더하여 많아지게 하여.</u>
게. 내가 열 냥에다 열 냥을 더 보태 주겠네."
<u>산 가격의 두 배를 주겠네.</u>

"이렇게 좋은 그늘을 겨우 스무 냥에 팔라고요?"
<u>부자 영감이 다시 팔려는 값</u>
총각은 눈도 깜짝하지 않았어요.

총각은 동네 사람들을 그늘로 불렀어요. 욕심쟁이

부자를 골려 주는 일이니 모두 신이 나서 달려왔지요.
<u>많은 사람이 한곳에 모여 매우 수선스럽게 자꾸 들끓었어요.</u>
부자 영감의 집은 날마다 사람들로 북적거렸어요.
<u>총각이 동네 사람들을 그늘이 있는 곳으로 불러서</u>
"이보게, 제발 이 그늘을 다시 팔게!"

부자 영감은 사정사정했어요.

"그늘을 사고 싶으면 만 냥을 내십시오."
<u>총각이 제시한 그늘의 가격</u>
"뭐라고? 마, 만 냥?"

부자 영감은 눈알이 튀어나올 것 같았지요.
<u>너무 비싸서</u>
"그렇게 욕심을 부리더니, 꼴좋다!"

사람들은 입을 모아 부자 영감을 놀렸어요. 부자 영

감은 부끄러워서 얼굴을 들 수가 없었지요. 결국 욕심
<u>욕심을 부리다 그늘을 판 일이 들통나서</u>
쟁이 영감은 짐을 꾸려 마을을 떠나고 말았어요. 총각

은 기와집과 나무 그늘을 큰 쉼터로 만들었어요. 쉼터

는 누구나 마음 놓고 쉬어 가는 곳이 되었답니다.

---

**20** ㉠에서 알 수 있는 욕심쟁이 영감의 마음은 어떠한지 쓰시오.

(   )

**중요 21** 저녁이 되어 일어난 일은 무엇입니까? (   )

① 총각이 자기 집으로 돌아갔다.
② 욕심쟁이 영감이 나무 그늘을 다시 샀다.
③ 욕심쟁이 영감이 총각의 돈을 돌려주었다.
④ 총각이 욕심쟁이 영감 집에서 나가지 않았다.
⑤ 총각이 욕심쟁이 영감 집에 그늘이 들어온 곳을 표시하였다.

**22** ⑥에서 총각은 욕심쟁이 영감의 기와집과 나무 그늘을 무엇으로 만들었는지 쓰시오.

(   )

**서술형 23**  「나무 그늘을 산 총각」을 읽고 이야기의 흐름에 따라 중요한 사건을 바탕으로 정리하여 쓰시오.

┌─────────────────────────────┐
│ ① 어느 더운 여름날, 욕심쟁이 영감의 집 앞 │
│ 느티나무 그늘에서 총각이 열 냥을 주고 욕심 │
│ 쟁이 영감의 나무 그늘을 삼. │
└─────────────────────────────┘

┌─────────────────────────────┐
│ ② 그날 오후, 욕심쟁이 영감의 집 쪽으로 나무 │
│ 그늘이 옮겨 가자 총각은 욕심쟁이 영감의 집 │
│ 마당과 안방으로 들어감. │
└─────────────────────────────┘

┌─────────────────────────────┐
│ ③ 그날 저녁, 그늘이 사라지자 총각은 집으로 │
│ 돌아감. │
└─────────────────────────────┘

┌─────────────────────────────┐
│ ④ │
│ │
└─────────────────────────────┘

**도움말** 총각이 집으로 돌아간 이후에 일어난 중요한 사건을 시간의 흐름에 따라 정리하여 씁니다.

## 에너지를 절약하자

**학습 목표 ▶** 글의 전개에 따라 내용 간추리기

- **글의 종류:** 주장하는 글
- **글의 특징:** 한없이 있는 것이 아닌 에너지를 사용해야 하는 문제점, 그에 따른 해결 방안과 실천 방안을 제시하면서 에너지 절약을 생활 속에서 실천하자는 의견을 나타내고 있습니다.

**중심 내용** 우리는 생활을 편하고 넉넉하게 하기 위해 많은 에너지 자원을 사용하고 있습니다.

**1** 우리는 생활을 편하고 넉넉하게 하려고 많은 에너지 자원을 사용하고 있다. <u>에너지 사용의 주된 목적</u> 음식을 만들거나 집을 따뜻하게 하거나 불을 밝히려고 가스나 전기를 쓴다. 또 자동차를 타고 다니려면 석유가 필요하며 공장에서 생활에 필요한 물건을 만들 때에도 많은 전기를 사용한다.

**중심 내용** 에너지 자원은 한없이 있는 것이 아니어서 다 쓰고 나면 에너지 자원을 구할 수 없습니다.

**2** 『석탄, 석유, 가스, 전기 같은 에너지 자원은 한없이 있는 것이 아니다. 다 쓰고 나면 더는 에너지 자원을 구할 수 없게 된다. 특히 석유는 우리나라에서는 나지 않아 외국에서 수입해 오고 있다.』이처럼 중요한 에너지를 어떻게 절약해야 할까? 『 』: 문제점 제시

**중심 내용** 에너지 절약은 작은 일부터 실천하면 됩니다.

**3** 에너지를 절약하는 것은 그리 어렵지 않다. 관심을 가지고 내가 할 수 있는 작은 일부터 실천하면 된다.

**중심 내용** 에너지를 절약하려면 에너지를 불필요하게 사용하지 않습니다.

**4** 우리가 에너지를 절약하는 방법은 두 가지로 나눌 수 있다. 먼저, 에너지를 불필요하게 사용하지 않는 것이다. <u>'플러그'를 우리말로 순화한 것</u> <u>해결 방안 1</u> 쓰지 않는 꽂개는 반드시 뽑아 놓고, 빈방에 켜 놓은 전깃불은 끈다. 그리고 뜨거운 음식은 식힌 뒤에 <u>해결 방안 1의 실천 방안</u> 냉장고에 넣는다.

**중심 내용** 에너지를 절약하려면 에너지 사용을 줄여야 합니다.

**5** 다음은, 에너지 사용을 줄이는 것이다. 가전제품은 <u>해결 방안 2</u> 에너지 효율이 높은 것을 쓰고, 조명 기구는 전기가 적게 드는 제품을 사용한다. 한여름에는 냉방기를 적게 <u>해결 방안 2의 실천 방안</u> 쓰고 겨울에도 난방 기구를 덜 쓰도록 노력해야 한다.

**중심 내용** 에너지 절약은 말로 이루어지는 것이 아니라 생활 속에서 실천해야 합니다.

**6** 지금까지 에너지 절약 방법을 알아보았다. 에너지 절약은 말로 하는 것이 아니다. 생활 속에서 바로 실천해야 한다. <u>글쓴이의 의견</u>

**24** 이 글에서 글쓴이가 제시한 문제점을 찾아 ○표를 하시오.

(1) 에너지 자원은 한없이 있는 것이 아니다.
( )

(2) 에너지 자원은 환경을 오염시킨다. ( )

**25** (중요) 글쓴이가 제시한 에너지를 절약하는 방법을 두 가지 고르시오. ( , )

① 에너지를 수입한다.
② 대체 에너지를 만든다.
③ 에너지 사용을 줄인다.
④ 에너지 자원을 더 계발한다.
⑤ 에너지를 불필요하게 사용하지 않는다.

**26** 글쓴이가 이 글을 쓴 목적은 무엇입니까? ( )

① 에너지 절약을 주장하기 위해서
② 에너지의 종류를 설명하기 위해서
③ 새로운 에너지를 제안하기 위해서
④ 에너지에 대한 편견을 바꾸기 위해서
⑤ 에너지에 관한 경험을 이야기하기 위해서

**27** (중요) 이와 같은 글을 읽고 내용을 간추리는 방법으로 가장 알맞은 것을 찾아 ○표를 하시오.

(1) 사건의 흐름에 따라 내용을 찾아 간추린다.
( )

(2) 중요한 내용을 찾아 문제점과 해결 방안, 실천 방법을 생각하며 간추린다. ( )

## 각 문단에서 중심 문장 찾아 쓰기

### 옛날과 오늘날의 우산

**1** 비가 올 때 사용하는 도구에는 어떤 것이 있을까? 옛날 사람들은 비가 올 때면 삿갓이나 도롱이를 사용했다. 삿갓은 대오리나 갈대로 거칠게 엮어 만든 모자이다. 반면 도롱이는 짚이나 띠 같은 풀을 두껍게 엮어 만든 망토이다. 삿갓과 도롱이를 함께 쓰면 비를 맞지 않고 양손을 자유롭게 사용할 수 있다. 그래서 농부들은 삿갓과 도롱이를 많이 활용했다.

**2** 오늘날 사람들은 천이나 비닐로 만든 가벼운 우산을 쓴다. 처음에 우산은 갈색이나 검은색 비단에 쇠살을 붙인 모습이었다. 그런데 비단에 쇠살을 붙인 우산은 비에 젖으면 무거워졌다. 그래서 비에 잘 젖지 않는 천과 가벼운 소재로 우산을 만들게 되었다. 요즘에는 자동식 우산이나 접이식 우산도 있다.

| 문단 | 중심 문장 |
|------|-----------|
| **1** | 옛날 사람들은 비가 올 때면 삿갓이나 도롱이를 사용했다. |
| **2** | 오늘날 사람들은 천이나 비닐로 만든 가벼운 우산을 쓴다. |

- **활동 내용**: 옛날과 오늘날의 우산을 설명하는 글을 읽고 각 문단의 중심 문장을 찾아보고, 글의 내용을 간추리는 방법을 생각해 보는 활동입니다.

들여쓰기가 된 부분부터 한 문단이야. 문단 안에는 하나의 중심 문장이 있으므로 중심 생각이 드러난 문장을 찾아봐야 해.

## 글의 내용을 간추리는 방법을 보기에서 찾아 쓰기

| 문장 | 중심 | 문단 |
|------|------|------|

각 ( 문단 )의 내용을 파악한다.

문단의 내용을 대표하는 ( 문장 )을 찾는다.

각 문단의 ( 중심 ) 내용을 바탕으로 글 전체 내용을 간추린다.

**확인 문제**

※ 다음 중 글의 내용을 간추리는 방법으로 알맞은 것에 ○표를 하시오.

1. 문단의 내용을 대표하는 뒷받침 문장을 찾는다. (      )

2. 각 문단의 중심 내용을 바탕으로 글 전체 내용을 간추린다. (      )

정답 2. ○

# 서술형 수행 평가 돋보기

학교에서 출제되는
서술형 수행 평가를
미리 준비하세요.

◐ 다음 글을 읽고 물음에 답하시오.

> 석탄, 석유, 가스, 전기 같은 에너지 자원은 한없이 있는 것이 아니다. 다 쓰고 나면 더는 에너지 자원을 구할 수 없게 된다. 특히 석유는 우리나라에서는 나지 않아 외국에서 수입해 오고 있다. 이처럼 중요한 에너지를 어떻게 절약해야 할까?
> 에너지를 절약하는 것은 그리 어렵지 않다. 관심을 가지고 내가 할 수 있는 작은 일부터 실천하면 된다.
> 우리가 에너지를 절약하는 방법은 두 가지로 나눌 수 있다. 먼저, 에너지를 불필요하게 사용하지 않는 것이다. 쓰지 않는 꽂개는 반드시 뽑아 놓고, 빈방에 켜 놓은 전깃불은 끈다. 그리고 뜨거운 음식은 식힌 뒤에 냉장고에 넣는다.
> 다음은, 에너지 사용을 줄이는 것이다. 가전제품은 에너지 효율이 높은 것을 쓰고, 조명 기구는 전기가 적게 드는 제품을 사용한다. 한여름에는 냉방기를 적게 쓰고 겨울에도 난방 기구를 덜 쓰도록 노력해야 한다.

**1** 글쓴이의 의견은 무엇인지 쓰시오.

_____

**2** 이 글의 중요한 내용을 정리하여 쓰시오.

> 문제점: (1)

> 해결 방안 1: (2) _____

> 해결 방안 2: 에너지 사용을 줄인다.

> 실천 방법: 쓰지 않는 꽂개는 반드시 뽑아 놓고, 빈방에 켜 놓은 전깃불은 끈다. / 뜨거운 음식은 식힌 뒤에 냉장고에 넣는다.

> 실천 방법: (3) _____

**3** 글의 전개에 따라 전체 내용을 간추려 쓰시오.

> 자원은 한없이 있는 것이 아니다. 다 쓰고 나면 더는 에너지 자원을 구할 수 없게 된다. 따라서 _____
> _____
> _____

### 🔍 문제 파악

문제점 제시, 해결 방안 제안, 실천 방법 제안의 순서로 된 글의 전개에 따라 전체 내용을 간추려 쓰는 문제입니다.

### 🔍 해결 전략

| | |
|---|---|
| 1 단계 | 의견이 드러난 글의 종류를 파악하기 |
| 2 단계 | 글의 내용이 어떻게 전개되고 있는지 살펴보기 |
| 3 단계 | 문단의 중심 내용을 찾으며 문제점과 해결 방안, 실천 방법을 정리하기 |
| 4 단계 | 이어 주는 말을 생각하며 문제점과 해결 방안, 실천 방안을 이어 전체 내용 간추려 쓰기 |

학교 선생님께서
알려 주시는 모범 답안과
채점 기준도 book❸ 해설책에서
꼭 확인하세요!

# 교과서 문제 확인

교과서 문제와 답을 확인하며
학교 숙제를 해결하세요.

교과서
67쪽

## 「일기 예보」

○ 전국의 오늘의 날씨와 주말 날씨 정보를 알려 주는 일기 예보

• 일기 예보를 듣고 알 수 있는 정보는 무엇인가요? 예 날씨 정보입니다.

• 오늘 서울의 낮 기온은 몇 도일 것이라고 예상했나요? 예 19도입니다.

• 춘천의 일요일 날씨는 어떠한가요? 예 20도의 따뜻한 날씨입니다. / 아침저녁으로 쌀쌀한 날씨입니다.

교과서
72~74쪽

## 「동물이 내는 소리」

○ 동물들이 소리 내는 다양한 방식을 설명하는 글

• 사람은 어떻게 소리를 내나요? 예 성대를 울려 소리를 냅니다.

• 개나 닭이 다양한 소리를 내지 못하는 까닭은 무엇인가요? 예 성대나 입과 혀의 생김새가 사람과 다르기 때문입니다.

• 우리가 물고기의 소리를 들을 수 없는 까닭은 무엇인가요? 예 우리가 들을 수 없는 높낮이로 소리를 내기 때문입니다.

• 「동물이 내는 소리」를 다시 읽고 문단의 중심 문장에는 ○표, 뒷받침 문장에는 △표를 해 보세요.

예

| 1 | 동물들이 소리를 내는 방식은 다양합니다. | ○ |
|---|---|---|
| | 성대를 이용하여 소리를 내는 동물도 있고 다른 부위를 이용하는 동물도 있습니다. | △ |

| 2 | 개나 닭은 사람과 같이 성대를 울려 소리를 내지만 다양한 소리를 내지는 못합니다. | ○ |
|---|---|---|
| | 왜냐하면 성대나 입과 혀의 생김새가 사람과 다르기 때문입니다. | △ |
| | 그래서 몇 가지 소리만 낼 수 있습니다. | △ |
| | 동물들은 대개 서로를 부르거나 위협하기 위해서 소리를 냅니다. | △ |

| 3 | 매미는 발음근으로 소리를 냅니다. | ○ |
|---|---|---|
| | 매미의 배에 있는 발음막, 발음근, 공기주머니는 매미가 소리를 내게 도와줍니다. | △ |
| | 그런데 암컷은 발음근이 발달되어 있지 않고 발음막이 없어서 소리를 낼 수 없답니다. | △ |
| | 수컷은 발음근을 당겨서 발음막을 움푹 들어가게 한 다음 '딸깍' 하고 소리를 냅니다. | △ |
| | 이 소리가 증폭되고 연속적으로 반복되면 '찌이이' 하고 소리가 납니다. | △ |

| 4 | 물고기는 몸속에 있는 부레로 여러 가지 소리를 냅니다. | ○ |
|---|---|---|
| | 부레 안쪽 근육을 수축하거나 부레의 얇은 막을 진동해 소리를 낼 수 있습니다. | △ |
| | 물고기가 조용하다고 느끼는 이유는 우리가 들을 수 없는 높낮이로 소리를 내기 때문입니다. | △ |

| 5 | 이와 같이 동물들은 성대나 발음근, 부레를 이용해 소리를 냅니다. | △ |
|---|---|---|
| | 그 밖에도 날개를 비비거나 꼬리를 흔들어 소리를 내는 동물들도 있습니다. | △ |
| | 이렇게 동물들은 자신만의 방법으로 소리를 낼 수 있습니다. | ○ |

교과서 문제와 답을 확인하며 학교 숙제를 해결하세요.

## 「나무 그늘을 산 총각」

욕심을 부려 나무 그늘을 팔았던 욕심쟁이 부자가 총각의 지혜로 부끄러움을 당한 이야기

• 총각이 나무 그늘을 산 까닭은 무엇인가요?

㉠ 나무의 주인이 그늘의 주인이라고 말하는 욕심쟁이 영감을 혼내 주고 싶었기 때문입니다.

• 나무 그늘을 산 총각은 욕심쟁이 영감을 어떻게 혼내 주었나요?

㉠ 총각은 동네 사람들을 그늘로 불렀고, 욕심쟁이 영감의 집은 날마다 사람들로 북적거렸습니다.

• 욕심쟁이 영감이 떠나자 총각은 나무 그늘을 어떻게 했나요?

㉠ 총각은 기와집과 나무 그늘을 큰 쉼터로 만들었고, 쉼터는 누구나 마음 놓고 쉬어 가는 곳이 되었습니다.

• 「나무 그늘을 산 총각」을 다시 읽고 중요한 사건을 정리해 봅시다.

| • 시간: 어느 더운 여름날<br>• 장소: ㉠ 욕심쟁이 영감의 집 앞 느티나무 그늘<br>• 사건: 총각이 욕심쟁이 영감에게 나무 그늘을 삼. | ➡ | • 시간: 그날 오후<br>• 장소: 욕심쟁이 영감의 집 마당과 안방<br>• 사건: ㉠ 총각은 그늘을 따라 욕심쟁이 영감의 집 마당과 안방으로 들어감. | ➡ | • 시간: ㉠ 그날 저녁<br>• 장소: 욕심쟁이 영감의 집<br>• 사건: 그늘이 사라지자 총각이 집으로 돌아감. | ➡ | • 시간: 다음 날 이후<br>• 장소: 욕심쟁이 영감의 집 앞 느티나무 그늘<br>• 사건: 총각이 동네 사람들을 그늘로 부르자 욕심쟁이 영감이 마을을 떠남. |
|---|---|---|---|---|---|---|

## 「에너지를 절약하자」

에너지 절약을 생활 속에서 실천하자는 의견을 나타낸 주장하는 글

• 「에너지를 절약하자」의 내용을 간추리는 방법을 말해 봅시다.

먼저, 의견을 내세운 글이라는 점을 생각해야 해.

글의 내용이 어떻게 전개되는지 살펴봐야 해.

㉠ 문단의 중심 문장이나 내용을 찾아봐야 해.

• 「에너지를 절약하자」를 다시 읽고 중요한 내용을 간추려 말해 봅시다.

**해결 방안 1**
㉠ 에너지를 불필요하게 사용하지 않는다.

**문제점**
㉠ 지구의 자원은 한없이 있는 것이 아니어서 다 쓰고 나면 더는 에너지 자원은 구할 수 없게 된다.

**해결 방안 2**
㉠ 에너지 사용을 줄인다.

**실천 방법**
㉠ 쓰지 않는 꽂개는 반드시 뽑아 놓고, 빈방에 켜 놓은 전깃불은 끈다. / 뜨거운 음식은 식힌 뒤에 냉장고에 넣는다.

**실천 방법**
㉠ 가전제품은 에너지 효율이 높은 것을 쓰고, 조명 기구도 전기가 적게 드는 제품을 사용한다. / 한여름에는 냉방기를 적게 쓰고 겨울에도 난방 기구를 덜 쓰도록 노력한다.

# 단원 정리 학습

**들은 내용을 간추리는 방법**

- 읽으면서 쓸 때보다 빨리 씁니다.
- 중요한 내용만 골라서 짧게 씁니다.
- 생각 그물, 표, 그림 등으로 나타낼 수 있습니다.

**글의 내용을 간추리는 방법**

**❶ 중심 문장을 연결해 글 전체의 내용을 간추리기** → 주로 중심 문장이 확실하게 드러나 있는 설명하는 글을 간추릴 때 사용하는 방법임.

- 문단의 중심 문장을 찾습니다.
- 문장을 이어 주는 말을 생각합니다.
- 중심 문장을 연결해 전체 글의 내용을 간추립니다.

**❷ 이야기에서 일어난 중요한 사건을 중심으로 간추리기** → 주로 배경과 사건이 있는 이야기 글을 간추릴 때 사용하는 방법임.

- 이야기에서 사건이 일어난 시간의 흐름에 따라 내용을 정리합니다.
- 이야기에서 사건이 일어난 장소의 변화에 따라 내용을 정리합니다.
- 시간과 장소, 사건의 흐름에 따라 전체 내용을 간추립니다.

(예)

> 어느 더운 여름날, 총각이 뜨거운 볕을 피해 나무 그늘에서 잠을 잤습니다. 그런데 욕심쟁이 영감은 나무 그늘이 자기 것이라고 주장하며 화를 냈습니다. 기가 막힌 총각은 욕심쟁이 영감을 혼내 주려고 나무 그늘을 샀습니다.
>
> 그날 오후, 욕심쟁이 영감의 집 쪽으로 나무 그늘이 옮겨 가자 총각은 영감의 집 마당으로 들어갔습니다. 남의 집에 함부로 들어오는 총각을 보고 영감은 화를 냈지만 총각은 자기의 그늘이라면서 안방까지 들어갔습니다.
>
> 그날 저녁, 그늘이 사라지자 욕심쟁이 영감의 생각대로 총각은 집으로 돌아갔습니다.
>
> 그런데 다음 날부터 총각은 매일매일 부잣집을 드나들었습니다. 욕심쟁이 영감은 스무 냥에 다시 그늘을 팔라고 했지만 총각은 팔지 않고 동네 사람들을 나무 그늘로 불렀습니다. 결국 욕심쟁이 영감은 마을을 떠나고 말았습니다. 총각은 기와집과 나무 그늘을 큰 쉼터로 만들어 누구나 쉬어 갈 수 있게 했습니다.

**❸ 글의 전개에 따라 내용을 간추리기** → 주장하는 글에서는 중심 내용 위주로 문제점 제시, 해결 방안 제안, 실천 방법 제안의 전개에 따라 내용을 간추릴 수 있음.

- 글의 종류에 따라 다르게 전개되는 내용을 덩어리로 바꾸어 봅니다.
- 문단의 중심 문장 또는 중심 내용을 찾습니다.
- 내용 전개에 따른 분류를 활용해 전체 글의 내용을 간추립니다.

 단원 확인 평가

**[01~02] 다음 글을 읽고, 물음에 답하시오.**

> 안녕하십니까? 날씨 정보입니다. 저는 지금 봄꽃이 가득한 공원에 나와 있습니다. 날씨가 따뜻해지면서 공원에는 나들이를 나온 시민들이 많아졌습니다. 활짝 핀 벚꽃이 성큼 찾아온 봄을 느끼게 해 줍니다. 오늘 하루는 전국적으로 맑은 날씨가 되겠습니다. 서울, 춘천은 19도, 강릉, 청주, 전주 등은 20도까지 낮 기온이 올라가겠습니다. 일요일에도 산책하기 좋은 날씨가 되겠습니다. 서울, 춘천은 20도, 청주와 진주 등은 21도의 따뜻한 날씨가 예상됩니다. 하지만 아침저녁으로는 5도에서 6도의 쌀쌀한 날씨가 예상됩니다. 일교차가 크니 감기에 걸리지 않도록 조심하세요.

**01** 오늘 서울의 낮 기온은 몇 도일 것이라고 예상하였는지 쓰시오.

( )

**02** <sup>중요</sup> 민준이는 춘천 나들이를 준비하기 위해서 이 일기 예보를 들으면서 다음과 같이 정리하였습니다. 들으면서 쓰는 방법 중에서 ㉮와 관련된 내용에 ○표를 하시오.

> 일기 예보
> • 오늘 날씨: 전국적으로 맑음.
> • 일요일 날씨 ─산책하기 좋은 날씨
>  ─춘천 낮 기온 20도
>  ─아침저녁으로 일교차가 큼.
> → • 나들이 가능
>  • ㉮따뜻한 옷 필요

(1) 중요한 날씨 정보를 썼다. ( )

(2) 나들이 갈 때 필요한 준비물을 썼다.

( )

**[03~05] 다음 글을 읽고, 물음에 답하시오.**

> ㈎ ㉠동물들이 소리를 내는 방식은 다양합니다. 성대를 이용하여 소리를 내는 동물도 있고 다른 부위를 이용하는 동물도 있습니다.
> ㈏ 개나 닭은 사람과 같이 성대를 울려 소리를 내지만 다양한 소리를 내지는 못합니다. 왜냐하면 성대나 입과 혀의 생김새가 사람과 다르기 때문입니다. 그래서 ㉡몇 가지 소리만 낼 수 있습니다. 동물들은 대개 서로를 부르거나 위협하기 위해서 소리를 냅니다.
> ㈐ 물고기는 몸속에 있는 부레로 여러 가지 소리를 냅니다. ㉢부레 안쪽 근육을 수축하거나 부레의 얇은 막을 진동해 소리를 낼 수 있습니다. 물고기가 조용하다고 느끼는 이유는 우리가 들을 수 없는 높낮이로 소리를 내기 때문입니다.
> ㈑ ㉣이와 같이 동물들은 성대나 발음근, 부레를 이용해 소리를 냅니다. 그 밖에도 날개를 비비거나 꼬리를 흔들어 소리를 내는 동물들도 있습니다. ㉤이렇게 동물들은 자신만의 방법으로 소리를 낼 수 있습니다.

**03** 물고기가 소리 내는 방식은 무엇입니까? ( )

① 성대를 울려서
② 날개를 비벼서
③ 꼬리를 흔들어서
④ 부레를 이용해서
⑤ 지느러미를 이용해서

**04** <sup>중요</sup> ㉠~㉤ 중 중심 문장으로 알맞은 것을 모두 찾아 기호를 쓰시오.

( )

**05** <sup>서술형</sup> 중심 문장을 연결해 이 글을 간추려 쓰시오.

_____

_____

_____

도움말 각 문단의 중심 문장을 찾아 연결해 봅니다.

**[06~10]** 다음 글을 읽고, 물음에 답하시오.

⑦ 느티나무 앞에는 기와집이 한 채 있었어요. 욕심쟁이 부자의 집이었지요. 부자는 느티나무 그늘에서 낮잠 자는 걸 무척 좋아했어요.

어느 더운 여름날이었어요.

"어휴, 덥다. 그늘에서 잠깐 쉬어 갈까?"

총각이 뜨거운 볕을 피해 나무 그늘로 들어섰어요.

"드르렁, 드르렁, 푸!"

나무 그늘에는 부자가 코를 골며 자고 있었지요. 잠깐 쉬어 가려던 총각도 그만 잠이 들고 말았어요.

얼마 뒤, 욕심쟁이 부자가 깨어났어요. 부자는 총각을 보자 버럭버럭 소리를 질렀어요.

"너 이놈, 허락도 없이 남의 나무 그늘에서 잠을 자다니!"

⑭ '이런 욕심쟁이 영감, 어디 한번 당해 봐라!'

총각은 욕심쟁이 부자를 혼내 주기로 했어요.

"영감님, 저한테 이 나무 그늘을 파는 건 어때요?"

부자는 귀가 솔깃했어요.

'아니, 이런 멍청한 녀석을 봤나?'

부자는 억지로 웃음을 참으며 말했어요.

"흠, 자네가 원한다면 할 수 없지. 대신 나중에 무르자고 하면 절대로 안 되네!"

⑮ 마침내 나무 그늘은 부자 영감의 집 마당까지 길어졌지요.

'슬슬 시작해 볼까?'

총각은 성큼성큼 부자 영감의 집 안으로 들어갔어요.

"아니, 남의 집엔 왜 들어오는 게냐?"

부자 영감은 담뱃대를 휘둘렀어요. 총각은 나무 그늘에 서서 말했어요.

"하하하, 영감님, 여기는 제 그늘인걸요."

마당까지 들어온 그늘을 보고 부자 영감은 아무 말도 할 수 없었지요.

총각은 부자의 마당에서 뒹굴뒹굴 신이 났어요.

"역시 비싼 나무 그늘이라 시원하군!"

**06** 총각이 욕심쟁이 영감에게 나무 그늘을 산 까닭은 무엇인지 쓰시오.

( )

**07** 나무 그늘이 욕심쟁이 영감의 집 안으로 들어가자 총각은 어떻게 하였습니까? ( )

① 욕심쟁이 영감을 집 밖으로 보냈다.
② 욕심쟁이 영감의 집 안으로 들어갔다.
③ 욕심쟁이 영감에게 그늘을 달라고 하였다.
④ 욕심쟁이 영감에게 다시 그늘을 팔라고 하였다.
⑤ 욕심쟁이 영감이 그늘을 도둑질하였다고 말했다.

**08** 이 이야기의 장소의 변화에 알맞게 순서대로 기호를 쓰시오.

⑦ 욕심쟁이 영감의 집 마당
⑭ 욕심쟁이 영감의 집 앞 느티나무 그늘

( ) → ( )

<sup>서술형</sup> **09** 시간의 흐름에 따라 이 이야기의 내용을 간추려 쓰시오.

| (개), (내) | (1) |
|---|---|
| (대) | (2) |

도움말 글 (개)~(대)의 중심 내용을 간추려 봅니다.

<sup>중요</sup> **10** 이 글을 간추리는 방법을 알맞게 설명한 친구의 이름을 쓰시오.

소희: 중심 문장을 연결해 글 전체의 내용을 간추려야 해.
준수: 사건이 일어난 시간의 흐름에 따라 내용을 간추려야 해.
현우: 문제점과 해결 방안을 생각하며 글의 내용을 간추려야 해.

( )

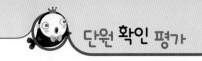 

정답과 해설 9쪽

**[11~15] 다음 글을 읽고, 물음에 답하시오.**

⑺ 석탄, 석유, 가스, 전기 같은 에너지 자원은 한없이 있는 것이 아니다. 다 쓰고 나면 더는 에너지 자원을 구할 수 없게 된다. 특히 석유는 우리나라에서는 나지 않아 외국에서 수입해 오고 있다. 이처럼 중요한 에너지를 어떻게 절약해야 할까?

⑷ 우리가 에너지를 절약하는 방법은 두 가지로 나눌 수 있다. 먼저, ㉠에너지를 불필요하게 사용하지 않는 것이다. 쓰지 않는 꽂개는 반드시 뽑아 놓고, 빈방에 켜 놓은 전깃불은 끈다. 그리고 뜨거운 음식은 식힌 뒤에 냉장고에 넣는다.

　다음은, [　　　㉡　　　] 가전제품은 에너지 효율이 높은 것을 쓰고, 조명 기구는 전기가 적게 드는 제품을 사용한다. 한여름에는 냉방기를 적게 쓰고 겨울에도 난방 기구를 덜 쓰도록 노력해야 한다.

⑸ 지금까지 에너지 절약 방법을 알아보았다. 에너지 절약은 말로 하는 것이 아니다. 생활 속에서 바로 실천해야 한다.

**11** 에너지를 절약해야 하는 까닭으로 알맞지 <u>않은</u> 것을 두 가지 고르시오. (　 , 　)

① 에너지 자원은 끝없이 발전되어서
② 자원이 한없이 있는 것이 아니어서
③ 전기를 쓰는 것이 몸에 좋지 않아서
④ 석유는 외국에서 수입해 오고 있어서
⑤ 다 쓰고 나면 더는 에너지 자원을 구할 수 없어서

**12** ㉠의 실천 방법으로 알맞은 것을 모두 고르시오.
　　　　　　　　　　( 　 , 　 , 　 )

① 난방 기구 덜 쓰기
② 빈방에 켜 놓은 전깃불 끄기
③ 쓰지 않는 꽂개는 반드시 뽑기
④ 뜨거운 음식은 식힌 뒤에 냉장고에 넣기
⑤ 전기가 적게 드는 조명 기구 사용하기

**13** 이 글의 내용 전개로 보아 ㉡에 들어갈 알맞은 문장을 찾아 ○표를 하시오.

(1) 에너지 사용을 줄이는 것이다. 　( 　 )
(2) 에너지를 사용하지 않는 것이다. 　( 　 )

**14** 이 글을 간추리는 방법으로 알맞은 것을 두 가지 고르시오. ( 　 , 　 )

① 중심 내용에 따라 간추리기
② 중요한 사건을 중심으로 간추리기
③ 장소의 변화에 따라 내용 간추리기
④ 시간의 흐름에 따라 내용 간추리기
⑤ 문제점 해결 방안 실천 방법의 전개에 따라 내용 간추리기

**★15** <sup>중요</sup> 이 글을 읽고 중요한 내용을 간추리려고 합니다. 다음에 해당하는 것을 [보기]에서 찾아 기호를 쓰시오.

**보기**

㉮ 에너지 사용을 줄인다.
㉯ 에너지를 불필요하게 사용하지 않는다.
㉰ 쓰지 않는 꽂개는 반드시 뽑아 놓고, 빈방에 켜 놓은 전깃불은 끈다. 뜨거운 음식은 식힌 뒤에 냉장고에 넣는다.
㉱ 자원이 한없이 있는 것이 아니어서 다 쓰고 나면 더는 에너지 자원을 구할 수 없게 된다.
㉲ 가전제품은 에너지 효율이 높은 것을 쓰고, 조명 기구는 전기가 적게 드는 제품을 사용한다. 한여름에는 냉방기를 적게 쓰고 겨울에도 난방 기구를 덜 쓰도록 노력한다.

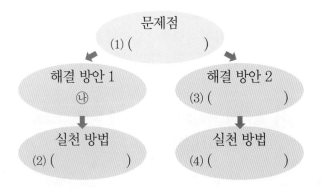

문제점
(1) ( 　　 )

해결 방안 1　　　　　해결 방안 2
㉯　　　　　　　　(3) ( 　　 )

실천 방법　　　　　실천 방법
(2) ( 　　 )　　　　(4) ( 　　 )

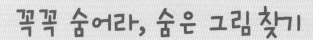
## 꼭꼭 숨어라, 숨은 그림 찾기

쫓아오는 호랑이를 피해 오누이가 나무 위로 올라갔네요. 오누이의 마음은 콩닥콩닥 뛰고 있어요. 어떤 그림이 꼭꼭 숨어 있는지 찾아보세요.

정답 게, 돋보기, 기하학, 종이배, 에어컨, 자동차

제 ○회 학급 회의

생활 목표 :
실천 계획 :

　친구들이 교실에서 학급 회의를 하고 있어요. 회의를 진행하는 회장이나 발표를 하
는 친구는 어떤 표정, 몸짓, 말투로 말하면 좋을까요? 자신 없는 표정이나 바르지 않
은 자세로 말하는 것보다는 밝은 미소와 바른 자세로 또박또박 말하는 것이 좋겠죠?
　이제, 3단원에서는 상황에 맞게 효과적으로 말하는 방법을 배울 거예요.

# 3 느낌을 살려 말해요

## 단원 학습 목표

56쪽 단원 정리 학습에서 더 자세히 공부해 보세요.

1. 적절한 표정, 몸짓, 말투로 말할 수 있습니다.
   - 듣는 사람에게 맞도록 말합니다.
   - 표정, 몸짓, 말투가 서로 어울리게 말합니다.
   - 사용하려는 목적을 생각합니다.

2. 듣는 사람을 고려해 상황에 맞게 말할 수 있습니다.
   - 듣는 사람과 듣는 상황을 고려해 어떻게 말해야 할지 생각하며 말할 내용을 정리해 봅니다.
   - 말할 내용을 적절한 표정과 손짓, 말투를 사용하며 말합니다.

## 단원 진도 체크

| 회차 | | 학습 내용 | 진도 체크 |
|---|---|---|---|
| 1차 | 단원 열기 | 단원 학습 내용 미리 보고 목표 확인하기 | ✓ |
| | 교과서 내용 학습 | 상황에 알맞은 표정, 몸짓, 말투의 효과 알기 | ✓ |
| 2차 | 교과서 내용 학습 | 「가방 들어 주는 아이」 | ✓ |
| 3차 | 교과서 내용 학습 | 「돈을 만들어 내다 – 돈은 왜 생겼을까? –」 / 「돈을 만들어 내다 – 돈의 재료 –」 | ✓ |
| 4차 | 교과서 내용 학습 | 「생태 마을 보봉」 / 국어 활동 학습하기 | ✓ |
| | 서술형 수행 평가 돋보기 | 서술형 수행 평가 대비 학습하기 | ✓ |
| | 교과서 문제 확인 | 교과서 문제 학습하며 학교 숙제 해결하기 | ✓ |
| 5차 | 단원 정리 학습 | 단원 학습 내용 정리하기 | ✓ |
| | 단원 확인 평가 | 확인 평가를 통한 단원 학습 상황 파악하기 | ✓ |

해당 부분을 공부하고 나서 ✓표를 하세요.

## 교과서 내용 학습

**국어 91~93쪽 내용**　　학습 목표 ▶ 상황에 알맞은 표정, 몸짓, 말투의 효과 알기　　국어 91~93쪽

[01~02] 다음 그림을 보고, 물음에 답하시오.

❶ 제○회 학급 회의를 시작하겠습니다.

❷ 제○회 학급 회의를 시작하겠습니다.

❸ 제가 다녀온 박물관에 대해 말씀드리겠습니다.

❹ 제가 다녀온 박물관에 대해 말씀드리겠습니다.

**01** 그림 ❶과 ❷의 표정은 어떠한지 보기 에서 골라 기호를 쓰시오.

 보기

㉮ 장난스러운 표정
㉯ 긴장해 굳은 표정
㉰ 밝게 웃고 있는 표정
㉱ 재미있어서 크게 웃는 표정

(1) ❶: (　　　　　　　)
(2) ❷: (　　　　　　　)

**02** 그림 ❸과 ❹ 중 듣는 사람에게 자신의 생각을 분명하게 전달할 수 있는 몸짓을 하고 있는 것은 어느 것인지 번호를 쓰시오.

(　　　　　　　)

**03** 다음 상황에 알맞은 표정, 몸짓, 말투가 아닌 것은 어느 것입니까? (　　　)

안녕하십니까? 오늘 사회를 맡은 ○○○입니다. 지금부터 학예회를 시작하겠습니다.

① 바르게 서서 말한다.
② 밝은 표정으로 말한다.
③ 개성을 살린 목소리로 말한다.
④ 손으로 머리를 긁적이며 말한다.
⑤ 잘 전달될 수 있는 말투로 말한다.

**서술형 04** 다음과 같은 상황에서는 어떤 표정, 몸짓, 말투로 말해야 할지 쓰시오.

안녕하세요? 기호 ○번 ○○○입니다. 저를 회장으로 뽑아 주시면 우리 반을 위해 열심히 노력하겠습니다.

도움말 회장 선거에 나가서 의견을 말하는 상황에 알맞게 말합니다.

**중요 05** 상황에 알맞은 표정, 몸짓, 말투를 사용하면 좋은 점이 아닌 것은 무엇입니까? (　　　)

① 느낌을 잘 표현할 수 있다.
② 듣는 사람이 잘 알아들을 수 있다.
③ 자신의 생각을 분명하게 전달할 수 있다.
④ 말하는 내용을 자연스럽게 표현할 수 있다.
⑤ 듣는 사람의 마음이 어떠한지 헤아릴 수 있다.

## 가방 들어 주는 아이

[동영상 내용]

2학년 첫날, 석우는 선생님의 부탁으로 다리가 불편한 영택이의 가방을 들어 주어야 하는 역할을 맡게 됩니다. 석우는 처음엔 영택이의 가방을 들어다 주는 것이 너무나 귀찮고 싫었습니다. 영택이의 가방을 들어다 주는 일 때문에 오후에 친구들과 맘대로 놀지도 못하고, 다른 친구들이 영택이의 쫄병이라며 놀렸기 때문입니다. 그러나 석우는 영택이의 가방을 들어다 주면서 영택이를 진심으로 걱정해 주고 좋아하게 됩니다.

영택이의 생일에 영택이는 생일이라는 것을 숨기고 석우를 초대하지만, 석우는 축구 시합 때문에 약속을 미룹니다. 축구 시합이 끝난 후 영택이의 집에 가 본 석우는 영택이가 집에 안 온 것을 알고 걱정을 하며 온 동네로 영택이를 찾아다닙니다. 영택이의 집 앞에서 영택이를 만난 석우는 그때서야 영택이가 생일이었던 것을 알게 되고 영택이의 집에 들어가서 생일 케이크를 먹으며 생일 축하를 해 줍니다.

서로 마음을 나누며 영택이와 친한 친구가 된 석우는 2학년의 마지막 날이 지나고 3학년이 되어서도 영택이의 가방을 들어 주는 우정을 이어 나갑니다.

석우가 다리가 불편한 영택이의 가방을 들어다 주며 서로 친한 친구가 되어 가는 이야기야.

석우와 영택이는 진정으로 서로를 이해하는 친구가 되었나 봐. 석우가 3학년이 되어서도 스스로 영택이의 가방을 들어 주는 것을 보면 말이야.

**06** 석우가 영택이의 가방을 들어 주게 된 까닭은 무엇입니까? ( )

① 선생님의 부탁으로
② 영택이가 맛있는 것을 주어서
③ 친구들이 놀리는 것이 싫어서
④ 영택이가 옆집으로 이사를 와서
⑤ 석우가 아플 때 영택이가 도와주어서

**07** 처음에 석우가 영택이의 가방을 들어 주게 되었을 때, 석우의 마음으로 알맞은 것은 무엇입니까? ( )

① 후회스러웠다.
② 귀찮고 싫었다.
③ 기대되고 설렜다.
④ 긴장되고 떨렸다.
⑤ 자랑스럽고 뿌듯하였다.

**08** 「가방 들어주는 아이」를 본 느낌을 알맞게 말한 친구의 이름을 쓰시오.

> 성준: 석우는 3학년이 되어 후련했을 거야. 1년 동안이나 영택이의 가방을 들어 줬는데, 더 이상 안 해도 되니 얼마나 좋았겠어?
> 태진: 석우가 영택이의 가방을 매일매일 들어 주는 것이 인상적이었어. 나라면 선생님이 부탁했어도 그렇게는 못해 줬을 거야.

( )

**09** (중요) 이와 같은 동영상을 볼 때 주의할 점이 아닌 것은 무엇입니까? ( )

① 말하는 이의 대사만 듣는다.
② 말하는 이의 표정을 함께 살펴본다.
③ 말하는 이의 말투를 주의해서 듣는다.
④ 말하는 이의 손의 움직임을 살펴본다.
⑤ 말하는 이의 몸이 움직이는 방향을 살펴본다.

■ 표정, 몸짓, 말투를 사용해 말
  할 때 주의할 점
• 듣는 사람에게 맞게 사용합니다.
• 표정, 몸짓, 말투가 서로 어울리게
  사용합니다.
• 사용하려는 목적을 생각합니다.

[장면 내용]

어느 등교하는 길에 석우는 길에 있는 음료수 깡통을 발로 차며, 영택이에게도 차 보라고 말합니다. 다리가 불편한 영택이는 못할 것 같다고 말했지만, 석우가 음료수 깡통을 가져다주며 한 번 차 보라고 용기를 주어 목발을 짚고 음료수 깡통을 발로 차는 일을 해 냅니다. 석우와 영택이는 환하게 웃으며 함께 학교에 갑니다.

석우: ㉠자, 멀리 찾지? 자, 네 차례야.

영택: ㉡잘 못할 것 같은데…….

석우: 에이, 해 봐. ㉢오, 민영택! 센데!

**10** 이 장면에서 석우는 영택이를 어떻게 도와주었습니까? (     )

① 넘어진 영택이를 일으켜 주었다.
② 영택이가 떨어뜨린 가방을 석우가 주워 주었다.
③ 친구들이 영택이를 놀리지 못하도록 막아 주었다.
④ 음료수 깡통을 가져다주며 한 번 차 보라고 격려해 주었다.
⑤ 영택이가 잘 걸어갈 수 있도록 음료수 깡통을 치워 주었다.

**11** ㉠을 말할 때에 석우의 표정으로 알맞은 것은 무엇입니까? (     )

① 밝은 표정
② 미안한 표정
③ 부러운 표정
④ 억울한 표정
⑤ 실망하는 표정

**12** 중요 ㉡을 말하는 상황에서 효과적인 말투는 무엇입니까? (     )

① 화가 난 말투
② 감격스러운 말투
③ 피곤하고 힘든 말투
④ 밝고 장난스러운 말투
⑤ 소리가 작고 걱정스러운 말투

**13** ㉢을 말할 때에 알맞은 표정과 몸짓은 어느 것입니까? (     )

①   ②

③  ④

⑤

## 돈을 만들어 내다 – 돈은 왜 생겼을까?–

• 글의 종류: 설명하는 글
• 글쓴이: 김성호

• 글의 특징: 돈이 없었던 시대부터 물물교환을 하는 시대를 거쳐 돈이 생겨나게 된 과정을 알기 쉽게 설명한 글입니다.

**중심 내용** 원시 시대에는 돈 같은 것이 필요 없었지만, 농사 기술이 발전하면서 곡식의 양이 늘자 남는 곡식을 어떻게 처리할지 고민하게 되었습니다.

**1** 돈이 없어도 전혀 불편하지 않았던 시절이 있었어요. 우르르 몰려다니며 짐승을 사냥해서 먹거나 나무 열매와 식물을 채집해서 먹으며 동굴에서 잠을 자던 <u>돈이 필요 없는 생활</u> 원시 시대지요. 인류는 그런 생활을 무려 수만 년이나 해 왔답니다. 당연히 돈 같은 게 필요 없었지요.

하지만 농사를 짓기 시작하면서 상황은 달라졌어요. 그전까지 인류는 뭔가를 만들어 내는 '생산 활동'을 하지 않았어요. 자연에 널려 있는 짐승과 식물을 거두어 이용하는 것만으로도 충분했으니까요.

처음에는 겨우겨우 먹고살 만큼만 농사를 지었어요. 그러다가 괭이나 쟁기 같은 농기구가 개발되고 농사 <u>곡식의 수확량이 늘어난 까닭</u> 기술이 발전하면서 **수확하는** 곡식의 양도 늘어났지요. 가족이 먹고도 남을 만큼요. 이렇게 남은 생산물을 '**잉여**

생산'이라고 해요. 이제 인류는 남는 곡식을 어떻게 처리할까 조금은 행복한 고민에 빠지게 되어요.

**중심 내용** 육천 년 전, 사람들은 물물교환을 시작하였지만, 교환이 늘 순조롭지는 않았습니다.

**2** 육천 년 전, 드디어 사람들은 저마다 남는 물건을 <u>물물교환의 시작</u> 바꾸기 시작했어요. 물물교환이 시작된 거예요.

하지만 물물교환은 쉽지 않았어요. 쌀을 가져온 농부가 어부의 고등어와 **★맞바꾸려면** 어부 역시 쌀을 원해야 하잖아요? 그런데 어부가 원하는 것이 사냥꾼의 <u>물물교환의 문제점 ①</u> 곰 가죽이라면 이 **거래**는 이루어질 수 없겠지요. 또 운 좋게 그런 상대방을 만나도 교환이 늘 순조롭지만은 않았어요.

★ 바르게 쓰기

| 맞바꾸려면 | 맛바꾸려면 |
|---|---|
| ( ○ ) | ( × ) |

"어부야, 고등어 한 마리랑 쌀 한 봉지랑 바꾸자."
<u>물물교환의 문제점 ②</u>
"두 봉지는 줘야지."

**낱말 사전**

**수확하는** 익은 농작물을 거두어들이는.
㉠ 할아버지네 밭에서 수확하는 고구마는 달고 맛있습니다.
**잉여**(剩 남을 잉, 餘 남을 여) 쓰고 난 후 남은 것.

**맞바꾸려면** 더 보태거나 빼지 않고 어떤 것을 주고 다른 것을 받으려면.
**거래**(去 갈 거, 來 올 래) 주고받음. 또는 사고파는 것.

---

**14** 원시 시대에 돈이 필요 없었던 까닭은 무엇입니까? (    )

① 농사를 지었기 때문에
② 생산 활동을 하였기 때문에
③ 서로 만날 이유가 없었기 때문에
④ 짐승과 식물이 부족하였기 때문에
⑤ 사냥이나 채집을 하며 생활하였기 때문에

**15** 인류가 수확하는 곡식의 양이 늘어나자 생긴 고민은 무엇인지 찾아 쓰시오.

(                    )을/를 어떻게 처리할까

**16** 돈이 없었던 시대에 사람들이 남는 물건을 원하는 물건과 맞바꾸었던 방법을 무엇이라고 하는지 네 글자로 쓰시오.

(                    )

**중요 17** 이 글에 제시된 물물교환의 문제점을 두 가지 고르시오. (    ,    )

① 원하는 물건이 서로 다르다.
② 물물교환을 원하는 사람이 없다.
③ 가치를 매기는 기준이 서로 다르다.
④ 물물교환을 할 장소가 알맞지 않다.
⑤ 물물교환으로 사용할 물건이 부족하다.

**중심 내용** 인류는 물건의 가격을 매길 수 있는 제삼의 물건인 돈을 생각해 냈고, 최초의 돈은 '자안패'라는 귀한 조개의 껍데기였습니다.

③ 그래서 인류는 물건의 가격을 매길 수 있는 제삼의 물건을 생각해 냈어요. 바로 돈이었지요. 기록에 전해지는 최초의 돈은 중국인들이 사용한 조개껍데기예요.
<sub>물품 화폐로 사용됨.</sub>

'애개, 그 흔한 조개껍데기를 돈으로 사용했단 말이야?'라고 생각하겠죠? 하지만 이 조개는 우리가 흔히 볼 수 있는 그런 조개가 아니라 더운 지방에서만 나는 '자안패'라는 귀한 조개였어요. 이 조개껍데기에 구멍을 **뚫어** 실을 꿰면 **장신구**가 되기도 했지요.

★ 바르게 쓰기

| 뚫어 | 뚜러 |
|------|------|
| ( ○ ) | ( × ) |

**낱말 사전**

장신구(裝 꾸밀 장, 身 몸 신, 具 갖출 구) 몸치장을 하는 데 쓰는 물건.

**중심 내용** 지역에 따라 카카오, 소금, 동물 등을 돈으로 사용하였고, 이렇게 돈으로 사용된 물건을 '물품 화폐'라고 합니다.

④ 조개껍데기가 나지 않는 지역은 다른 물건을 돈으로 사용했어요.

초콜릿의 원료인 카카오가 많이 나는 남아메리카에서는 카카오 열매를, 소금이 풍부했던 아프리카와 지중해 지역에서는 소금을, 농경 지역에서는 곡식과 옷감을, 가축이 재산이었던 **유목민**은 동물을 각각 돈으로 사용했어요. 이렇게 물건을 돈으로 사용하는 것을 '물품 화폐' 또는 '상품 화폐'라고 해요.
<sub>자신의 지역에서 많이 있는 물건을 돈으로 사용함.</sub>

그럼 이제 돈이 등장했으니 물물교환은 사라졌을까요? 아니에요. 비록 물품 화폐가 나왔지만 여전히 대부분의 거래는 물물교환으로 이루어졌어요. 물품 화폐는 물물교환의 보조 수단에 불과했지요.
<sub>물물교환이 주로 이루어지고 물품 화폐는 보조 수단으로 사용됨.</sub>

**낱말 사전**

유목민(遊 놀 유, 牧 칠 목, 民 백성 민) 목축을 업으로 삼아 물과 풀을 따라 옮겨 다니며 사는 민족.

---

**18** 최초의 돈으로 사용된 것은 무엇인지 쓰시오.

(                    )

**중요**
**19** 이와 같은 글을 읽고 알게 된 점을 말할 때에 주의할 점으로 알맞은 것의 기호를 쓰시오.

㉮ 듣는 사람을 고려하며 말한다.
㉯ 대상에 상관없이 높임말로 말한다.
㉰ 여러 사람에게 말할 때에는 예사말을 사용한다.

(                    )

**서술형**
**20** 이와 같은 글을 읽고 듣는 사람에 따라 다음과 같이 말했다면 차이점은 무엇인지 쓰시오.

**동생에게 말할 때**
사람들이 돈을 만든 까닭을 알고 있니? 물건과 물건을 바꾸어 쓰던 사람들이 불편해져서 물건의 가격을 매길 수 있는 돈을 만들어 낸 거야.

**친구에게 말할 때**
사람들이 돈을 만든 까닭을 알고 있니? 물물교환을 할 때 사람들은 서로 원하는 것도 다르고 각자가 생각하는 물건의 가치도 달라서 불편했어. 그래서 사람들은 물건의 가격을 매길 수 있는 새로운 물건을 생각해 낸 거지. 그게 바로 돈이야. 최초의 돈은 중국인들이 사용한 조개껍데기래.

---

**도움말** 대상에 따라 말하는 내용이 어떻게 다른지 살펴봅니다.

•글의 종류: 설명하는 글
•글쓴이: 김성호

•글의 특징: 동전과 지폐를 만드는 재료는 무엇인지 설명하는 글입니다.

**중심내용** 동전은 주재료가 구리인데, 여기에 아연이나 니켈, 알루미늄 같은 금속을 조금씩 섞어서 만듭니다.

**1** 돈은 크게 동전과 지폐로 나눌 수 있어요.

동전은 주재료가 구리인데, 여기에 아연이나 니켈, 알루미늄 같은 금속을 조금씩 섞어서 만들어요. 이 섞는 금속에 따라서 동전 색깔이 달라지지요.

옛날 10원 동전은 지금과 달리 누런색이었어요. 그것은 동전에 섞인 아연 때문이에요. 새로 나온 10원짜
<u>옛날 10원 동전이 누런색이었던 까닭</u>
리는 구릿빛으로 붉어요. 그 이유는 아연을 빼고 구리
<u>10원짜리 동전이 구릿빛인 까닭</u>
를 씌운 알루미늄을 사용했기 때문이지요. 반면 100원, 500원 동전이 은백색인 것은 니켈 때문이에요. 지금은 쓰이지 않지만 1원짜리 동전은 구리가 전혀 섞이지 않은 100퍼센트 알루미늄으로 만들었어요.

**중심내용** 지폐는 습기에 강하고 정교하게 인쇄 작업을 할 수 있으며 위조를 방지할 수 있는 솜으로 만들지만, 플라스틱으로 지폐를 만드는 나라도 있습니다.

**2** 그럼 지폐는 무엇으로 만들까요?

당연히 종이라고 생각하겠지만, <u>지폐는 솜으로 만</u>
<u>지폐를 만드는 재료</u>

들어요. **방적** 공작에서 옷감의 재료로 사용하고 남은 찌꺼기 솜인 **낙면**이 그 재료이지요. 이 솜으로 만든 지폐는 <u>습기에도 강하고 **정교하게** 인쇄 작업을 할 수</u>
<u>솜으로 만든 지폐의 장점</u>
있으며 **위조**를 방지할 수 있다는 장점이 있어요. 그래서 오늘날 대부분의 국가들은 솜으로 지폐를 만들어요.

그렇지만 특이하게 플라스틱으로 지폐를 만드는 나라도 있어요. 호주와 뉴질랜드는 플라스틱의 일종인 폴리머라는 재료로 지폐를 만들어요.

**중심내용** 우리나라의 화폐 제조 기술은 세계적인 수준으로, 우리나라에서 만든 소전을 수입해 자기들의 동전을 만드는 국가가 많습니다.

**3** <u>우리나라의 화폐 제조 기술은 세계적인 수준</u>인데
<u>우리나라의 화폐를 만드는 기술이 아주 뛰어남.</u>
동전의 경우 현재, 유럽과 미국을 포함한 40여 개 국가, 25억의 인구가 우리나라에서 만든 소전을 수입해
<u>우리나라에서 만든 동전 판을 수입해서 자기들의 동전을 만듦.</u>
자기들의 동전을 만들고 있어요. 소전이란, 무늬를 새겨 넣기 전의 동전 판을 말해요.

★ 바르게 쓰기

| 화폐 | 화패 |
|------|------|
| ( ○ ) | ( × ) |

**낱말 사전**

**방적(紡** 자을 방, **績** 실 낳을 적**)** 동식물의 섬유나 화학 섬유를 가공하여 실을 뽑는 일.
**낙면(落** 떨어질 낙, **綿** 솜 면**)** 솜을 틀거나 실을 자을 때 생기는 솜 부스러기.

**정교하게** 솜씨나 기술 따위가 정밀하고 교묘하게.
⑩ 박물관의 정교한 조각상을 보고 모두들 감탄하였습니다.
**위조(僞** 거짓 위, **造** 지을 조**)** 어떤 물건을 속일 목적으로 꾸며 진짜처럼 만듦.

**21** 동전의 색깔은 무엇에 따라 달라지는지 쓰시오.

(　　　　　　　　　　)

**중요**
**22** 솜으로 만든 지폐의 장점이 아닌 것을 두 가지 고르시오. (　,　)

① 두껍다.
② 습기에 강하다.
③ 찢어지지 않는다.
④ 위조를 방지할 수 있다.
⑤ 정교한 인쇄 작업이 가능하다.

**23** 무늬를 새겨 넣기 전의 동전 판을 무엇이라고 하는지 쓰시오.

(　　　　　　　　　)

**서술형**
**24** 이 글을 읽고 지폐의 재료에 대해 동생에게 말하려고 할 때 말할 내용을 알맞게 정리하여 쓰시오.

_____

_____

**도움말** 동생에게 말하기 때문에 알기 쉬운 말로 설명해야 합니다.

## 생태 마을 보봉

학습 목표 ▶ 읽는 사람을 고려해 생각이나 느낌 쓰기

• 글의 종류: 설명하는 글
• 글쓴이: 김영숙
• 글의 특징: 독일의 보봉이 생태 마을이 된 과정과 이를 위해 마을 주민들이 실천한 점이 무엇인지 알려 주는 글입니다.

■ 글을 쓸 때 읽는 사람을 위해 고려해야 할 점
• 읽는 사람의 나이를 고려해야 합니다.
• 내용을 잘 알고 있는지 살펴봐야 합니다.
• 읽는 사람의 처지를 생각해 보고 써야 합니다.
• 기분이 상하지 않도록 예의를 지켜야 합니다.

**낱말 사전**

**생태**(生 날 생, 態 모양 태) 생물이 살아가는 모양이나 상태.
**철수** 진출하였던 곳에서 시설이나 장비 따위를 거두어 가지고 물러남.
**합의**(合 합할 합, 意 뜻 의) 서로 의견이 일치함.

**중심내용** 독일에 있는 마을인 보봉은 1992년까지 군대가 있던 곳이었지만, 주민들이 생태 마을로 만들기로 합의하고 실천 조항들을 만들어 생태 마을이 되었습니다.

1 보봉은 독일에 있는 **생태** 마을로, 태양 에너지, 녹색 교통, 주민 자치 등 환경 정책이 두루 잘 실현되고 있는 곳입니다. 보봉은 1992년까지 군대가 있던 곳이었습니다. <u>군대가 **철수**하고 난 뒤 마을 사람들은 이 지역을 어떻게 활용할지에 대해</u> 고민하게 되었습니다. 여러 가지 활용 방안을 놓고 회의를 한 결과, 주민들은 이곳을 생태 마을로 만들기로 **합의**하였습니다. 마을 사람들은 이곳을 어떻게 생태 마을로 만들까 고민했습니다. 오랫동안 토론한 끝에 다음과 같은 실천 조항들을 만들었습니다. (환경을 지키기 위한 조항)

"태양광을 우리 마을의 주 에너지원으로 합시다."
"자동차 사용을 줄이고 물을 아낄 수 있는 곳으로 만듭시다."
"콘크리트를 쓰지 않는 곳으로 만듭시다."
이런 노력으로 보봉은 생태 마을이 되었습니다.

**중심내용** 보봉 생태 마을의 주민인 알뮤트 슈스터 씨는 보봉 마을이 차 없는 마을, 자원 순환 마을, 태양광 에너지 주택 마을이 된 까닭은 주민의 실천 때문이라고 말하였습니다.

2 보봉 생태 마을의 주민인 알뮤트 슈스터 씨는 다음과 같이 말했습니다.
"보봉 마을에는 전력 생산 주택이 있습니다. <u>열 손실을 최소화한 주택에 태양 전지를 지붕 위에 얹은 공동 주택입니다.</u> (전력 생산 주택의 뜻) 이 주택의 태양 전지가 일 년간 생산하는 전기는 한 가구당 약 7000킬로와트 정도입니다. (태양광 에너지) 대개 가정에서 필요한 양이 5500킬로와트 정도입니다. 남는 전력은 인근 발전소에 팔아서 월 평균 100 (이웃한 가까운 곳.) 유로(약 14만 원) 정도의 수익을 얻습니다.

---

**25** 생태 마을이 되기 전 1992년까지 보봉에 있던 것은 무엇인지 쓰시오.

( )

**26** 보봉 마을 사람들이 결정한 생태 마을로 만들기 위한 실천 조항이 <u>아닌</u> 것은 어느 것입니까?

( )

① 자동차 사용 줄이기
② 콘크리트를 쓰지 않기
③ 전기를 사용하지 않기
④ 태양광을 주 에너지원으로 하기
⑤ 물을 아낄 수 있는 곳으로 만들기

**27** 보봉 마을에서 중요하게 생각하는 것은 무엇인지 ○표를 하시오.

( 정보 통신 , 환경 보호 )

**28** 이와 같은 글을 읽고 자신의 의견을 글로 쓸 때, 읽는 사람을 위해 고려해야 할 점이 <u>아닌</u> 것은 무엇입니까? ( )

① 읽는 사람의 처지는 어떠한가?
② 읽는 사람의 나이는 어떠한가?
③ 읽는 사람의 생김새는 어떠한가?
④ 읽는 사람이 내용을 잘 이해할까?
⑤ 읽는 사람의 기분이 상할 만한 표현은 없는가?

또 보봉 마을에는 개인 주차장이 없습니다. 그 대신 정원과 공원, 어린이 놀<u>차 없는 마을을 만들기 위해</u>이터, 자전거 주차장이 있습니다. 이 마을에 들어와 살려면 개인 주차장을 짓지 않겠다고 약속해야 합니다. 그 대신 유료 공동 주차장이 있는데, 차 한 대당 주차장 이용료로 3700유로(약 500만 원)를 내야 합니다. 상황이 이렇다 보니 아예 차를 사지 않는 주민이 많습니다.<u>개인 자동차를 사용하기가 불편한 상황</u>

전차 같은 대중교통을 이용하거나 자동차를 함께 타거나 빌려 타는 '승용차 함께 타기'가 활발하게 이루어지고 있습니다. 저도 보봉이 어린아이들의 천국<u>차 없는 마을을 만들기 위한 노력</u>이라는 점 때문에 이사를 했고, 이곳에서 아들을 낳고 길렀습니다.<u>알뮤트 슈스터 씨가 보봉으로 이사 온 까닭</u>

보봉은 오랫동안 군대가 머무는 곳으로 묶여 있어 **생기**라고는 찾아볼 수 없는 **스산한** 마을이었습니다. 지금의 보봉으로 새롭게 태어날 수 있었던 것은 주민들<u>의 뜻과 의지</u>가 있었기 때문입니다. 주민들이 스스로 생태 마을을 만들자고 결<u>보봉이 생태 마을이 된 까닭</u>정했고, 주민의 실천으로 생태 마을을 이루었습니다. 차 없는 마을, 자원 순환 마을, 태양광 에너지 주택 마을, 이것은 모두 주민이 실천하지 않았다면 불가능했을 것입니다."

★ 바르게 쓰기

| 아예 | 아에 |
|---|---|
| ( ○ ) | ( × ) |

★ 바르게 쓰기

| 활발하게 | 할발하게 |
|---|---|
| ( ○ ) | ( × ) |

**낱말 사전**

**생기(生 날 생, 氣 기운 기)** 싱싱하고 힘찬 기운. 예 봄이 되자 꽃들이 생기 있게 피어올랐습니다.
**스산한** 몹시 어수선하고 쓸쓸한. 예 가랑비가 뿌리고 산바람도 불어와 스산한 기분이 들었습니다.

**29** 다음 중 보봉 마을에 없는 것은 무엇입니까?
( )

① 개인 주차장
② 정원과 공원
③ 어린이 놀이터
④ 자전거 주차장
⑤ 유료 공동 주차장

**30** 알뮤트 슈스터 씨는 보봉이 생태 마을이 된 것은 무엇 때문이라고 하였습니까? ( )

① 군대의 도움
② 과학의 발달
③ 어린 아이들의 노력
④ 정부의 적극적인 지원
⑤ 보봉 마을 주민들의 뜻과 의지

서술형
**31** 이 글을 읽고 어떤 생각이나 느낌이 드는지 쓰시오.

_____

_____

**도움말** 보봉 생태 마을의 사례를 읽으며 어떤 생각이나 느낌이 들었는지 씁니다.

중요
**32** 이 글을 읽고 글을 쓴다면 누구에게 어떤 내용을 쓰는 것이 알맞을지 정리한 것입니다. 빈칸에 들어갈 읽을 사람을 보기에서 찾아 기호를 쓰시오.

| 읽을 사람 | 글의 내용 | 읽는 사람을 위해 글을 쓸 때 고려할 점 |
|---|---|---|
| | 우리나라의 생태 마을을 조사한 내용 | 친구들이 관심을 가질 만한 내용을 쓰고, 사진 자료도 활용함. |

 보기

㉮ 유치원에 다니는 동생
㉯ 학급 신문을 읽는 친구들

( )

## 국어 활동 47쪽 내용

### 파란색으로 쓰인 부분을 바르게 띄어 쓰기

그 길은 공사 중이니 조심할것.

( 　조심할 ∨ 것　 )

그 일은 찬혜만 할수있어요.

( 　할 ∨ 수 ∨ 있어요　 )

너만 그걸 할줄 아는구나.

( 　할 ∨ 줄　 )

아는것이 힘입니다.

( 　아는 ∨ 것이　 )

하다 보면 그럴수도 있지.

( 　그럴 ∨ 수도　 )

나도 그럴줄은 몰랐어요.

( 　그럴 ∨ 줄은　 )

**tip** '것', '수', '줄'은 단독으로 쓸 수 없는 낱말입니다. 다른 낱말과 함께 써야 하고, 쓸 때에는 띄어 써야 하므로, '생각할 것, 할 수 있다, 할 줄 안다'와 같이 띄어 써야 합니다.

### 밑줄 그은 부분을 바르게 띄어 쓰기

• 제게 마실것 좀 주세요.

( 　마실 ∨ 것　 )

• 효원이는 하는수없이 터벅터벅 집에 돌아왔어요.

( 　하는 ∨ 수 ∨ 없이　 )

• 잘 들고 가던 물컵을 엎지를줄이야!

( 　엎지를 ∨ 줄이야　 )

**tip** 단독으로 쓰일 수 없는 말인 '것', '수', '줄' 앞에서 띄어 씁니다.

• 활동 내용: '것', '수', '줄'의 쓰임과 바르게 띄어 쓰는 방법을 익히는 활동입니다.

▶ '것', '수', '줄'은 "것을 아니?"와 같이 단독으로는 쓸 수 없는 낱말입니다. 다른 낱말과 함께 써야 하고, 쓸 때에는 띄어 써야 합니다. 그러나 "이것이 무엇인가요?"와 같이 '이것', '저것', '그것'은 하나의 낱말이므로 붙여 씁니다.

㉝ 숙제를 먼저 할 것
→ '것'이 단독으로 쓰일 수 없는 말이므로 '할'과 같이 써야 하고 띄어 씁니다.

㉝ 저것 좀 봐!
→ '저것'이 하나의 낱말이므로 붙여 씁니다.

**확인 문제**

※ 다음 중 밑줄 그은 부분을 바르게 띄어 쓴 것에 ○표를 하시오.

1. 나는 수영을 할수 있다.
( 　 )

2. 내가 100점을 맞을 줄이야.
( 　 )

3. 음식을 빨리 먹는것은 좋지 않습니다. ( 　 )

정답 2. ○

# 서술형 수행 평가 돋보기

학교에서 출제되는
서술형 수행 평가를
미리 준비하세요.

◐ 다음 글을 읽고, 물음에 답하시오.

처음에는 겨우겨우 먹고살 만큼만 농사를 지었어요. 그러다가 괭이나 쟁기 같은 농기구가 개발되고 농사 기술이 발전하면서 수확하는 곡식의 양도 늘어났지요. 가족이 먹고도 남을 만큼요. 이렇게 남은 생산물을 '잉여 생산'이라고 해요. 이제 인류는 남는 곡식을 어떻게 처리할까 조금은 행복한 고민에 빠지게 되었어요.

육천 년 전, 드디어 사람들은 저마다 남는 물건을 바꾸기 시작했어요. 물물교환이 시작된 거예요.

하지만 물물교환은 쉽지 않았어요. 쌀을 가져온 농부가 어부의 고등어와 맞바꾸려면 어부 역시 쌀을 원해야 하잖아요? 그런데 어부가 원하는 것이 사냥꾼의 곰 가죽이라면 이 거래는 이루어질 수 없겠지요. 또 운 좋게 그런 상대방을 만나도 교환이 늘 순조롭지만은 않았어요.

"어부야, 고등어 한 마리랑 쌀 한 봉지랑 바꾸자." / "두 봉지는 줘야지."

그래서 인류는 물건의 가격을 매길 수 있는 제삼의 물건을 생각해 냈어요. 바로 돈이었지요. 기록에 전해지는 최초의 돈은 중국인들이 사용한 조개껍데기예요.

🔍 **문제 파악**
듣는 사람을 고려해 상황에 맞게 말하는 방법을 파악하는 문제입니다.

🔍 **해결 전략**

| 1 단계 | 글의 중요한 내용을 이해하기 |
| --- | --- |

↓

| 2 단계 | 듣는 사람에 따라 말하는 방법 떠올리기 |
| --- | --- |

↓

| 3 단계 | 듣는 사람이 누구인지 떠올리고 말할 내용 생각하기 |
| --- | --- |

↓

| 4 단계 | 듣는 사람을 고려해 말하기 |
| --- | --- |

**1** 이 글의 내용을 동생과 반 친구들에게 각각 말해 주려고 합니다. 어떻게 말해야 할지 쓰시오.

| 듣는 사람 | 말할 내용 | 듣는 사람을 고려해 말할 방법 |
| --- | --- | --- |
| 동생 | 사람들이 돈을 만든 까닭 | (1) |
| 반 친구들 | | (2) |

**2** **1**에서 답한 내용을 바탕으로 하여, 이 글의 내용을 반 친구들에게 말해 주려고 할 때에 말할 내용을 알맞게 정리하여 쓰시오.

학교 선생님께서
알려 주시는 모범 답안과
채점 기준도 book ❸ 해설책에서
꼭 확인하세요!

# 교과서 문제 확인

**교과서 91~93쪽**　　　○ 말하는 사람의 표정, 몸짓, 말투 살펴보기

• 말하는 사람의 표정, 몸짓, 말투를 살펴보세요.

| 장면 | 표정 | 장면 | 몸짓 | 장면 | 말투 |
|---|---|---|---|---|---|
| 제○회 학급 회의를 시작하겠습니다. | ㉠ 밝게 웃고 있다. | 제가 다녀온 박물관에 대해 말씀드리겠습니다. | ㉠ 비뚤게 서서 손으로 머리를 긁적인다. | 당연히 기분 좋죠. 누가 안 좋겠어요. | ㉠ 어색하고 예의 없다. |

• 상황에 알맞은 표정, 몸짓, 말투를 사용하면 어떤 점이 좋은지 친구들과 이야기해 봅시다.

　㉠ 듣는 사람이 잘 알아들을 수 있어.

**「가방 들어 주는 아이」**　　　○ 동영상을 보고 인물의 표정, 몸짓, 말투를 살펴보기

• 석우와 영택이가 한 일은 무엇인가요?

　㉠ 석우가 음료수 깡통을 발로 멀리 차고, 영택이도 발로 차 보았습니다.

• 석우와 영택이는 어떤 말을 주고받았나요?

　㉠ 석우가 영택이에게 음료수 깡통을 발로 차 보라고 했습니다.

• 석우는 영택이를 어떻게 도와주었나요?

　㉠ 영택이에게 음료수 깡통을 가져다주며 한번 차 보라고 용기를 주었습니다.

• 말소리 없는 동영상을 보며 석우의 표정과 몸짓을 살펴보세요.

| 석우가 영택이에게 음료수 깡통을 가져다주며 한번 차 보라고 말하는 장면 | 말 | | 석우가 음료수 깡통을 발로 찬 영택이의 성공을 축하해 주는 장면 | 말 | |
|---|---|---|---|---|---|
| | 에이, 해 봐. | | | 오, 민영택! 센데! | |
| | 표정 | 몸짓 | | 표정 | 몸짓 |
| | ㉠ 밝은 표정 | ㉠ 친구의 등을 두드림. | | ㉠ 친구의 성공을 반기는 표정 | ㉠ 엄지손가락을 위로 올림. |

• 동영상의 말소리만 듣고 석우와 영택이의 말투에 대하여 말해 보세요.

| | |
|---|---|
| 석우: 자, 멀리 찼지? 자, 네 차례야.<br>영택: 잘 못할 것 같은데……<br>석우: 에이, 해 봐. 오, 민영택! 센데! | ㉠ 석우: 밝고 장난스러운 말투입니다.<br>　영택: 소리가 작고 걱정스러운 말투입니다. |

 교과서 100~101쪽

## 「돈을 만들어 내다 – 돈은 왜 생겼을까? –」

○ 돈이 없었던 시대부터 돈이 생겨나게 된 과정을 알기 쉽게 설명하는 글

• 원시 시대에 돈이 필요 없었던 까닭은 무엇인가요? 예 사냥이나 채집을 하며 생활했기 때문입니다.

• 돈이 없을 때 사람들은 원하는 물건을 어떻게 구했나요? 예 필요한 물건을 서로 교환했습니다.

• 남아메리카와 아프리카에서는 무엇을 돈으로 사용했나요? 예 카카오 열매와 소금입니다.

• 듣는 사람을 고려해 말한 방법을 정리해 봅시다.

| | 동생 | 친구 | 여러 사람 |
|---|---|---|---|
| 말한 내용 | 예 사람들이 돈을 만든 까닭 | | |
| 듣는 사람을 고려해 말한 방법 | 예 이해하기 쉬운 말로 말한다. | 예 친구가 관심 있어 하는 내용을 흥미롭게 말해 준다. | 예 높임말을 사용한다. |

 교과서 104쪽

## 「돈을 만들어 내다 – 돈의 재료 –」

○ 동전과 지폐의 재료에 대해 설명하는 글

• 듣는 사람은 누구이고, 주의할 점은 무엇인가요?
  예 동생입니다. / 이해하기 쉬운 말로 설명해야 합니다.

• 듣는 사람에게 말할 내용을 정리해 보세요.
  예 돈은 동전과 지폐로 나눌 수 있어. 동전은 다양한 금속을 섞어 만들기 때문에 색깔이 다양한 거야. 지폐는 솜으로 만들어서 습기에도 강하고 정교하게 만들면서 위조도 막아 준대. 그리고 우리나라의 동전 만드는 기술은 아주 뛰어나서 많은 나라에서 수입해서 활용한대.

 교과서 108쪽

## 「생태 마을 보봉」

○ 독일의 마을인 보봉이 생태 마을이 된 과정과 이를 위해 주민들이 실천한 점에 대해 알려 주는 글

• 생태 마을이 되기 전 보봉은 어떤 마을이었나요? 예 오랫동안 군대가 머물러서 생기가 없던 마을이었습니다.

• 보봉을 생태 마을을 만들기 위해 주민들은 어떤 실천 조항을 만들었나요?
  예 태양광을 마을의 주 에너지원으로 합시다. / 자동차 사용을 줄이고 물을 아낄 수 있는 곳으로 만듭시다. / 콘크리트를 쓰지 않는 곳으로 만듭시다.

• 알뮤트 슈스터 씨가 보봉으로 이사 온 까닭은 무엇인가요? 예 어린아이들의 천국이라는 점 때문에 이사했습니다.

• 「생태 마을 보봉」을 다시 읽고 전하고 싶은 생각이나 느낌을 떠올려 봅시다.
  예 우리나라도 자연환경을 보호하기 위해 많이 노력해야 되겠다고 생각했다. / 마을 전체의 이익을 위해서는 개인의 불편함은 양보해야 된다고 생각했다.

# 단원 정리 학습

## 핵심 1  적절한 표정, 몸짓, 말투로 말하기

**1** 상황에 알맞은 표정, 몸짓, 말투를 사용하면 좋은 점
- 자신의 생각을 분명하게 전달할 수 있습니다.
- 느낌을 잘 표현할 수 있습니다.
- 듣는 사람이 잘 알아들을 수 있습니다.

**2** 표정, 몸짓, 말투를 활용해 말할 때의 주의할 점
- 듣는 사람에게 맞게 사용합니다.
- 표정, 몸짓, 말투가 서로 어울리게 사용합니다.
- 사용하려는 목적을 생각합니다.

(예)

| 있었던 일을 설명할 때 | 상대를 설득할 때 |
|---|---|
| • 자신 있는 표정을 짓습니다.<br>• 두 손을 활용합니다.<br>• 정확하게 말합니다. | • 따뜻한 표정으로 상대를 바라봅니다.<br>• 손을 적절하게 사용합니다.<br>• 부드러운 말투를 사용합니다. |

## 핵심 2  듣는 사람을 고려해 상황에 맞게 말하기

- 듣는 사람과 듣는 상황을 고려해 말합니다.

(예) '사람들이 돈을 만든 까닭'을 듣는 사람을 고려해 설명할 경우

동생에게 말할 때에는 이해하기 쉬운 말로 말해야 해.

친구에게는 관심 있어 하는 내용을 흥미롭게 말해 줘야 해.

여러 사람 앞에서 말할 때에는 높임말을 사용해야 해.

## 핵심 3  읽는 사람을 고려해 생각이나 느낌 쓰기

- 읽는 사람의 처지를 생각합니다.
- 읽는 사람의 상황을 떠올립니다.
- 읽는 사람의 나이를 고려해 어휘를 고릅니다.

글을 읽는 사람이 쉽게 이해할 수 있도록 자신의 의견과 까닭이 잘 드러나게 써야 해.

# 단원 확인 평가

[01~02] 다음 그림을 보고, 물음에 답하시오.

**1** 제○회 학급 회의를 시작하겠습니다.

**2** 제가 다녀온 박물관에 대해 말씀드리겠습니다.

**3** 우승하신 소감 좀 말씀해 주세요.

당연히 기분 좋죠. 누가 안 좋겠어요.

**01** 그림 **1**~**3**에서 말하는 사람에 대한 설명으로 알맞은 것에 ○표를 하시오.

(1) 그림 **1**의 남자아이는 밝게 웃고 있다.
( )

(2) 그림 **2**의 여자아이는 듣는 사람을 바르게 서 바라보고 있다. ( )

(3) 그림 **3**의 우승한 친구는 어색하고 예의 없는 말투로 말하고 있다. ( )

**서술형**
**02** 그림 **1**~**3**과 같이 말할 때의 문제점을 쓰시오.

_____

_____

도움말 여러 사람 앞에서 말할 때 주의할 점에 대해 생각해 보고, 주의할 점을 지켜 말하지 않을 때 어떤 문제점이 있을지 생각해 봅니다.

[03~04] 다음 대화를 읽고, 물음에 답하시오.

> 석우: ㉠자, 멀리 찼지? 자, 네 차례야.
> 영택: ㉡잘 못할 것 같은데…….
> 석우: 에이, 해 봐. ㉢오, 민영택! 센데!

**03** ㉠과 ㉡의 말투로 알맞은 것을 보기 에서 찾아 기호를 쓰시오.

> **보기**
> ㉮ 밝고 장난스러운 말투
> ㉯ 귀찮고 짜증나는 말투
> ㉰ 섭섭하고 속상한 말투
> ㉱ 소리가 작고 걱정스러운 말투

(1) ㉠: ( )
(2) ㉡: ( )

**04** ㉢을 말하는 표정, 몸짓, 말투로 알맞지 <u>않은</u> 것은 어느 것입니까? ( )

① 기뻐하는 말투
② 환하게 웃는 표정
③ 비아냥거리는 말투
④ 눈을 크게 뜨는 표정
⑤ 엄지손가락을 위로 올리는 몸짓

**중요**
**05** 상대를 설득할 때에 알맞은 표정, 몸짓, 말투는 무엇입니까? ( )

① 장난스러운 말투로 웃으면서 말한다.
② 황당한 표정으로 어깨를 으쓱하며 말한다.
③ 손으로 상대의 등을 두드리며 자신 있는 표정을 짓는다.
④ 긴장된 표정으로 머리를 긁적이며 어색한 말투로 말한다.
⑤ 따뜻한 표정으로 상대를 바라보며, 부드러운 말투를 사용한다.

**[06~07]** 다음 글을 읽고, 물음에 답하시오.

> 물물교환은 쉽지 않았어요. 쌀을 가져온 농부가 어부의 고등어와 맞바꾸려면 어부 역시 쌀을 원해야 하잖아요? 그런데 어부가 원하는 것이 사냥꾼의 곰 가죽이라면 이 거래는 이루어질 수 없겠지요. 또 운 좋게 그런 상대방을 만나도 교환이 늘 순조롭지만은 않았어요.
>
> "어부야, 고등어 한 마리랑 쌀 한 봉지랑 바꾸자."
> "두 봉지는 줘야지."
>
> 그래서 인류는 물건의 가격을 매길 수 있는 제삼의 물건을 생각해 냈어요. 바로 돈이었지요. 기록에 전해지는 최초의 돈은 중국인들이 사용한 조개껍데기예요.

**06** 돈이 생겨난 까닭은 무엇입니까? (      )

① 남는 물건이 생겨서
② 물물교환의 불편함 때문에
③ 귀한 물건을 보존하기 위해서
④ 물건의 가치를 깨닫지 못해서
⑤ 흔히 볼 수 있는 물건을 사용하기 위해서

**07** <sup>중요</sup> 다음과 같이 돈이 생겨난 까닭을 설명해 주려고 할 때, 듣는 사람으로 가장 알맞은 것은 누구인지 ○표를 하시오.

> 물물교환을 할 때 사람들은 서로 원하는 것도 다르고 각자가 생각하는 물건의 가치도 달라서 불편했어. 그래서 사람들은 물건의 가격을 매길 수 있는 새로운 물건을 생각해 낸 거지. 그게 바로 돈이야. 최초의 돈은 중국인들이 사용한 조개껍데기래.

( 동생 , 친구 , 여러 사람 앞 )

**[08~10]** 다음 글을 읽고, 물음에 답하시오.

> 동전은 주재료가 구리인데, 여기에 아연이나 니켈, 알루미늄 같은 금속을 조금씩 섞어서 만들어요. 이 섞는 금속에 따라서 동전 색깔이 달라지지요.
>
> 옛날 10원 동전은 지금과 달리 누런색이었어요. 그것은 동전에 섞인 아연 때문이에요. 새로 나온 10원짜리는 구릿빛으로 붉어요. 그 이유는 아연을 빼고 구리를 씌운 알루미늄을 사용했기 때문이지요. 반면 100원, 500원 동전이 은백색인 것은 니켈 때문이에요. 지금은 쓰이지 않지만 1원짜리 동전은 구리가 전혀 섞이지 않은 100퍼센트 알루미늄으로 만들었어요.

**08** 동전을 만들 때 섞는 금속에 따라 바뀌는 것은 무엇입니까? (      )

① 동전의 모양　　② 동전의 무늬
③ 동전의 색깔　　④ 동전의 크기
⑤ 동전의 쓰임새

**09** <sup>서술형</sup> 글을 읽고 동생에게 말할 내용을 정리해 쓰시오.

_____

_____

도움말 ┃ 듣는 사람이 동생이라는 것에 주의합니다.

**10** 이와 같은 글을 읽고 듣는 사람을 고려해 말하는 방법으로 알맞은 것을 두 가지 고르시오.

(      ,      )

① 듣는 사람이 동생이라면 길게 설명한다.
② 듣는 사람이 여러 사람이라면 친근한 예사말로 말하는 것이 좋다.
③ 듣는 사람이 어른이라면 밝은 미소로 부드럽게 말하는 것이 좋다.
④ 듣는 사람이 학급 친구들이라면 관심 있어 하는 내용을 말해 줘야 한다.
⑤ 듣는 사람이 학급 친구들이라면 과장된 몸짓으로 목소리를 작게 하며 말해야 한다.

**[11~15]** 다음 글을 읽고, 물음에 답하시오.

"보봉 마을에는 전력 생산 주택이 있습니다. 열 손실을 최소화한 주택에 태양 전지를 지붕 위에 얹은 공동 주택입니다. 이 주택의 태양 전지가 일 년간 생산하는 전기는 한 가구당 약 7000킬로와트 정도입니다. 대개 가정에서 필요한 양이 5500킬로와트 정도입니다. 남는 전력은 인근 발전소에 팔아서 월 평균 100유로(약 14만 원) 정도의 수익을 얻습니다.

또 보봉 마을에는 개인 주차장이 없습니다. 그 대신 정원과 공원, 어린이 놀이터, 자전거 주차장이 있습니다. 이 마을에 들어와 살려면 개인 주차장을 짓지 않겠다고 약속해야 합니다. 그 대신 유료 공동 주차장이 있는데, 차 한 대당 주차장 이용료로 3700유로(약 500만 원)를 내야 합니다. 상황이 이렇다 보니 아예 차를 사지 않는 주민이 많습니다.

전차 같은 대중교통을 이용하거나 자동차를 함께 타거나 빌려 타는 '승용차 함께 타기'가 활발하게 이루어지고 있습니다. 저도 보봉이 어린아이들의 천국이라는 점 때문에 이사를 했고, 이곳에서 아들을 낳고 길렀습니다.

보봉은 오랫동안 군대가 머무는 곳으로 묶여 있어 생기라고는 찾아볼 수 없는 스산한 마을이었습니다. 지금의 보봉으로 새롭게 태어날 수 있었던 것은 주민들의 뜻과 의지가 있었기 때문입니다. 주민들이 스스로 생태 마을을 만들자고 결정했고, 주민의 실천으로 생태 마을을 이루었습니다. 차 없는 마을, 자원 순환 마을, 태양광 에너지 주택 마을, 이것은 모두 주민이 실천하지 않았다면 불가능했을 것입니다."

**11** 생태 마을이 되기 전 보봉은 어떤 도시였는지 다음 빈칸에 들어갈 말을 찾아 쓰시오.

> 생기라고는 찾아볼 수 없는 (          ) 마을

**12** 이 글에서 말하는 사람이 보봉으로 이사 온 까닭은 무엇인지 찾아 쓰시오.

(                     )

**13** 보봉 마을의 특징으로 알맞은 것을 두 가지 고르시오. (    ,    )

① 태양광 에너지로 전기를 생산한다.
② 마을 전체가 공동 주택에서 함께 지낸다.
③ 개인 자동차보다는 대중교통을 이용한다.
④ 개인 주차장을 싼 가격에 이용할 수 있다.
⑤ 태양광 에너지를 팔아 얻는 수익으로 살아간다.

**14** 이 글을 읽은 친구들이 다음과 같은 의견을 썼습니다. 빈칸에 공통으로 들어갈 말을 이 글에서 찾아 쓰시오.

> • 마을을 바꾸는 데에는 주민의 [          ]이/가 중요한 것 같다.
> • 우리나라도 자연 환경을 보호하기 위한 직접적인 [          ]이/가 필요하다고 생각한다.
> • 우리 마을에서도 음식물 쓰레기 줄이기, 분리수거 실천하기, 자전거 이용하기 등의 [          ] 방법을 정하여 지켰으면 좋겠다.

(                     )

**⭐중요 15** 이 글을 읽고 부모님께 가정에서 환경 보호를 위해 실천할 수 있는 일을 함께 지키자는 자신의 생각을 글로 써서 전하려고 합니다. 글을 쓰는 방법으로 알맞지 <u>않은</u> 것은 무엇입니까? (    )

① 읽는 사람의 기분이 상하지 않도록 쓴다.
② 읽는 사람의 처지와 상황을 생각하여 쓴다.
③ 가정에서 지킬 수 있는 환경 보호 방법을 쓴다.
④ 보봉 마을의 예를 들면서 환경 보호 실천을 부탁한다.
⑤ 자신이 자주 놀러가는 놀이터의 문제점에 대한 의견을 쓴다.

아이들이 도서실 앞에 있는 게시판을 보며 이야기를 나누고 있어요. 게시판에 적혀 있는 내용은 학급별 도서실 책 대출 권수에 관한 것이네요. 여자아이와 남자아이의 말 중 어떤 것이 사실이고, 어떤 것이 의견일까요?

이제, 4단원에서는 사실과 의견을 생각하며 글을 읽고 써 볼 거예요.

# 4 일에 대한 의견

## 단원 학습 목표

72쪽 단원 정리 학습에서 더 자세히 공부해 보세요.

1. **사실과 의견의 차이점을 알아보고, 글을 읽고 사실과 의견을 구별할 수 있습니다.**
   - 친구들의 대화나 글을 읽고 사실과 의견의 차이점을 알아봅니다.
   - 글을 읽으면서 사실과 의견을 구별해 보고, 사실과 의견이 어떤 특성을 가지고 있는지 알아봅니다.

2. **사실에 대한 의견을 말하거나 글로 쓸 수 있습니다.**
   - 글을 읽고 알게 된 사실과 그에 대한 의견을 이야기해 봅니다.
   - 학교나 집에서 있었던 일을 떠올려 사실과 의견이 잘 드러나는 글을 써 봅니다.

## 단원 진도 체크

| 회차 | | 학습 내용 | 진도 체크 |
|---|---|---|---|
| 1차 | 단원 열기 | 단원 학습 내용 미리 보고 목표 확인하기 | ✓ |
| | 교과서 내용 학습 | 사실과 의견의 차이점 알기 | ✓ |
| 2차 | 교과서 내용 학습 | 「독도를 다녀와서」 | ✓ |
| 3차 | 교과서 내용 학습 | 「묵직한 수박 위로 나비가 훨훨」 / 사실에 대한 의견 쓰기 | ✓ |
| 4차 | 교과서 내용 학습 | 국어 활동 학습하기 | ✓ |
| | 서술형 수행 평가 돋보기 | 서술형 수행 평가 대비 학습하기 | ✓ |
| | 교과서 문제 확인 | 교과서 문제 학습하며 학교 숙제 해결하기 | ✓ |
| 5차 | 단원 정리 학습 | 단원 학습 내용 정리하기 | ✓ |
| | 단원 확인 평가 | 확인 평가를 통한 단원 학습 상황 파악하기 | ✓ |

해당 부분을 공부하고 나서 ✓표를 하세요.

# 교과서 내용 학습

## 국어 116~117쪽 내용

학습 목표 ▶ 사실과 의견의 차이점 알기

국어 116~117쪽

**· 1과 2의 내용**

| 1 | 정우와 석원이가 박물관에서 단원 김홍도의 그림을 보고 나누는 대화 |
|---|---|
| 2 | 박물관에 다녀와서 석원이가 쓴 일기 |

**■ 사실과 의견**

| 사실 | 실제로 있었던 일을 말함. |
|---|---|
| 의견 | 대상이나 일에 대한 생각을 말함. |

**■ 그림 정보**

| 제목 | 씨름 |
|---|---|
| 그린 이 | 김홍도 |
| 출처 | 국립중앙박물관 |

**1**

박물관에 단원 김홍도의 그림이 있었어.

정우

응, 맞아. 그 가운데에서 나는 씨름하는 장면을 그린 그림이 가장 마음에 들었어. 사람들의 모습과 표정이 실감 났거든.

석원

석원이가 간 곳
**2** ㉠정우와 함께 박물관 현장 체험학습을 다녀왔다. ㉡박물관에는 우리 조상의 생활 모습을 담은 그림들이 전시되어 있었다. ㉢그림에 나타난 조상의 생활 모습
박물관에 전시된 것
은 오늘날과는 많이 다르다는 생각이 들었다.
그림들을 본 석원이가 한 생각

**01** **1**에서 정우와 석원이는 무엇을 하고 있습니까?
( )

① 김홍도의 그림에 대해 이야기하고 있다.
② 김홍도의 일생에 대해 이야기하고 있다.
③ 좋아하는 화가에 대해 이야기하고 있다.
④ 과학관에서 본 전시에 대해 이야기하고 있다.
⑤ 현장 체험학습을 어디로 갈지 이야기하고 있다.

**02** **1**에서 석원이가 씨름하는 장면을 그린 그림이 가장 마음에 들었다고 한 까닭은 무엇입니까?
( )

① 평소에 많이 보던 그림이라서
② 그림의 색깔이 마음에 들어서
③ 씨름하는 모습이 오늘날과 달라서
④ 사람들의 모습과 표정이 실감 나서
⑤ 씨름하는 장면을 그린 그림이 가장 커서

**03** 중요 **1**에서 정우와 석원이가 말한 내용에 알맞게 각각 선으로 이으시오.

(1) 정우 · · ① 실제로 있었던 일을 말함.

(2) 석원 · · ② 대상이나 일에 대한 생각을 말함.

**04** **2**에서 ㉠~㉢은 사실과 의견 중 무엇에 해당하는지 구별하여 쓰시오.

(1) ㉠: ( )
(2) ㉡: ( )
(3) ㉢: ( )

## 독도를 다녀와서

학습 목표 ▶ 글을 읽고 사실과 의견 구별하기

**중심내용** 지난 방학 때 평소에 관심이 많았던 독도를 가족과 함께 다녀왔습니다.

**1** 지난 방학 때 나는 가족과 함께 독도를 다녀왔다. 평소에 독도에 관심이 많아
<u>'나'와 가족이 한 일</u>
독도에 대한 책도 읽고 사진도 여러 장 찾아보았다. 그런데 ㉠마침 아버지께서
독도를 다녀오자고 하셨다. 책이나 인터넷에서만 보던 독도를 직접 가 보는 것이
좋겠다고 생각했다.『 』: 독도를 가게 된 까닭

• **글의 종류**: 기행문
• **글의 특징**: 독도에 다녀와서 쓴 글로, 독도에서 경험한 일과 그 일에 대한 생각과 느낌이 잘 드러난 글입니다.

**중심내용** 독도에 도착하는 순간 가슴이 떨렸고 수많은 괭이갈매기가 우리를 반겨 주었습니다.

**2** 우리는 울릉도에 가서 다시 독도로 가는 배를 탔다. 배는 항구를 떠나 독도로
<u>'나'와 가족이 한 일</u>
향했다. 배에 탄 지 한참을 지나 독도에 도착했다. 배에서 내려 독도에 발을 내딛
는 순간 이상하게 가슴이 떨렸다. 수많은 괭이갈매기가 우리를 반겨 주었다.
<u>느낌</u>                                        <u>생각</u>

★ 바르게 쓰기

| 내딛는 | 내딛는 |
|--------|--------|
| ( ○ ) | ( × ) |

---

**05** 이 글의 특징은 무엇입니까? (　　)

① 여행을 다녀와서 쓴 글
② 어떤 대상에 대해 설명한 글
③ 하루 동안 있었던 일을 쓴 글
④ 책을 읽고 나서 생각을 쓴 글
⑤ 자신의 주장과 그 까닭을 쓴 글

**06** 글쓴이가 독도와 관련해 평소에 한 일은 무엇입니까? (　　)

① 독도 기념관에 다녀왔다.
② 독도에 가는 길을 익혀 두었다.
③ 독도에 사는 식물을 길러 보았다.
④ 독도에 대한 책도 읽고 사진도 찾아보았다.
⑤ 독도에 사는 사람과 이야기를 나누어 보았다.

**서술형 07** ㉠은 사실과 의견 중 무엇인지 쓰고, 그렇게 생각한 까닭도 함께 쓰시오.

_____

_____

**도움말** 사실과 의견의 차이점이 무엇인지 알아봅니다.

**중요 08** 이 글에 쓰인 다음 문장들을 보고 사실과 의견을 구별하여 쓰시오.

| | | |
|---|---|---|
| (1) | 책이나 인터넷에서만 보던 독도를 직접 가 보는 것이 좋겠다고 생각했다. | |
| (2) | 우리는 울릉도에 가서 다시 독도로 가는 배를 탔다. | |
| (3) | 배에서 내려 독도에 발을 내딛는 순간 이상하게 가슴이 떨렸다. | |

**중심내용** 독도에 사는 슴새, 바다제비를 직접 보아 신기했고, 식물이 잘 자라기 힘든 환경에도 불구하고 번행초, 괭이밥, 쇠비름 등이 자라고 있었습니다. ┌→ 독도에 살고 있는 동물

③ ㉠독도에는 괭이갈매기뿐만 아니라 슴새, 바다제비 같은 새도 산다고 한다. 또 멧도요, 물수리, 노랑지빠귀 들은 독도를 휴식처로 삼아 철마다 머물다 간다고 한다. 책에서만 보던 슴새나 바다제비를 직접 보니 신기하기만 했다.
└ 들은 일

<u>생각</u>
㉡독도는 **화산섬**이라서 식물이 잘 자라기 힘든 곳이다. ㉢이러한 자연환경에서도 번행초, 괭이밥, 쇠비름 같은 풀이 잘 자란다고 한다.

**중심내용** 독도를 아끼고 독도에 꾸준히 관심을 가져야겠다고 생각했습니다. <u>독도의 위치</u>

④ ㉣독도에서 동해를 바라보니 가슴이 탁 트이는 것 같았다. ㉤우리나라 동쪽 끝 섬인 독도를 아끼고 독도에 관심을 가져야겠다고 생각했다. 아름답고 **생명력** 넘치는 독도가 우리 땅이라는 것이 아주 자랑스러웠다.
생각을 나타낸 의견

**낱말 사전**

**화산섬**(火 불 화, 山 산 산) 섬 전체 또는 대부분이 해저 화산의 분출물이 쌓여서 이루어진 섬.
**생명력**(生 날 생, 命 목숨 명, 力 힘 력) 생물체가 생명을 유지하여 나가는 힘.

**09** ㉠에 대한 설명으로 알맞은 것은 무엇입니까?
( )

① 의견이며, 느낌을 나타낸다.
② 의견이며, 생각을 나타낸다.
③ 사실이며, 한 일을 나타낸다.
④ 사실이며, 본 일을 나타낸다.
⑤ 사실이며, 들은 일을 나타낸다.

**10** 글쓴이가 독도에서 직접 본 것을 두 가지 고르시오. ( , )

① 슴새
② 다람쥐
③ 기러기
④ 바다제비
⑤ 코스모스

**11** 독도에서 식물이 잘 자라기 힘든 까닭은 무엇입니까? ( )

① 땅이 좁아서
② 바다가 깊어서
③ 섬 지역이라서
④ 바람이 많이 불어서
⑤ 화산섬이라서

**12** ㉡~㉤ 중 의견을 모두 찾아 기호를 쓰시오.

( )

글에서 한 일, 본 일, 들은 일 등은 '사실'로 구별할 수 있고, 그 일에 대한 생각이나 느낌은 '의견'으로 구별할 수 있어.

# 묵직한 수박 위로 나비가 훨훨!

학습 목표 ▶ 사실에 대한 의견 말하기

- 글의 종류: 설명문
- 글쓴이: 이광표

- 글의 특징: 신사임당의 병풍 작품인 「초충도」 중 '수박과 들쥐'의 그림에 담긴 사실과 의견을 쓴 글입니다.

**중심 내용** 여덟 폭으로 이루어진 병풍 작품인 「초충도」는 중앙에 식물을 두고, 각종 벌레와 곤충을 배치한 그림입니다. 이 중 '수박과 들쥐' 그림을 살펴보겠습니다.

**1** 「초충도」는 여덟 폭으로 이루어진 병풍 작품입니다. 이 그림들은 섬세한 필체와 부드럽고 세련된 색감이 돋보이지요. *곱고 가는* 전체적으로 구도가 비슷합니다. 화면의 중앙에 핵심이 되는 식물을 두고, 그 주변에 각종 벌레와 곤충을 배치했어요. *「초충도」에 그려져 있는 것* 그림의 화면은 정사각형에 가깝고 식물과 곤충이 화면을 비교적 꽉 채우고 있습니다. 이 중 '수박과 들쥐' 그림을 자세히 살펴볼까요? *이 글에서 설명하려는 작품*

**중심 내용** 화면 가운데 큰 수박 두 개가 있고 수박 덩굴줄기가 뻗어 있고 그 위에 나비 두 마리가 있으며, 큰 수박 오른쪽에 패랭이꽃 한 그루가 있습니다.

**2** 화면 가운데 아래쪽에 큼지막한 수박 두 개가 있습니다. *'수박과 들쥐'를 전체적으로 살펴봄.* 참으로 당당해 보이는 수박 덩어리이지요. *글쓴이의 의견* 수박 덩굴줄기가 왼쪽에서 오른쪽으로 휘어져 뻗어 있고, 뻗어 나간 줄기 위에 나비 두 마리가 예쁘고 우아하게 날갯짓을 하고 있네요. 큰 수박 오른쪽에는 패랭이꽃 한 그루가 조용히 피어 있습니다.

**중심 내용** 수박 옆으로 뻗어 올라간 줄기와 줄기 위로 예쁜 두 마리의 나비의 색깔이 서로 대비를 이룬 것이 인상적입니다.

**3** 수박 옆으로 뻗어 올라간 줄기를 볼까요? ㉠왼쪽

수박에서 위쪽으로 화면 한복판을 가로질러 둥근 곡선을 그리며 뻗어 올라간 줄기가 매우 인상적입니다. ㉡줄기에 작은 수박 하나가 더 매달려 있군요. 수박 밑부분은 검게 표시해 땅임을 알 수 있게 해 주고 있네요.

수박 줄기 위로는 예쁜 나비 두 마리가 아름답게 날갯짓을 하고 있어요. *어떤 대상이나 사물, 현상 등을 언어로 서술하거나 그림을 그려서 표현함.* 붉은 나비와 호랑나비인데, 모두 사실적으로 묘사되어 있군요. ㉢나비의 색깔이 서로 *두 가지의 차이를 밝히기 위하여 서로 맞대어 비교함.* 대비를 이루어 인상적입니다.

**중심 내용** 수박의 껍질이 요즘 보는 수박과 다른데, 시대가 흐르면서 수박의 모습이 바뀌었다는 것이 흥미롭습니다.

**4** 이제 아래쪽으로 시선을 옮겨 수박을 자세히 들여다보죠. 수박의 껍질이 요즘 보는 수박과 다르지요? 조선 시대 사람들이 먹었던 수박은 아마도 표면이 이러했던 모양입니다. 같은 땅에서 나온 수박인데도 시대가 흐르면 *글쓴이가 흥미로웠던 점* 서 그 모습이 바뀌었다는 사실이 참 흥미롭습니다.

▲ '수박과 들쥐' (출처: 국립중앙박물관)

---

**13** 이 글은 무엇에 대한 글입니까? ( )

① 신사임당
② 조선 시대의 수박
③ 그림을 감상하는 방법
④ 그림에 자주 나타난 식물
⑤ 「초충도」 중 '수박과 들쥐'

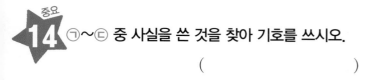

**중요 14** ㉠~㉢ 중 사실을 쓴 것을 찾아 기호를 쓰시오.

( )

**15** 「초충도」는 주로 무엇을 그린 그림입니까? ( )

① 산과 물　　　　② 양반들의 모습
③ 서민들의 모습　　④ 서민들이 사는 마을
⑤ 식물과 그 주변의 벌레와 곤충

**16** 다음 중 '수박과 들쥐'에 대한 의견을 말한 것을 찾아 ○표를 하시오.

(1) 그림의 가운데 아래쪽에 큰 수박 두 개가 있어. ( )

(2) 같은 수박인데도 시대가 흐르면서 모습이 변한 것이 흥미로워. ( )

**중심 내용** 수박과 나비가 상징하는 뜻으로 볼 때 이 그림은 아이를 많이 낳아 서로 행복하게 잘 살아가길 바라는 마음을 담고 있다고 생각할 수 있습니다.

┌─ 추상적인 개념이나 사물을 구체적인 사물로 나타냄.

5 당시의 사람들은 수박이 아이를 많이 낳는 것을 상징하고 나비는 화목과 사랑을 상징한다고 생각했습니다. 그렇다면 이 그림 속의 수박과 나비는 아이를 많이 낳아 서로 행복하게 잘 살아가길 바라는 마음을 담고 있는 것으로 생각할 수 있겠지요.
<sub>수박과 나비가 상징하는 것</sub>

**중심 내용** 가장 큰 수박의 밑동에는 작은 쥐들이 커다란 수박을 열심히 파먹고 있는 모습이 있는데, 사실적이고 섬세한 표현이 재미있습니다.

6 그런데 가장 큰 수박 밑동을 보니 재미있는 일이 벌어졌습니다. <sub>아랫 부분</sub> 작은 쥐들이 커다란 수박을 열심히 파먹고 있는 게 아니겠어요? <sub>그림에서 수박 밑동 부분에 나타난 모습</sub> 수박 껍질을 뚫어 내고 수박씨를 먹고 있는 모습입니다. 그래서 수박의 붉은 속과 씨들이 그대로 드러나 있습니다. 참 재미있는 풍경입니다. <sub>글쓴이의 의견</sub> 쥐들이 수박을 좋아한다는 것도 흥미로운 사실이지요. 맛있는 수박을 먹고 있기 때문인지 들쥐들의 표정이 매우 만족스러워 보입니다. / 전체적으로 보면 수박 주변에서 벌어지는 다양한 생명체의 움직임을 사실적이고 섬세하게 표현해 놓았습니다.

**중심 내용** 화면의 색감은 초록빛과 붉은빛이 대비를 이루고 있습니다.

7 이번에는 화면의 색감을 볼까요? <sub>색의 느낌</sub> 수박은 검은 초록,

수박과 꽃의 줄기는 초록이고, 꽃과 나비 한 마리, 쥐들이 파먹고 있는 수박의 속 부분은 붉은색입니다. 초록빛과 붉은빛이 서로 색상의 대비를 이루고 있습니다.

**중심 내용** 커다란 수박 두 덩어리가 무게 중심을 잡고 있고 수박 줄기와 패랭이꽃의 줄기가 대비를 이루는 구도가 안정적입니다.

8 구도도 안정적입니다. 커다란 수박 두 덩어리가 화면의 무게 중심을 잡고 있고 여기에 둥글게 휘어져 올라간 수박 줄기와 오른쪽 패랭이꽃의 반듯한 직선 줄기가 서로 대비를 이룹니다. 그래서 다른 「초충도」에서 발견할 수 없는 모습을 보여 줍니다. <sub>생기 있게 살아 움직이는 듯한 느낌.</sub> 안정감 속에 변화와 생동감이 은근히 배어 있지요. <sub>글쓴이의 의견</sub>

**중심 내용** 이 그림에는 신사임당이 화가로서 지닌 재능과 감각이 나타나 있습니다.

9 왼쪽 수박에서 둥글게 뻗어 올라간 줄기는 이 그림의 여러 요소 가운데 단연 눈에 띕니다. <sub>확실히 단정할 만하게</sub> 수박의 줄기를 크게 타원형으로 배치해 율동감을 살려 냈어요. 반면 오른쪽 패랭이꽃은 곧게 서 있어 화면에 안정감과 생동감을 부여해 주고 있습니다. 또한 두 개의 수박을 아래쪽 한가운데에 배치하지 않고 왼쪽에 치우치게 배치함으로써 화면의 단조로움을 극복하고 변화와 움직임을 주었습니다. 이것이 바로 신사임당이 화가로서 지닌 재능과 감각이라고 할 수 있겠지요.

**17** 그림에서 수박과 나비가 상징하는 것은 무엇입니까? (     )

① 베풀며 살아가길 바라는 마음
② 부자가 되어 살아가길 바라는 마음
③ 건강하게 오래 살아가길 바라는 마음
④ 백성들의 삶이 편안하기를 바라는 마음
⑤ 아이를 많이 낳아 서로 행복하게 잘 살아가길 바라는 마음

**18** 그림 속 쥐들은 무엇을 하고 있다고 하였는지 쓰시오.

(                                    )

**19** 9에서 두 개의 수박을 왼쪽에 치우치게 배치한 효과로 알맞은 것을 찾아 ○표를 하시오.

(1) 안정감이 두드러진다.　　　　(     )
(2) 화면의 단조로움을 극복하였다.　(     )

**서술형 20** 이 글을 읽고 알게 된 사실을 쓰시오.

_____

_____

도움말 이 글을 읽고 '수박과 들쥐'에 대해 알게 된 사실을 씁니다.

**1**

**2**

**3**

**4** ?

■ 사실에 대한 의견 쓰기 예

학교나 집에서 있었던 일 떠올리기

↓

겪은 일에 대한 사실을 누구와, 언제 어디에서, 무엇을, 어떻게, 왜 했는지, 어떤 생각을 했는지 정리하기

↓

쓸 내용을 사실과 의견으로 정리하기

↓

정리한 내용을 바탕으로 사실과 의견이 잘 드러나게 글 쓰기

---

**21** **1**~**3**은 각각 어떤 일을 떠올린 것인지 선으로 이으시오.

(1) **1** ·

(2) **2** ·

(3) **3** ·

· ① 과학의 날 행사

· ② 가족의 결혼식

· ③ 현장 체험학습

---

**22** **1**~**3**과 같은 일을 떠올려 있었던 일을 정리할 때 알맞은 내용이 <u>아닌</u> 것은 무엇입니까? (　　　)

① 왜 했나요?

② 어떤 생각을 했나요?

③ 무엇을 어떻게 했나요?

④ 누구와 무엇을 할 예정인가요?

⑤ 언제 어디에서 있었던 일인가요?

---

서술형 **23** **4**에 들어갈 일을 한 가지 떠올린 뒤, 그 일을 겪으면서 보거나 듣거나 한 일 등이 무엇인지 쓰고, 그 일에 대한 의견을 쓰시오.

| (1) 떠올린 일 | | |
|---|---|---|
| 겪은 일 | (2) 사실 (보거나 듣거나 한 일 등) | |
| | (3) 의견 (느낌, 생각) | |

도움말   사실과 의견이 뚜렷하게 구별되는 일을 떠올려 씁니다.

---

중요 **24** 다음은 민수가 자신이 겪은 일을 떠올려 정리한 것입니다. 사실과 의견으로 구별하여 쓰시오.

(1) 처음 보는 대체 에너지 체험 기구들이 신기했다. (　　　　　)

(2) 박물관에는 에너지 절약과 관련한 다양한 전시물과 대체 에너지 체험 기구들이 있었다. (　　　　　)

# 낱말을 바르게 읽고 소리 나는 대로 쓰기

■ 'ㄴ'이 'ㄹ'의 앞이나 뒤에 있는 낱말을 다음과 같이 소리 내어 읽고 소리 나는 대로 써 보기

> 'ㄴ'을 [ㄹ]로 소리 내야 해요.

• 한라산 → [ 할 : 라산 ]

(tip) '한라산'에서 '한'의 받침인 'ㄴ'이 [ㄹ]로 소리 납니다.

• 칼날 → [ 칼랄 ]

(tip) '칼날'에서 '날'의 첫 자음자 'ㄴ'이 [ㄹ]로 소리 납니다.

• 신라 → [ 실라 ]

(tip) '신라'에서 '신'의 받침인 'ㄴ'이 [ㄹ]로 소리 납니다.

• 연료 → [ 열료 ]

(tip) '연료'에서 '연'의 받침인 'ㄴ'이 [ㄹ]로 소리 납니다.

> 'ㄹ'을 [ㄴ]으로 소리 내야 해요.

• 생산량 → [ 생산냥 ]

(tip) '생산량'에서 '량'의 자음자인 'ㄹ'이 [ㄴ]으로 소리 납니다.

• 판단력 → [ 판단녁 ]

(tip) '판단력'에서 '력'의 첫 자음자인 'ㄹ'이 [ㄴ]으로 소리 납니다.

• 통신란 → [ 통신난 ]

(tip) '통신란'에서 '란'의 첫 자음자인 'ㄹ'이 [ㄴ]으로 소리 납니다.

• 반찬류 → [ 반찬뉴 ]

(tip) '반찬류'에서 '류'의 자음자인 'ㄹ'이 [ㄴ]으로 소리 납니다.

■ **낱말을 바르게 소리 내어 읽고 소리 나는 대로 써 보기**

• 훈련 → [ 훌 : 련 ]          • 의견란 → [ 의견난 ]
• 물난리 → [ 물랄리 ]          • 등산로 → [ 등산노 ]

(tip) 'ㄴ'은 'ㄹ'의 앞이나 뒤에서 [ㄹ]로 소리 나는 것과 'ㄴ'다음에 오는 'ㄹ'이 [ㄴ]으로 소리 나는 것을 구별하여 발음해 봅니다.

---

• 활동 내용: 'ㄴ'이 'ㄹ'의 앞이나 뒤에 있을 때 낱말을 소리 내어 읽고 소리 나는 대로 쓰는 활동입니다.

'생산량[생산냥]', '판단력[판단녁]'과 같은 일부 한자어의 경우에는 'ㄴ' 다음에 오는 'ㄹ'이 [ㄴ]으로 소리 나.

**확인 문제**

※ 다음 중 밑줄 그은 부분을 소리 나는 대로 바르게 쓴 것에 ○표를 하시오.

1. 나는 한라산[한:라산] 등산을 꼭 해 보고 싶다.
( )

2. 물난리[물난니]가 나서 집들이 물에 잠겼다.
( )

3. 학교 누리집의 의견란[의견난]에 글을 남겼다. ( )

정답 **3.** ○

# 서술형 수행 평가 돋보기

학교에서 출제되는 서술형 수행 평가를 미리 준비하세요.

◑ 학급 신문을 만들려고 합니다. 다음 물음에 답하시오.

**1** 다음 중 학급 신문에 실릴 만한 사건이나 소식에는 ○표를, 그렇지 않은 것에는 △표를 하시오.

(1) 친구네 가족이 제주도 여행을 다녀온 일 ( )
(2) 쉬는 시간에 복도나 교실에서 뛰는 문제 ( )
(3) 친구가 과학의 달 행사에서 상을 받은 일 ( )
(4) 우리 반이 독서 우수 학급으로 선정된 일 ( )

🔍 **문제 파악**

학급 일 가운데 기사로 쓸 만한 일을 찾아 사실과 의견이 잘 드러나는 기사문을 쓰는 문제입니다.

**2** 우리 반에서 일어난 일이나 해결해야 할 문제점을 생각하여 한 가지만 쓰시오.

🔍 **해결 전략**

| 1 단계 | 학급 신문에 실릴 만한 일 떠올려 보기 |
|---|---|

↓

| 2 단계 | 기사 내용으로 쓸 사실과 의견을 정리하기 |
|---|---|

↓

**3** 2의 내용을 기사로 쓰려고 합니다. 기사문의 내용으로 쓸 사실과 의견을 정리하여 쓰시오.

| (1) 사실 | |
|---|---|
| (2) 의견 | |

| 3 단계 | 기사문의 제목을 정한 후, 사실과 의견이 잘 드러나게 기사문 쓰기 |
|---|---|

↓

| 4 단계 | 쓴 글을 읽어 보고 다듬어 보기 |
|---|---|

**4** 3에서 정리한 것을 바탕으로 사실과 의견이 잘 드러나게 신문 기사를 쓰시오.

제목:

학교 선생님께서 알려 주시는 모범 답안과 채점 기준도 book❸ 해설책에서 꼭 확인하세요!

## 교과서 116~118쪽　　　○ 사실과 의견의 차이점 알기

- 정우와 석원이는 박물관에서 무엇을 보았나요? 예 단원 김홍도의 그림을 보았습니다.
- 실제로 있었던 일을 말한 사람은 누구인가요? 예 정우입니다.
- 대상이나 일에 대한 생각을 말한 사람은 누구인가요? 예 석원입니다.
- 석원이는 박물관에 다녀와서 일기를 썼습니다. 석원이의 일기를 읽고 사실과 의견을 구별해 봅시다.

| 정우와 함께 박물관 현장 체험학습을 다녀왔다. | 사실 |
|---|---|
| 박물관에는 우리 조상의 생활 모습을 담은 그림들이 전시되어 있었다. | 예 사실 |
| 그림에 나타난 조상의 생활 모습은 오늘날과는 많이 다르다는 생각이 들었다. | 예 의견 |

- 사실과 의견 구별하기 말판 놀이를 해 봅시다.

| 호랑이는 동물이다. | 예 사실 | 나는 오이를 좋아한다. | 예 의견 |
|---|---|---|---|
| 친구들과 사이좋게 지내야 한다. | 예 의견 | 책을 많이 읽자. | 예 의견 |
| 여행은 즐겁다. | 예 의견 | 공공 예절을 지켜야 한다. | 예 의견 |
| 동생이 자전거를 탄다. | 예 사실 | 아기가 운다. | 예 사실 |
| 나는 누나와 설거지를 했다. | 예 사실 | 교실을 깨끗이 하자. | 예 의견 |
| 아침에 일찍 일어나야 한다. | 예 의견 | 토마토는 채소이다. | 예 사실 |
| 물을 아껴 쓰자. | 예 의견 | 생일 선물로 꽃을 받았다. | 예 사실 |
| 봄에는 꽃이 핀다. | 예 사실 | 사람은 동물을 사랑해야 한다. | 예 의견 |
| 수업이 끝나고 교문을 나섰다. | 예 사실 | 운동을 열심히 해야 한다. | 예 의견 |

## 「독도를 다녀와서」　　　○ 독도를 여행하고 쓴 글

- 글쓴이가 독도와 관련해 평소에 어떤 일을 했나요? 예 독도에 대한 책도 읽고 사진도 여러 장 찾아보았습니다.
- 글쓴이가 독도에서 본 것은 무엇무엇인가요? 예 괭이갈매기, 슴새, 바다제비, 번행초, 괭이밥, 쇠비름, 동해 등입니다.
- 글쓴이가 독도에 가서 생각한 것은 무엇인가요? 예 독도를 아끼고 독도에 꾸준히 관심을 가져야겠다고 생각했습니다. / 아름답고 생명력 넘치는 독도가 우리 땅이라는 것이 아주 자랑스럽다고 생각했습니다.
- 사실과 의견을 구별해 보세요.

> 지난 방학 때 나는 가족과 함께 독도를 다녀왔다. 평소에 독도에 관심이 많아 독도에 대한 책도 읽고 사진도 여러 장 찾아보았다. 그런데 마침 아버지께서 독도를 다녀오자고 하셨다. 책이나 인터넷에서만 보던 독도를 직접 가 보는 것이 좋겠다고 생각했다. 의견　　　　　　　사실

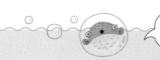 

- 위에서 구별한 내용이 사실 또는 의견인 까닭을 말해 보세요.
  ⑩ 윗부분은 실제로 겪은 일을 나타낸 것이어서 사실이고, 아랫부분은 그 일에 대한 생각을 나타낸 것이어서 의견입니다.

- 「독도를 다녀와서」를 다시 읽고 사실과 의견을 구별해 봅시다.

| 글 | 사실/의견 | 구별 근거 |
|---|---|---|
| 지난 방학 때 나는 가족과 함께 독도를 다녀왔다. | ⑩ 사실 | ⑩ 한 일 |
| 우리는 울릉도에 가서 다시 독도로 가는 배를 탔다. | ⑩ 사실 | ⑩ 한 일 |
| 독도에는 괭이갈매기뿐만 아니라 슴새, 바다제비 같은 새도 살고 있다고 한다. | ⑩ 사실 | ⑩ 들은 일 |
| 독도에서 동해를 바라보니 가슴이 탁 트이는 것 같았다. | ⑩ 의견 | ⑩ 느낌 |
| 아름답고 생명력 넘치는 독도가 우리 땅이라는 것이 아주 자랑스러웠다. | ⑩ 의견 | ⑩ 생각 |

- 사실과 의견을 구별해 써 보세요.

| 의견 | ⑩ 책이나 인터넷을 통해서만 보던 독도를 직접 가 보는 것이 좋겠다고 생각했다. / 배에서 내려 독도에 발을 내딛는 순간 이상하게 가슴이 떨렸다. / 책에서만 보았던 슴새나 바다제비를 직접 보니 신기하기만 했다. / 독도에서 동해를 바라보니 가슴이 탁 트이는 것 같았다. / 우리나라 동쪽 끝 섬인 독도를 아끼고 독도에 꾸준히 관심을 가져야겠다고 생각했다. / 아름답고 생명력 넘치는 독도가 우리 땅이라는 것이 아주 자랑스러웠다. |
|---|---|
| 사실 | ⑩ 위 문장 이외의 문장은 모두 사실을 나타낸 부분입니다. |

 교과서 128~129쪽

## 「묵직한 수박 위로 나비가 훨훨!」 ○ 신사임당의 작품인 「초충도」 중 '수박과 들쥐' 그림을 자세히 살펴보면서 그림에 담긴 사실과 글쓴이의 의견을 쓴 글

- 「초충도」에는 주로 무엇이 그려져 있나요? ⑩ 식물과 그 주변에 벌레와 곤충이 그려져 있습니다.
- 그림에서 수박과 나비는 무엇을 상징하나요? ⑩ 아이를 많이 낳아 서로 행복하게 잘 살아가길 바라는 마음을 상징합니다.
- 그림이 안정적으로 보이는 까닭은 무엇인가요? ⑩ 커다란 수박 두 덩이가 화면의 무게 중심을 잡고 있고, 휘어져 올라간 수박 줄기와 패랭이꽃의 직선 줄기가 서로 대비를 이루고 있기 때문입니다.
- 「묵직한 수박 위로 나비가 훨훨!」을 다시 읽고 사실과 의견을 구별해 봅시다.

| 글 | 사실 / 의견 |
|---|---|
| 참으로 당당해 보이는 수박 덩어리이지요. | ⑩ 의견 |
| 줄기에 작은 수박 하나가 더 매달려 있군요. | ⑩ 사실 |
| 나비의 색깔이 서로 대비를 이루어 인상적입니다. | ⑩ 의견 |
| 수박 껍질을 뚫어 내고 수박씨를 먹고 있는 모습입니다. | ⑩ 사실 |
| 안정감 속에 변화와 생동감이 은근히 배어 있지요. | ⑩ 의견 |

- 「묵직한 수박 위로 나비가 훨훨!」을 읽고 자신이 알게 된 사실과 그에 대한 의견을 써 봅시다.

| 자신이 알게 된 사실 | ⑩ 조선 시대와 지금의 수박 껍질 모습이 다르다. / 쥐들이 수박을 좋아한다. |
|---|---|
| 그에 대한 의견 | ⑩ 참 흥미롭다. / 새롭게 알게 되어 기쁘다. / 신기하다. |

단원 정리 학습

---

**핵심 1** **사실과 의견의 차이점을 알아보고, 글을 읽고 사실과 의견 구분하기**

**１ 사실과 의견 구별하기**

| 사실 | 실제로 있었던 일 |
|------|------------------|
| 의견 | 대상이나 일에 대한 생각 |

**２ 사실과 의견의 특성 알기**

- 사실을 나타낸 부분에는 한 일, 본 일, 들은 일 등이 나타나 있습니다.
- 의견을 나타낸 부분에는 느낌이나 생각이 나타나 있습니다.

예 「독도를 다녀와서」를 읽고 사실과 의견 구별하기

| 글 | 사실/의견 | 구별 근거 |
|----|-----------|-----------|
| 지난 방학 때 나는 가족과 함께 독도를 다녀왔다. | 사실 | 한 일 |
| 아름답고 생명력 넘치는 독도가 우리 땅이라는 것이 아주 자랑스러웠다. | 의견 | 생각 |

---

**핵심 2** **사실에 대한 의견을 말하거나 글로 쓰기**

- 글에서 사실을 찾고, 사실에 대한 자신의 의견을 말합니다.

  예 「묵직한 수박 위로 나비가 훨훨」을 읽고 사실과 의견 말하기

| 사실 | 조선 시대와 지금의 수박 껍질의 모습이 다르다. / 쥐들이 수박을 좋아한다. |
|------|------------------------------------------------------------------|
| 의견 | 참 흥미롭다. / 새롭게 알게 되어 기쁘다. / 신기하다. |

- 겪은 일에 대한 사실과 의견이 잘 드러나게 글을 씁니다.

  예 현장 체험학습을 다녀온 일

| 사실 | 지난주 수요일 에너지 박물관으로 현장 체험학습을 다녀왔다. |
|------|------------------------------------------------------|
| 의견 | 나부터 소중한 에너지를 아껴 써야겠다고 생각했다. |

- 학급의 일에 대한 사실과 자신의 의견이 잘 드러나게 기사문을 써 봅니다.

  예 제목: 우리 반이 독서왕

  우리 반이 1학기 도서관 대출 권수 조사에서 가장 책을 많이 읽은 반으로 뽑혔다. 그래서 아침 방송 시간에 교장 선생님께서 주시는 상장과 상품인 줄넘기를 받았다. 교장 선생님께서는 책 읽는 것만큼 운동도 열심히 하라는 의미에서 줄넘기를 준다고 하셨다. 교장 선생님께 칭찬을 받고 상품까지 받은 우리 반 학생들은 앞으로도 책을 많이 읽겠다고 다짐하였다.

# 단원 확인 평가

**[01~03] 다음 글을 읽고, 물음에 답하시오.**

> ㉠정우와 함께 박물관 현장 체험학습을 다녀왔다. 박물관에는 우리 조상의 생활 모습을 담은 그림들이 전시되어 있었다. ㉡그림에 나타난 조상의 생활 모습은 오늘날과는 많이 다르다는 생각이 들었다.

**01** ㉠과 같이 실제로 있었던 일은 무엇이라고 하는지 쓰시오.

(              )

**02** 글쓴이가 박물관에서 본 것은 무엇입니까?

(    )

① 우리 도시가 발달한 모습
② 오늘날의 생활 모습을 나타낸 그림
③ 우리 조상의 지혜가 담긴 생활용품
④ 우리 조상이 만들어 낸 과학 발명품
⑤ 우리 조상의 생활 모습을 담은 그림

**03** 다음 중 ㉡과 같이 의견을 나타낸 문장은 어느 것입니까? (    )

① 봄에는 꽃이 핀다.
② 동생이 자전거를 탄다.
③ 생일 선물로 꽃을 받았다.
④ 아침에 일찍 일어나야 한다.
⑤ 수업이 끝나고 교문을 나섰다.

**[04~05] 다음 글을 읽고, 물음에 답하시오.**

> 독도에는 괭이갈매기뿐만 아니라 슴새, 바다제비 같은 새도 산다고 한다. 또 멧도요, 물수리, 노랑지빠귀 들은 독도를 휴식처로 삼아 철마다 머물다 간다고 한다. 책에서만 보던 슴새나 바다제비를 직접 보니 신기하기만 했다.
> 독도는 화산섬이라서 식물이 잘 자라기 힘든 곳이다. 이러한 자연환경에서도 번행초, 괭이밥, 쇠비름 같은 풀이 잘 자란다고 한다.
> 독도에서 동해를 바라보니 가슴이 탁 트이는 것 같았다. 우리나라 동쪽 끝 섬인 독도를 아끼고 독도에 관심을 가져야겠다고 생각했다. 아름답고 생명력 넘치는 독도가 우리 땅이라는 것이 아주 자랑스러웠다.

**04** 글쓴이가 독도에 가서 생각한 것은 무엇입니까?

(    )

① 독도에 살고 싶다고 생각했다.
② 독도의 바람이 시원하다고 생각했다.
③ 독도가 가까웠으면 좋겠다고 생각했다.
④ 독도에서 다양한 식물을 기르고 싶다고 생각했다.
⑤ 독도를 아끼고 꾸준히 관심을 가져야겠다고 생각했다.

**05** 중요 이 글에 쓰인 다음 문장을 사실과 의견으로 구별하여 쓰시오.

| (1) | 독도에는 괭이갈매기뿐만 아니라 슴새, 바다제비 같은 새도 산다고 한다. | |
|---|---|---|
| (2) | 이러한 자연환경에서도 번행초, 괭이밥, 쇠비름 같은 풀이 잘 자란다고 한다. | |
| (3) | 독도에서 동해를 바라보니 가슴이 탁 트이는 것 같았다. | |
| (4) | 아름답고 생명력 넘치는 독도가 우리 땅이라는 것이 아주 자랑스러웠다. | |

## [06~08] 다음 글을 읽고, 물음에 답하시오.

(가) 그런데 가장 큰 수박 밑동을 보니 재미있는 일이 벌어졌습니다. 작은 쥐들이 커다란 수박을 열심히 파먹고 있는 게 아니겠어요? 수박 껍질을 뚫어 내고 수박씨를 먹고 있는 모습입니다. 그래서 수박의 붉은 속과 씨들이 그대로 드러나 있습니다. 참 재미있는 풍경입니다. 쥐들이 수박을 좋아한다는 것도 흥미로운 사실이지요. 맛있는 수박을 먹고 있기 때문인지 들쥐들의 표정이 매우 만족스러워 보입니다.

(나) 수박은 검은 초록, 수박과 꽃의 줄기는 초록이고, 꽃과 나비 한 마리, 쥐들이 파먹고 있는 수박의 속 부분은 붉은색입니다. 초록빛과 붉은빛이 서로 색상의 대비를 이루고 있습니다. / 구도도 안정적입니다. 커다란 수박 두 덩어리가 화면의 무게 중심을 잡고 있고 여기에 둥글게 휘어져 올라간 수박 줄기와 오른쪽 패랭이꽃의 반듯한 직선 줄기가 서로 대비를 이룹니다. 그래서 다른 「초충도」에서 발견할 수 없는 모습을 보여 줍니다. 안정감 속에 변화와 생동감이 은근히 배어 있지요.

### 06 다음 중 글쓴이가 쓴 사실은 무엇입니까? (     )

① 들쥐들의 표정이 만족스러워 보인다.
② 작은 쥐들이 커다란 수박을 파먹고 있다.
③ 안정감 속에 변화와 생동감이 배어 있다.
④ 수박 밑동을 보니 재미있는 일이 벌어졌다.
⑤ 수박의 붉은 속과 씨들이 드러나 있는 것은 재미있는 풍경이다.

### 07 「초충도」 그림의 구도가 안정적으로 보이는 까닭을 두 가지 고르시오. (     ,     )

① 재미있는 풍경이 담겨 있기 때문에
② 초록빛 색상을 주로 사용했기 때문에
③ 수박과 패랭이꽃의 줄기가 대비를 이루고 있기 때문에
④ 수박 주변에서 생명체의 움직임이 벌어지고 있기 때문에
⑤ 커다란 수박 두 덩이가 화면의 무게 중심을 잡고 있기 때문에

### 서술형 08 이 글을 읽고 알게 된 사실을 한 가지만 쓰고, 그에 대한 의견을 쓰시오.

| (1) 사실 |  |
|---|---|
| (2) 의견 |  |

도움말 평소에 몰랐던 사실을 찾아 쓰고 그에 대한 자신의 생각을 써 봅니다.

### 09 다음은 현장 체험학습을 다녀온 일을 글로 쓰기 위해 사실과 의견으로 정리한 것입니다. ㉮~㉻ 중 알맞지 않은 것의 기호를 쓰시오.

| 본 일 | ㉮ 사실 | 박물관에는 에너지 절약과 관련한 다양한 전시물과 대체 에너지 체험 기구들이 있었다. |
|---|---|---|
|  | ㉯ 의견 | 내부에 에너지 체험 기구들이 자리하고 있었다. |
| 들은 일 | ㉰ 사실 | 선생님께서는 겨울에 입는 내복 하나, 내가 뽑은 꽃개 하나, 종이 뒷면을 한 번 더 활용하는 습관 하나가 에너지를 아낄 수 있다고 말씀하셨다. |
|  | ㉱ 의견 | 에너지를 아껴 쓰는 방법이 의외로 간단하다고 생각하였다. |
| 한 일 | ㉲ 사실 | 지난주 수요일에 에너지 박물관으로 현장 체험학습을 다녀왔다. |
|  | ㉳ 의견 | 나부터 소중한 에너지를 아껴야겠다고 생각하였다. |

(                    )

### 10 학급 신문의 기사에 들어갈 내용으로 알맞지 않은 것은 어느 것입니까? (     )

① 친구들과 함께 고민할 문제
② 연예인에 대한 소식과 퀴즈
③ 친구들에게 꼭 알려야 하는 소식
④ 학급의 일에 대한 사실과 그 의견
⑤ 우리 반의 문제점을 해결하는 방법

#  쉬어가기

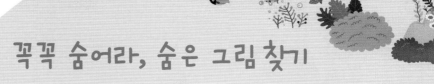

꼭꼭 숨어라, 숨은 그림 찾기

민속마을에서 남자아이와 여자아이가 누가 높이 올라가나 그네뛰기 시합을 하고 있고, 친구들은 옆에서 응원하고 있네요. 어떤 그림이 꼭꼭 숨어 있는지 찾아보세요.

정답 솔방울, 낫, 수박, 가래떡, 박쥐, 벙어리장갑

친구가 재미있는 책을 읽고 있네요. 저런, 책이 찢어져서 마지막 부분의 내용이 없어졌나 봐요. 친구는 책의 마지막 내용을 어떻게 상상할 수 있을까요?

이제, 5단원에서는 이야기의 흐름을 파악하며 이어질 내용을 상상해서 써 볼 거예요.

# 5 내가 만든 이야기

89쪽 단원 정리 학습에서 더 자세히 공부해 보세요.

## 단원 학습 목표

1. **사건의 흐름을 파악하며 이야기를 읽고 정리하는 방법을 알 수 있습니다.**
   - 이야기에 나타난 인물, 장소, 일어난 일을 찾아봅니다.
   - 이야기에서 일어난 중요한 일을 찾아봅니다.
   - 일이 일어난 차례를 살핍니다.
   - 일어난 일을 처음, 가운데, 끝의 흐름으로 정리합니다.

2. **이야기를 읽고 이어질 내용을 상상하여 쓰는 방법을 알 수 있습니다.**
   - 사건의 흐름에 맞게 이어질 내용을 상상합니다.
   - 이야기의 처음, 가운데, 끝을 생각하고 씁니다.
   - 사건들 사이에 원인과 결과 관계가 있도록 씁니다.

## 단원 진도 체크

| 회차 | | 학습 내용 | 진도 체크 |
|---|---|---|---|
| 1차 | 단원 열기 | 단원 학습 내용 미리 보고 목표 확인하기 | ✓ |
| | 교과서 내용 학습 | 「까마귀와 감나무」 | ✓ |
| 2차 | 교과서 내용 학습 | 「아름다운 꼴찌」 | ✓ |
| 3차 | 교과서 내용 학습 | 「초록 고양이」 | ✓ |
| 4차 | 교과서 내용 학습 | 국어 활동 학습하기 | ✓ |
| | 교과서 문제 확인 | 교과서 문제 학습하며 학교 숙제 해결하기 | ✓ |
| 5차 | 단원 정리 학습 | 단원 학습 내용 정리하기 | ✓ |
| | 단원 확인 평가 | 확인 평가를 통한 단원 학습 상황 파악하기 | ✓ |

해당 부분을 공부하고 나서 ✓표를 하세요.

# 교과서 내용 학습

## 까마귀와 감나무

학습 목표 ▶ 사건의 흐름을 파악하며 이야기 읽기

국어 144~149쪽

- 글의 종류: 이야기
- 엮은 이: 김기태
- 글의 내용: 착한 동생은 금을 가져와서 부자가 되고, 욕심 많은 형은 금을 가져오지 못하였습니다.

- 사건의 흐름을 파악하는 방법: 이야기에 나타난 인물, 장소, 일어난 일을 찾음. / 이야기에서 일어난 중요한 일을 찾음. / 일이 일어난 차례를 살핌.

**중심 내용** 옛날 재산이 많은 아버지가 세상을 떠나자 형은 동생에게 감나무가 있는 허름한 집 한 채만 주었습니다.

**1** 옛날에 두 아들을 둔 아버지가 많은 재산을 남겨
〔일이 일어난 때〕
두고 세상을 떠났습니다. 형은 동생에게 감나무가 있는 **허름한** 집 한 채만 주었습니다. 그리고 나머지는 모두 자기가 차지했습니다. 그러나 마음씨 착한 동생은 아무 말 없이 감나무가 있는 집만 받았습니다.
〔이야기의 장소〕

**중심 내용** 어느 가을날, 동생의 감나무에서 감을 다 먹은 까마귀들이 동생에게 금이 있는 산으로 데리고 갈 테니 조그만 주머니를 만들라고 했습니다.

**2** 어느 가을날, 까마귀가 떼 지어 날아와 감을 다 먹
〔일이 일어난 때〕
어 버렸습니다. 이 모습을 본 동생은 까마귀들에게 말했습니다.

"내 **재산**이라고는 이 감나무 하나뿐이야. 너희가 감을 모두 먹었으니, 나는 어떻게 살아가야 하니?"
까마귀 한 마리가 대답했습니다.
"당신은 마음이 착하고 욕심이 없군요. 감을 따 먹
〔동생의 감을 모두 먹은 까마귀 떼가 동생에게 금을 주기로 함.★〕
은 대신 금을 드릴게요. 저희가 모레 금이 있는 커
〔내일의 다음 날.〕
다란 산으로 데리고 갈 테니 조그만 주머니를 만들어 두세요."
말을 끝내자 까마귀 떼는 어디론가 날아갔습니다. 동생은 까마귀들의 말대로 조그만 주머니를 만들어 두었습니다.

★ 바르게 쓰기

| 모레 | 모래 |
|------|------|
| ( ○ ) | ( × ) |

### 낱말 사전

**허름한** 오래되어 성하지 아니하고 낡은 듯한.
예 허름한 간판을 보니 가게가 오래된 것 같습니다.

**재산**(財 재물 재, 産 낳을 산) 가지고 있는 땅, 집, 가구, 금전, 귀금속 등을 통틀어 이르는 말.

---

**01** 부자 아버지의 재산 중 형이 동생에게 준 것은 무엇인지 쓰시오.

( )

**02** 까마귀가 동생에게 금을 준다고 한 까닭은 무엇입니까? ( )

① 동생이 욕심이 많아 보여서
② 혼자 살고 있는 동생이 불쌍해서
③ 까마귀 떼가 먹은 감이 맛있어서
④ 부자 아버지의 은혜를 갚기 위해서
⑤ 까마귀 떼가 동생의 감을 모두 먹어서

**03** 〔중요〕 다음 장소에서 동생에게 일어난 일을 찾아 선으로 이으시오.

(1) 옛날 어느 마을 •

(2) 동생의 집 •

• ① 까마귀가 감을 다 먹어 버렸다.

• ② 감나무가 있는 집 한 채만 받았다.

**04** 이 이야기에 등장하지 <u>않는</u> 인물은 누구인지 ○표를 하시오.

( 형 , 동생 , 호랑이 , 까마귀 )

**중심 내용** 이틀이 지난 뒤에 까마귀가 동생을 태우고 금으로 가득한 산으로 갔습니다.

③ 정말 이틀이 지난 뒤에 **우두머리** 까마귀가 찾아와서
까마귀의 약속대로
말했습니다.

"주머니를 다 만들었나요?"

"여기 다 만들어 두었단다."

동생이 대답했습니다. 그러자 까마귀는 땅으로 내려와 말했습니다.

"주머니를 꼭 쥐고 제 등에 타세요."

동생이 등 위에 올라타자 까마귀는 날개를 펴고 훨훨 날기 시작했습니다. 까마귀는 하늘 위로 날았습니다.

까마귀는 바다를 지나고 또 다른 바다를 지나, 이 산꼭대기와 저 산꼭대기를 지났습니다. 드디어 온통 금으로 가득한 산 위에 내려 앉았습니다.
동생을 태운 까마귀가 간 곳

**낱말 사전**

**우두머리** 어떤 일이나 단체에서 으뜸인 사람.
예 우리 집의 우두머리는 우리 할아버지이십니다.

---

**중심 내용** 동생은 작은 주머니에 금을 담아 들고 감나무 집으로 돌아왔습니다.

④ "여기가 바로 우리가 찾던 곳이에요. 금은 얼마든
욕심을 내면 많이 가져갈 수 있음.
지 가져도 좋습니다."

동생은 눈이 부신 금덩이들 한가운데에 서 있는 것을 알고 깜짝 놀랐습니다. 그는 주변에 흩어져 있는 금을 주머니에 주워★ 담았습니다. 우두머리 까마귀가 물었습니다.

"다 담았어요? 그러면 제 등에 오르세요. 제가 당신 집까지 데려다줄게요."

동생은 한 손에 금이 든 작은 주머니를 들고, 다른
작은 주머니에만 금을 담음.
손으로는 우두머리 까마귀 등을 꼭 잡았습니다. 까마귀는 날개를 펴고 하늘로 날아올랐습니다. **첩첩이** 쌓인 이 구름 저 구름을 지나 한참 만에 감나무 바로 아래로 내려왔습니다.

★ 바르게 읽기

| [주위] | [주서] |
|--------|--------|
| ( ○ ) | ( × ) |

**첩첩이** 여러 겹으로 겹쳐 있는 모양.
예 산속에 눈이 첩첩이 쌓였습니다.

---

**05** 까마귀가 동생을 데려간 곳은 어디인지 쓰시오.

(                          )

**06** 작은 주머니에 금을 담아 온 행동으로 보아 동생의 성격은 어떠합니까? (      )

① 욕심이 많음.　　② 욕심이 없음.
③ 동물을 좋아함.　　④ 명랑하고 활발함.
⑤ 친구를 잘 못 사귐.

**중요**
**07** 사건의 흐름을 생각하며 빈칸에 들어갈 알맞은 말을 쓰시오.

> 사건이 일어나는 (          )은/는 동생의 집에서 금으로 가득한 산으로 바뀌었다.

(                          )

**서술형**
**08** 이 이야기를 일이 일어난 차례에 맞게 정리할 때, 빈칸에 알맞은 내용을 쓰시오.

> 욕심 많은 형은 아버지가 남긴 재산 가운데 감나무가 있는 허름한 집 한 채만 동생에게 주고 나머지를 모두 자신이 차지했다.

↓

> 동생의 감나무에 있는 감을 모두 먹은 까마귀는 감을 따 먹은 대신 동생을 금이 있는 커다란 산으로 데려다주겠다고 했다.

↓

> 

**도움말** 이야기의 차례로 보아 빈칸에는 금 산에 간 내용이 알맞습니다.

**중심내용** 동생이 부자가 된 것을 본 형은 동생의 감나무를 빌려 동생과 같이 까마귀에게 감을 주고 금 산에 가서 자루와 온 몸에 금을 가득 채웠습니다.

⑤ 아버지의 **제삿날**이 돌아왔습니다. 동생이 형을 초대하였습니다. 형은 동생이 큰 부자가 된 것을 보고 그 까닭을 물었습니다. 동생은 사실대로 이야기를 해 주었습니다.
<u>까마귀가 감을 먹고 대신 금을 준 이야기</u>

그러자 욕심이 생긴 형은 동생에게 감나무를 빌려 달라고 **사정하였습니다.** 동생은 형에게 감나무를 빌려
<u>동생처럼 해서 금을 받으려고</u>
주었습니다. 가을이 되자 또 까마귀들이 날아와 감을 먹었습니다. 형도 동생과 같이 말하였습니다. 그리고 형은 아주 큰 자루를 만들었습니다. 까마귀 우두머리
<u>동생과 같다면 까마귀는 조그만 자루를 만들라고 했을 것임.</u>
는 형도 그 산으로 데려다주었습니다. 형은 무척 기뻤

**낱말 사전**

**제삿날** 제사를 지내는 날.
예 오늘은 돌아가신 할머니의 제삿날입니다.

습니다. 자기가 동생보다 더 큰 부자가 될 것이라고 생각했습니다. 형은 큰 자루에 금을 꾹꾹 채워 넣고,
<u>욕심을 부리는 형의 모습</u>
그것도 모자라 옷 속에도, 입속에도, 그리고 귓구멍 속에도 가득 채워 넣었습니다. 까마귀가 말하였습니다.

"다 담았어요? 그러면 제 등에 오르세요. 제가 당신 집까지 데려다줄게요."

**중심내용** 돌아가려고 까마귀가 날아오르자 형은 금자루가 너무 무거워 까마귀 등에서 떨어졌고, 까마귀는 혼자 날아갔습니다.

⑥ 까마귀가 날아올랐습니다. 그런데 금자루가 너무
<u>형이 욕심을 부려서</u>
무거워 형은 까마귀 등에서 떨어지고 말았습니다. 까마귀는 형을 금 산 위에 놓아두고 ★ 바르게 쓰기
<u>형은 금을 가지고 돌아오지 못함.</u>
혼자 날아갔습니다.

| 제삿날 | 제사날 |
|--------|--------|
| ( ○ ) | ( × ) |

**사정(事 일 사, 情 뜻 정)하였습니다** 어떤 일의 형편이나 까닭을 남에게 말하고 무엇을 간청하였습니다.

**09** 형이 까마귀 등에서 떨어진 까닭은 무엇입니까?
(     )

① 금을 더 담고 싶어서
② 까마귀가 일부러 떨어뜨려서
③ 까마귀가 너무 빠르게 날아서
④ 형의 금자루가 너무 무거워서
⑤ 금이 가득한 산에서 살고 싶어서

**10** 이 이야기를 통해 글쓴이가 전하고 싶은 생각은 무엇입니까? (     )

① 동물을 잘 보살피자.
② 욕심을 부리지 말자.
③ 은혜를 갚아야 한다.
④ 열심히 노력해야 한다.
⑤ 착한 사람은 피해를 입는다.

**중요 11** 다음 ㉮~㉱를 이 이야기의 순서에 맞게 기호를 쓰시오.

> ㉮ 형은 동생에게 감나무를 빌렸다.
> ㉯ 형은 욕심을 너무 많이 부려 금을 가져오지 못했다.
> ㉱ 형은 감나무가 있는 집 한 채만 동생에게 주고 나머지는 모두 자기가 차지했다.

㉱ → (        ) → (        )

**서술형 12** 이 이야기와 비슷한 옛이야기에는 무엇이 있는지 쓰고, 어떤 점이 비슷한지도 쓰시오.

_____

_____

**도움말** 이 이야기는 착한 사람은 복을 받고, 악한 사람은 벌을 받는 이야기입니다.

## 아름다운 꼴찌

**학습 목표 ▶ 이야기의 흐름 이해하기**

국어 150~155쪽

- **글의 종류**: 이야기
- **글쓴이**: 이철환

- **글의 내용**: 수현이는 자신보다 뒤에 달리는 친구가 있다는 것에 힘을 얻어 마라톤을 완주하였는데, 그 친구는 아버지였습니다.

**중심 내용** 마라톤 대회에서 완주하기 위해 수현이는 달리기 연습을 했습니다.

**1** 종례 시간, 선생님이 반 아이들에게 말했습니다.
<u>시간적 배경</u>

"다음 주 금요일에 마라톤 대회가 열릴 거예요. 그
<u>마라톤 대회가 열리는 날</u>
동안 열심히 연습해서 모두 **완주할** 수 있도록 해요."

수현이는 마라톤이라는 말에 덜컥 걱정이 되었습니다.

'<u>끝까지 못 뛸 게 뻔한데…… 친구들에게 놀림을 당</u>
<u>마라톤 대회가 걱정되는 마음</u>
하면 어쩌지?'

그러자 꼭 완주하고 싶다는 마음이 들었습니다.
<u>수현이의 마음</u>

그날 이후, 수현이는 날마다 공원에 가서 달리기 연습을 했습니다.

**중심 내용** 마라톤 대회 날, 수현이는 마라톤에 참가해 완주하겠다고 다짐했습니다.

**2** 드디어 마라톤 대회가 열리는 날입니다.
<u>시간적 배경</u>

화창한 날씨는 수현이의 마음을 설레게 했습니다.

"우리 아들, 파이팅! 마라톤 잘 뛰고 와."

엄마, 아빠도 수현이에게 힘을 불어넣어 주었습니

다. 출발선에 섰을 때, 같은 반 친구인 재혁이가 수현이의 등을 **토닥이며** 싱긋 웃어 보였습니다. 수현이는 끝까지 포기하지 않겠다고 다짐했습니다.

**중심 내용** 힘들어서 포기하려고 했을 때 자신의 뒤에서 꼴찌로 달리는 친구가 있다는 것을 알게 된 수현이는 힘을 얻어 결승점까지 달렸습니다.

**3** 탕!

출발을 알리는 총소리가 하늘을 가르자 가벼운 발걸음들이 앞을 향해 내달리기 시작했습니다. / 한참을 달리다 **경사진** 언덕을 오를 때였습니다. <u>갑자기 가</u>
<u>슴이 뻐근해지고, 어질어질 현기증이 일었습니다.</u> 다
<u>경사진 언덕을 오르기 힘들어서</u> ★
른 친구들은 이미 수현이를 앞질러 간 상태였습니다.

'헉, 헉! 숨이 차서 더는 못 달리겠어.'

수현이는 너무 힘든 나머지 도중에 포기해야겠다고

생각하고는 몇 걸음 <u>천천히 걸었습니다.</u>
<u>포기하려고</u>

그때 등 뒤에서 사람들의 환호 소리가 들렸습니다.

"와, 조금만 더 힘내요!"
<u>등 뒤에서 들리는 환호 소리</u>

★ **바르게 읽기**

| [현기쯩] | [현기증] |
|---|---|
| ( ○ ) | ( × ) |

**낱말 사전**

**완주(完 완전할 완, 走 달릴 주)할**  목표한 지점까지 다 달릴.
**토닥이며**  잘 울리지 아니하는 물체를 가볍게 두드리는 소리를 내며.

**경사(傾 기울 경, 斜 비낄 사)진**  땅이나 바닥 따위가 한쪽으로 기울어진. ⑩ 경사진 산을 올라가다가 넘어졌습니다.

---

**13** 마라톤 대회에 참가하기 위해서 수현이는 어떤 준비를 하였는지 쓰시오.

(                                    )

**14** 마라톤 대회에서 수현이는 어떤 다짐을 하였습니까? (        )

① 끝까지 포기하지 않겠다.
② 힘들면 중간에 포기하겠다.
③ 열심히 해서 일등을 하겠다.
④ 몸을 생각해서 힘들면 안 하겠다.
⑤ 친구들이 놀릴까 봐 참가를 안 하겠다.

**중요**
**15** 이 이야기의 흐름에 따라 일이 일어난 순서대로 번호를 쓰시오.

| (1) | 수현이는 마라톤에 참가해 완주하겠다고 다짐하였다. | (    ) |
|---|---|---|
| (2) | 마라톤 대회에 참가하기 위해 수현이는 달리기 연습을 하였다. | (    ) |
| (3) | 힘들어서 달리기를 포기하려고 했을 때 자신의 등 뒤에서 응원의 소리를 들었다. | (    ) |

그것은 수현이와 100미터 이상 떨어진 거리에서 쓰러질 듯 달려오는 한 친구에게 보내는 격려의 소리였습니다. 수현이는 꼴찌가 아니라는 사실에 **안도하면서** 조금씩 힘을 내기 시작했습니다.
<u>꼴찌가 아니라는 생각 때문에</u>

'이제 거의 다 왔어. 나도 조금만 더 힘을 내자!'

수현이는 숨이 턱까지 차오르고, 땀이 비 오듯 흘렀지만 마지막까지 온 힘을 다해 뛰기로 마음먹었습니다.

드디어 결승점에 도착했습니다!

깊은숨을 훅훅 몰아쉬는 수현이의 <u>가슴이 산처럼 솟았다 가라앉기를 여러 차례 반복했습니다.</u> 선생
<u>숨이 차서</u>
님과 친구들은 끝까지 포기하지 않고 달린 수현이를 향해 뜨거운 박수를 보냈습니다.

수현이는 꼴찌로 들어올 친구를 기다렸습니다. 그 친구에게 응원의 박수를 보내 주고 싶었습니다. 그런
<u>꼴찌로 들어올 친구를 기다린 까닭</u>
데 잠시 후, 그 친구가 결승점을 얼마 남기지 않고 경기를 포기했다는 사실을 알게 되었습니다. 수현이는

왠지 마음이 아팠습니다.
<u>뒤에서 달리던 친구가 완주하지 못해서</u>

중심내용 수현이는 끝까지 달린 사실을 부모님께 자랑했습니다.

4 집으로 돌아온 수현이는 아빠, 엄마에게 마라톤에서 완주한 일을 몇 번이고 자랑했습니다.

"내 뒤에서 달려오던 친구가 없었다면 나도 중간에
<u>주제를 알 수 있는 인물의 말</u>
포기하고 말았을 거예요."

아빠와 엄마는 그런 수현이가 무척 **대견했습니다.**

중심내용 그날 밤, 수현이는 자신의 뒤에서 달렸던 사람이 아빠였다는 것을 알게 되었습니다.

5 그날 밤, 모두가 잠든 시각이었습니다. 안방 문틈 사이로 아빠의 낮은 신음 소리가 들렸습니다. 그리고 가느다란 엄마의 목소리도 들렸습니다.

"당신도 몸이 약한데, 수현이 뒤에서 함께 뛰다니⋯⋯.
<u>꼴찌로 달린 사람이 아빠임을 알 수 있음.</u>
너무 무리한 것 같아요. 병원에 안 가도 되겠어요?"

수현이는 그제야 알았습니다. 자신 뒤에서 꼴찌로 달렸던 사람은 바로 아빠였던 것입니다.

---

**낱말 사전**

**안도하면서** 어떤 일이 잘 진행되어 마음을 놓으면서.
예 발표를 잘 끝내 안도하면서 자리에 앉았습니다.

**대견했습니다** 흐뭇하고 자랑스러웠습니다.
예 내 동생이 글자를 읽기 시작하여 대견했습니다.

---

**16** 수현이는 마라톤 경기가 있었던 날 밤 부모님의 말씀을 통해 무엇을 알게 되었습니까? (  )

① 친구가 완주하지 못해서 아쉽다는 것
② 수현이 뒤에서 달렸던 사람이 아빠인 것
③ 아빠가 편찮으신데 응원하러 오셨다는 것
④ 아빠가 수현이의 완주를 기뻐하셨다는 것
⑤ 수현이 뒤에서 달렸던 친구가 아프다는 것

**서술형**
**17** 글쓴이가 제목을 「아름다운 꼴찌」로 한 까닭은 무엇일지 쓰시오.

_____

_____

도움말 '아름다운 꼴찌'에서 꼴찌는 아버지가 될 수도 있고, 끝까지 완주한 수현이가 될 수도 있습니다.

**18** 이야기를 '처음 − 가운데 − 끝'의 흐름에 따라 정리할 때 끝 부분에 해당하는 것의 기호를 쓰시오.

> ㉮ 수현이는 끝까지 달린 사실을 부모님께 자랑한다.
> ㉯ 수현이는 마라톤에 참가해 완주하겠다고 다짐한다.
> ㉰ 수현이 뒤에서 달렸던 사람이 아빠였다는 것을 알게 된다.
> ㉱ 마라톤 대회에 참가하기 위해 수현이는 달리기 연습을 한다.
> ㉲ 힘들어서 달리기를 포기하려고 했을 때 자신의 뒤에서 꼴찌로 달리는 친구가 있다는 것을 알게 된 수현이는 힘을 얻어 결승점까지 달린다.

(              )

## 초록 고양이

학습 목표 ▶ 이야기를 읽고 이어질 내용 상상해 쓰기

- 글의 종류: 이야기
- 글쓴이: 위기철

- 글의 내용: 초록 고양이가 꽃담이의 엄마를 데려갔지만, 꽃담이는 엄마의 냄새를 맡고 엄마를 쉽게 찾아냅니다.

**중심 내용** 어느 날 꽃담이 엄마가 사라졌습니다.

**1** 어느 날 엄마가 사라졌어요.

이 닦으러 욕실에 들어가서 나오지 않았어요.

꽃담이는 욕실 문을 열어 봤어요.

엄마가 없었어요. **감쪽같이** 사라져 버린 거예요.

꽃담이는 엄마가 틀어 놓은 ★수돗물을 잠갔어요.

**중심 내용** 엄마를 데려간 초록 고양이는 꽃담이에게 엄마를 찾고 싶으면 자신을 따라오라고 하였습니다.

**2** 그때 낄낄낄 웃음소리가 들렸어요.

"너희 엄마는 내가 데려갔어."
초록 고양이가 엄마를 데려간 것을 알 수 있음.
초록 고양이가 말했어요. <u>빨간 우산을 쓰고 노란 장</u>
<u>화를 신고 있었어요.</u>
초록 고양이의 모습

★ 바르게 쓰기

| 수돗물 | 수도물 |
|---|---|
| ( ○ ) | ( × ) |

**낱말 사전**

**감쪽같이** 꾸미거나 고친 것이 전혀 알아챌 수 없을 정도로 티가 나지 않게. 예 일기장이 감쪽같이 사라졌습니다.

꽃담이가 말했어요.

"우리 엄마를 돌려줘!"

초록 고양이가 수염을 쓰다듬으며 말했어요.

"쉽게 돌려줄 수는 없어. 엄마를 찾고 싶으면 나를
따라와."

초록 고양이가 빨간 우산을 빙글빙글 돌렸어요.

**중심 내용** 초록 고양이가 항아리 40개 가운데에서 엄마가 들어가 있는 항아리를 한 번에 찾으라고 하였으나 꽃담이는 겁을 먹지 않았습니다.

**3** 커다란 동굴 안에 하얀 항아리들이 **잔뜩** 놓여 있었어요.

"항아리는 모두 40개야. 이 가운데 하나에 너희 엄
마가 있어. 어느 항아리에 있는지 찾아봐. 항아리를
동굴 안의 하얀 항아리 40개 가운데 하나
<u>두드려 봐도 안 되고, 엄마를 불러서도 안 돼.</u>"
엄마를 찾기 위해 지켜야 할 조건

**잔뜩** 한도에 이를 때까지 가득.
예 숙제가 잔뜩 있습니다.

---

**19** 엄마는 어디에서 사라지셨는지 쓰시오.

( )

**20** 초록 고양이는 엄마가 어디에 있다고 하였습니까? ( )

① 커다란 욕조 안
② 고양이가 사는 마을
③ 수돗물이 흐르는 관 안
④ 40개의 항아리 가운데 하나
⑤ 여러 개의 동굴 가운데 하나

**21** 다음 중 원인이 되는 사건에 ○표를 하시오.

(1) 초록 고양이는 욕실에 있던 엄마를 어디론
가 데려갔습니다. ( )
(2) 초록 고양이는 꽃담이에게 엄마를 찾고 싶
으면 따라오라고 했습니다. ( )

**22** 꽃담이가 초록 고양이에게서 엄마를 찾기 위해 지
켜야 할 조건을 두 가지 고르시오. ( , )

① 항아리를 깨면 안 된다.
② 엄마를 불러서는 안 된다.
③ 항아리를 바꾸면 안 된다.
④ 엄마 냄새를 맡으면 안 된다.
⑤ 항아리를 두드려 보면 안 된다.

초록 고양이는 또 낄낄낄 웃었어요.

"기회는 딱 한 번뿐이야. 만일 틀린 항아리를 고르면, 너는 엄마를 **영영** 못 찾게 될 거야."

꽃담이는 어이가 없었어요.

"만일 내가 찾으면 어떻게 할 건데?"

초록 고양이는 빨간 우산을 접으며 말했어요.

"그야 <u>엄마를 집으로 돌려보내 주지.</u>"
엄마를 찾으면 엄마를 집으로 돌려보내 주겠다고 함.

"겨우 그뿐이야?" / 초록 고양이 눈이 커졌어요.

<u>꽃담이가 조금도 겁을 먹지 않아서 화가 났나 봐요.</u>
고양이가 눈이 커진 까닭

"좋아, 이 빨간 우산을 너한테 주겠어."
꽃담이가 겁을 먹지 않자 우산까지 준다고 함.

"그 우산으로 뭘 할 수 있는데?"

"그냥…… 비 올 때 쓸 수 있지."

초록 고양이는 더욱 화가 난 듯이 말했어요.

**낱말 사전**

**영영**(永 길 영, 永 길 영) 영원히 언제까지나.
㉔ 친구가 전학을 가서 영영 못 볼 것 같습니다.

"너는 우산이 중요하니, 엄마가 중요하니? 엄마를 찾고 싶지 않아?"

꽃담이가 빙긋 웃으며 말했어요.

"그건 너무 간단한 일이야. 아마 너는 엄마가 없는
꽃담이가 겁을 먹지 않고 엄마를 서둘러 찾지 않은 까닭
모양이구나."

초록 고양이가 따졌어요.

"나도 엄마 있어! 진짜야!" / "알았어. 믿어 줄게."

**중심 내용** 꽃담이는 엄마 냄새를 맡고 엄마가 있는 항아리를 찾았습니다.

**4** 꽃담이가 항아리들이 놓여 있는 곳으로 갔어요. 초록 고양이가 **비아냥거렸어요.**

"흥! 못 찾기만 해 봐. 엄마를 영영 안 돌려줄 테야."

꽃담이는 킁킁 냄새를 맡았어요.

"바로 이 항아리야!"
엄마가 있는 항아리를 바로 찾음.

**비아냥거렸어요** 얄밉게 빈정거리며 자꾸 놀렸어요.
㉔ 짝이 자꾸 비아냥거렸어요.

**23** 초록 고양이는 꽃담이가 엄마를 찾으면 어떻게 한다고 하였습니까? ( )

① 소원을 들어준다.
② 돈으로 바꾸어 준다.
③ 멋진 곳에 데려다준다.
④ 엄마를 건강하게 해 준다.
⑤ 엄마를 집으로 돌려보내 준다.

**24** 초록 고양이에 대한 꽃담이의 마음으로 알맞은 것은 무엇입니까? ( )

① 무서워서 떨고 있는 마음
② 조금도 겁나지 않는 마음
③ 초록 고양이가 불쌍한 마음
④ 어떻게 해야 할지 모르는 마음
⑤ 엄마가 다칠까 봐 걱정되는 마음

**25** 꽃담이가 엄마를 찾은 방법에 ○표를 하시오.

( 뚜껑 열기 , 냄새 맡기 )

**중요**
**26** 다음 장면에서 일어난 일로 알맞은 것에 ○표를 하시오.

> 꽃담이가 항아리의 냄새를 맡는 장면

(1) 초록 고양이는 욕실에 있던 엄마를 어디론가 데려갔다. ( )
(2) 꽃담이는 엄마 냄새를 맡고 엄마가 있는 항아리를 찾았다. ( )
(3) 엄마를 데려간 초록 고양이는 꽃담이에게 엄마를 찾고 싶으면 자신을 따라오라고 했다. ( )
(4) 초록 고양이는 항아리 40개 가운데에서 엄마가 들어가 있는 항아리를 한 번에 찾으라고 했다. ( )

그 항아리에서 <u>고소하고 달콤하고 향긋한 냄새</u>가
엄마의 냄새
났거든요. 바로 엄마 냄새였지요.

꽃담이가 너무 쉽게 찾으니까 초록 고양이가 <u>심통</u>

<u>이 났나 봐요.</u>
꽃담이가 엄마를 너무 쉽게 찾아서
"쳇! 좋아. 엄마를 데려가!"

그 말을 하고 초록 고양이는 뿅 사라졌어요.

**[중심 내용]** 이번에는 초록 고양이가 꽃담이를 항아리에 숨기고 엄마에게 찾으라
고 합니다.

5 어느 날 꽃담이가 사라졌어요.
이번에는 꽃담이를 데리고 감.
세수하러 욕실에 들어가서 나오지 않았어요.
엄마가 사라졌던 곳과 같은 장소에서 꽃담이가 없어짐.
엄마는 욕실 문을 열어 봤지만, 꽃담이가 없었어요.

감쪽같이 사라진 거예요.

그때 낄낄낄 웃음소리가 들렸어요.

"꽃담이는 내가 데려갔어요."
꽃담이를 초록 고양이가 데리고 간 것임을 알 수 있음.
초록 고양이가 말했어요. 발에 노란 장화를 신고 있

었어요.

엄마가 말했어요.

"우리 꽃담이를 돌려줘!"

초록 고양이가 수염을 쓰다듬으며 말했어요.

"쉽게 돌려줄 수는 없어요. 딸을 찾고 싶으면 나를

찾아와요."

초록 고양이가 노란 장화 신은 발을 탁탁 굴렀어요.

커다란 동굴 안에 하얀 항아리들이 잔뜩 놓여 있었

어요.

"<u>항아리는 모두 40개예요.</u> 저 가운데 하나에 꽃담
꽃담이가 들어 있는 곳
이가 들어 있어요. 어느 항아리에 들어 있는지 찾아

보세요. <u>뚜껑을 열어 봐서도 안 되고, 딸 이름을 불</u>
꽃담이를 찾기 위해 지켜야 할 조건
<u>러서도 안 돼요.</u>"

초록 고양이는 또 낄낄낄 웃었어요.

"기회는 딱 한 번뿐이에요. 만일 틀린 항아리를 고

르면, 딸을 영영 못 찾게 될 거예요."

이어질 내용을 상상해서
쓸 때에는 사건의 흐름에 맞게
상상하여 쓰고, 이야기의 처음, 가운데,
끝을 생각하여 쓰고, 사건들 사이에 원인과
결과 관계가 있게 쓰면 돼.

---

**27** 이 이야기의 차례에 맞게 빈칸에 들어갈 일어난
일을 정리하여 쓰시오. 서술형

> 초록 고양이는 욕실에 있던 엄마를 어디론
> 가 데려간다. ➡ 엄마를 데려간 초록 고양이
> 는 꽃담이에게 엄마를 찾고 싶으면 자신을 따
> 라오라고 한다. ➡ 초록 고양이는 항아리 40
> 개 가운데에서 엄마가 들어가 있는 항아리를
> 한 번에 찾으라고 한다. ➡ 꽃담이는 엄마 냄
> 새를 맡고 엄마가 있는 항아리를 찾는다. ➡
>
> 
>
> 

**[도움말]** 사건의 흐름을 생각하면서 일어난 일을 정리해 씁니다.

**28** 이 이야기에서 이어질 내용을 알맞게 상상한 친구
의 이름을 쓰시오.

> 은수: 엄마는 뚜껑을 다 열어보고 꽃담이를 찾
> 을 것 같아.
> 경진: 엄마는 화가 나서 항아리를 다 깨고 꽃담
> 이를 찾을 것 같아.

(                    )

**29** 이어질 내용을 상상해서 쓰는 방법으로 알맞은
것에 ○표를, 알맞지 않은 것에 △표를 하시오. 중요

(1) 사건들 사이에 원인과 결과 관계가 있게
쓴다.                                (        )

(2) 이야기의 끝 부분에 새로운 사건을 만들어
쓴다.                                (        )

**국어 활동 59쪽 내용**

## 파란색으로 쓰인 부분을 바르게 띄어 쓰기

볼만큼 보았어.

( 볼 ∨ 만큼 )

될 수 있는대로 빨리 오세요.

( 있는 ∨ 대로 )

소문으로만 들었을뿐이에요.

( 들었을 ∨ 뿐이에요 )

노력한만큼 얻게 될 거야.

( 노력한 ∨ 만큼 )

원하는대로 해 주겠습니다.

( 원하는 ∨ 대로 )

모두 구경만 할뿐이었어요.

( 할 ∨ 뿐이었어요 )

 '만큼', '대로', '뿐'은 '볼 만큼', '있는 대로', '들었을 뿐이에요'와 같이 다른 낱말과 함께 쓰는 낱말입니다. 형태가 바뀌는 낱말 가운데에서 '-는/-을/-던' 등과 같이 '-ㄴ/-ㄹ'로 끝나는 말 뒤에서는 띄어 씁니다. '달만큼', '돌뿐'과 같이 이름을 나타내는 낱말이나, '하나만큼', '둘뿐'과 같이 수를 나타내는 말 뒤에서는 붙여 씁니다.

## 밑줄 그은 부분을 바르게 띄어 쓰기

• 교실 안은 숨소리가 들릴만큼 조용했어요.

( 들릴 ∨ 만큼 )

• 솔직히 아는대로 말해 봅시다.

( 아는 ∨ 대로 )

• 말만 하지 않았을뿐이지 모두가 알고 있어요.

( 않았을 ∨ 뿐이지 )

• **활동 내용:** '만큼', '대로', '뿐' 과 같은 낱말을 바르게 띄어 쓰는 활동입니다.

▶ '만큼', '대로', '뿐'은 다른 낱말과 함께 쓰이므로 붙여 쓰는 경우가 많습니다. 그러나 이러한 낱말은 띄어 쓰는 것이 알맞습니다. 단, 이름을 나타내는 말이나 수를 나타내는 말 뒤에서는 붙여 씁니다.
예 노력한 만큼 대가를 얻다.
→ '만큼'이 단독으로 쓰일 수 없는 말이므로 '노력한'과 함께 쓰고 띄어 씁니다.
예 집을 대궐만큼 크게 짓다.
→ '만큼'이 이름을 나타내는 말 뒤에 쓰였으므로 붙여 씁니다.

**확인 문제**

※ 다음 중 밑줄 그은 부분의 띄어 쓰기가 바른 것에 ○표를 하시오.

1. 교실 안은 숨소리가 들릴만큼 조용했어요.

( )

2. 말만 하지 않았을 뿐이지 모두가 알고 있어요.

( )

정답 2. ○

# 교과서 문제 확인

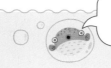
교과서 문제와 답을 확인하며 학교 숙제를 해결하세요.

교과서
147~149쪽

## 「까마귀와 감나무」

○ 동생은 욕심을 부리지 않고 금을 가져와서 부자가 되고, 형은 욕심을 부려 금을 가져오지 못했다는 이야기

• 까마귀 떼가 동생을 도와준 까닭은 무엇인가요? 예 까마귀 떼가 동생의 감을 모두 먹었기 때문입니다.

• 우두머리 까마귀는 동생을 어디로 데려갔나요? 예 금이 있는 커다란 산입니다. / 금으로 가득한 산입니다.

• 동생을 따라 한 형은 어떻게 되었나요?

　예 욕심을 부려 금을 너무 많이 담았기 때문에 돌아오지 못하고 금 산에 남게 되었습니다.

• 「까마귀와 감나무」에서 인물에게 일어난 일을 정리해 봅시다.

| 인물 | 장소 | 일어난 일 | 인물 | 장소 | 일어난 일 |
|---|---|---|---|---|---|
| 동생 | 옛날 어느 마을 | 감나무가 있는 집 한 채만 받았다. | 형 | 옛날 어느 마을 | 감나무가 있는 집 한 채만 동생에게 주고 나머지를 모두 자신이 차지했다. |
| | 동생의 집 | 예 까마귀가 감을 다 먹어 버렸다. | | 동생의 집 | 예 동생에게 감나무를 빌렸다. |
| | 금으로 가득한 산 | 예 금을 가져와 부자가 되었다. | | 금으로 가득한 산 | 예 욕심을 너무 많이 부려 금도 못 가져오고 집에도 오지 못했다. |

• 「까마귀와 감나무」에서 일어난 일을 차례대로 정리해 봅시다.

❶ 욕심 많은 형은 아버지가 남긴 재산 가운데 감나무가 있는 허름한 집 한 채만 동생에게 주고 나머지를 모두 자신이 차지했다.

❷ 예 동생의 감나무에 있는 감을 모두 먹은 까마귀는 감을 따 먹은 대신 동생을 금이 있는 커다란 산으로 데려다주겠다고 했다.

❸ 예 까마귀는 동생을 금으로 가득한 산에 데려다주고 동생은 주머니에 금을 담아 와 부자가 되었다.

❹ 예 형은 부자가 된 동생을 보고 동생을 따라 했다. 하지만 무거운 금자루 때문에 까마귀 등에서 떨어져 금산에 남겨졌다.

• 이 글에서 글쓴이가 전하고 싶은 생각은 무엇인가요?

　예 욕심을 부리지 말자는 것입니다. / 착한 사람은 복을 받는다는 것입니다.

• 이 글과 비슷한 옛이야기는 무엇이 있나요? 예 「흥부 놀부」입니다. / 「혹부리 영감」입니다.

교과서
153~155쪽

## 「아름다운 꼴찌」

○ 꼴찌가 되어서 응원한 아버지의 사랑 덕분에 수현이가 마라톤을 완주한 이야기

• 마라톤 대회의 출발선에서 수현이는 어떤 다짐을 했나요? 예 끝까지 포기하지 않겠다고 다짐했습니다.

• 수현이가 꼴찌로 들어올 친구를 기다린 까닭은 무엇인가요?

　예 힘들어도 포기하지 않고 달렸던 친구에게 응원의 박수를 보내 주고 싶었기 때문입니다.

• 아빠가 꼴찌로 달렸던 까닭은 무엇일까요?

　예 수현이에게 용기를 주기 위해서 몸이 약한 아빠가 함께 뛰었습니다.

• 이야기의 흐름에 따라 일어난 일을 정리해 보세요.

| 처음 | 마라톤 대회에 참가하기 위해 수현이는 달리기 연습을 한다. |
|---|---|
| 예 가운데 | 수현이는 마라톤에 참가해 완주하겠다고 다짐한다. |
| | 예 힘들어서 달리기를 포기하려고 했을 때, 자신의 뒤에서 꼴찌로 달리는 친구가 있다는 것을 알게 된 수현이는 힘을 얻어 결승점까지 달린다. |
| | 수현이는 끝까지 달린 사실을 부모님께 자랑한다. |
| 끝 | 예 수현이 뒤에서 달렸던 사람이 아빠였다는 것을 알게 된다. |

• 이야기의 제목이 뜻하는 것은 무엇일까요?

　예 「아름다운 꼴찌」는 아들에게 용기를 주기 위해 약한 몸으로 마라톤에서 꼴찌를 한 아버지의 사랑이 아름답기 때문에 붙인
　　제목입니다. / 친구들의 놀림이 두려워 마라톤을 겁냈지만 끝까지 완주한 수현이는 비록 꼴찌를 했더라도 '아름다운 꼴찌'
　　라고 할 수 있습니다.

• 마지막 장면을 보고 이야기의 주제를 생각해 보세요.

　예 포기하지 않고 끝까지 노력하는 모습의 아름다움 / 아버지의 사랑

교과서
160~161쪽

## 「초록 고양이」

　　　　　○ 엄마와 꽃담이를 데려간 초록 고양이에게서 엄마와 꽃담이를 찾아오는 이야기

• 엄마는 어디로 사라졌나요? 예 욕실에 들어가서 나오지 않았습니다.

• 초록 고양이는 꽃담이에게 무엇을 하면 안 된다고 했나요?

　예 항아리를 두드려 봐도 안 되고, 엄마를 불러서도 안 된다고 했습니다.

• 꽃담이는 엄마를 어떻게 찾을 수 있었나요? 예 고소하고 달콤하고 향긋한 엄마 냄새가 나는 항아리를 찾았습니다.

• 「초록 고양이」를 다시 읽고 일어난 일을 정리해 봅시다.

| ❶ 초록 고양이는 욕실에 있던 엄마를 어디론가 데려간다. | ❷ 예 엄마를 데려간 초록 고양이는 꽃담이에게 엄마를 찾고 싶으면 자신을 따라오라고 한다. | ❸ 예 초록 고양이는 항아리 40개 가운데에서 엄마가 들어가 있는 항아리를 한 번에 찾으라고 한다. | ❹ 꽃담이는 엄마 냄새를 맡고 엄마가 있는 항아리를 찾았다. | ❺ 예 심통이 난 초록 고양이는 꽃담이를 항아리에 숨기고 엄마에게 찾으라고 한다. |
|---|---|---|---|---|

• 엄마가 꽃담이를 찾기 위해 지켜야 할 조건은 무엇인가요?

　예 뚜껑을 열거나 꽃담이의 이름을 불러서는 안 된다는 것입니다.

• 엄마는 어떤 방법으로 꽃담이를 찾을 수 있을까요?

　예 항아리를 깨뜨릴 것 같습니다. / 항아리의 냄새를 맡을 것 같습니다.

# 단원 정리 학습

## 핵심 1 이야기를 읽고 사건의 흐름을 파악하는 방법 알기

● 이야기에 나타난 인물, 장소, 일어난 일을 찾습니다.

　예 「까마귀와 감나무」에서 인물에게 일어난 일 정리하기

| 인물 | 장소 | 일어난 일 |
|------|------|-----------|
| 동생 | 옛날 어느 마을 | 감나무가 있는 집 한 채만 받았다. |
| | 동생의 집 | 까마귀가 감을 다 먹어 버렸다. |
| | 금으로 가득한 산 | 금을 가져와 부자가 되었다. |

● 이야기에서 일어난 중요한 일을 찾습니다.

● 일이 일어난 차례를 살핍니다.

## 핵심 2 이야기의 흐름 정리하는 방법 알기

● 일이 일어난 차례대로 정리합니다.

● 일어난 일을 처음, 가운데, 끝의 흐름으로 정리합니다.

　예 「아름다운 꼴찌」를 이야기의 흐름에 따라 일어난 일을 정리하기

| 처음 | 가운데 | 끝 |
|------|--------|-----|
| 마라톤 대회에 참가하기 위해 수현이는 달리기 연습을 한다. | • 수현이는 마라톤에 참가해 완주하겠다고 다짐한다.<br>• 힘들어서 달리기를 포기하려고 했을 때, 자신의 뒤에서 꼴찌로 달리는 친구가 있다는 것을 알게 된 수현이는 힘을 얻어 결승점까지 달린다.<br>• 수현이는 끝까지 달린 사실을 부모님께 자랑한다. | 수현이 뒤에서 달렸던 사람이 아빠였다는 것을 알게 된다. |

└ 이야기의 흐름을 정리하면서 이야기의 주제를 살펴봅니다.

## 핵심 3 이어질 내용을 상상하여 쓰는 방법 알기

● 사건의 흐름에 맞게 이어질 내용을 상상합니다.

● 이야기의 처음, 가운데, 끝을 생각하고 씁니다.

● 사건들 사이에 원인과 결과 관계가 있어야 합니다.

　예 「초록 고양이」의 흐름에 맞게 이어질 내용 상상하기

　　• 항아리를 깨뜨려서 꽃담이를 찾을 것 같습니다.
　　• 꽃담이처럼 항아리의 냄새를 맡아서 꽃담이를 찾을 것 같습니다.

> 사건과 사건의 흐름이 자연스러운지 살펴봐야 하고, 이야기 앞 부분에 나온 내용과도 어울려야 해.

단원 확인 평가

**[01~03] 다음 글을 읽고, 물음에 답하시오.**

(가) 아버지의 제삿날이 돌아왔습니다. 동생이 형을 초대하였습니다. 형은 동생이 큰 부자가 된 것을 보고 그 까닭을 물었습니다. 동생은 사실대로 이야기를 해 주었습니다.

그러자 [ ㉠ ]이 생긴 형은 동생에게 감나무를 빌려 달라고 사정하였습니다. 동생은 형에게 감나무를 빌려주었습니다.

(나) 까마귀 우두머리는 형도 그 산으로 데려다주었습니다. 형은 무척 기뻤습니다. 자기가 동생보다 더 큰 부자가 될 것이라고 생각했습니다. 형은 큰 자루에 금을 꾹꾹 채워 넣고, 그것도 모자라 옷 속에도, 입속에도, 그리고 귓구멍 속에도 가득 채워 넣었습니다. 까마귀가 말하였습니다.

"다 담았어요? 그러면 제 등에 오르세요. 제가 당신 집까지 데려다줄게요."

**01** ㉠에 들어갈 알맞은 낱말로, 글쓴이가 이 이야기를 통하여 전하고 싶은 생각과 관련된 낱말에 ○표를 하시오. ( 고집 , 욕심 )

**02** 형이 금으로 가득한 산에서 생각한 것은 무엇입니까? ( )

① 동생은 참 착한 아이이다.
② 감나무를 많이 심어야겠다.
③ 동생이 부자가 되어서 좋다.
④ 금으로 가득한 산에서 살고 싶다.
⑤ 동생보다 더 큰 부자가 될 것이다.

서술형
**03** 이 이야기를 읽고 인물에게 일어난 일을 정리하려고 합니다. 빈칸에 알맞은 내용을 쓰시오.

| 인물 | 장소 | 일어난 일 |
|------|------|-----------|
| 형 | 동생의 집 | |

도움말 일이 일어난 장소가 동생의 집인 글 (가)의 내용을 정리합니다.

**[04~06] 다음 글을 읽고, 물음에 답하시오.**

(가) "와, 조금만 더 힘내요!"

그것은 수현이와 100미터 이상 떨어진 거리에서 쓰러질 듯 달려오는 한 친구에게 보내는 격려의 소리였습니다. 수현이는 꼴찌가 아니라는 사실에 안도하면서 조금씩 힘을 내기 시작했습니다.

'이제 거의 다 왔어. 나도 조금만 더 힘을 내자!'

수현이는 숨이 턱까지 차오르고, 땀이 비 오듯 흘렀지만 마지막까지 온 힘을 다해 뛰기로 마음먹었습니다.

드디어 결승점에 도착했습니다!

(나) "당신도 몸이 약한데, 수현이 뒤에서 함께 뛰다니
…… 너무 무리 한 것 같아요. 병원에 안 가도 되겠어요?"

수현이는 그제야 알았습니다. 자신 뒤에서 꼴찌로 달렸던 사람은 바로 아빠였던 것입니다.

**04** 수현이가 마라톤 완주를 할 수 있었던 까닭은 무엇입니까? ( )

① 앞에서 끌어 주신 아빠 때문에
② 꾸준히 마라톤 연습을 했기 때문에
③ 꼭 완주하라는 선생님의 말씀 때문에
④ 친구들의 놀림을 받기 싫었던 마음 때문에
⑤ 자신의 뒤에서 달리는 친구가 있다는 것에 힘을 얻어서

**05** 수현이의 뒤에서 꼴찌로 달렸던 사람은 사실 누구였는지 쓰시오. ( )

중요
**06** 이 이야기의 흐름에 따라 생각이나 느낌을 말할 때, 이야기의 끝 부분에 대한 느낌을 말한 친구의 이름을 쓰시오.

은희: 아빠가 자신을 위해 달려준 것을 알고 정말 고마울 것 같아.
정호: 달리기를 포기하려다가 친구의 격려를 받고 힘을 내는 것을 보니 기분이 좋았어.

( )

## [07~10] 다음 글을 읽고, 물음에 답하시오.

(개) "우리 엄마를 돌려줘!"
초록 고양이가 수염을 쓰다듬으며 말했어요.
"쉽게 돌려줄 수는 없어. 엄마를 찾고 싶으면 나를 따라와."
초록 고양이가 빨간 우산을 빙글빙글 돌렸어요.
커다란 동굴 안에 하얀 항아리들이 잔뜩 놓여 있었어요.
"항아리는 모두 40개야. 이 가운데 하나에 너희 엄마가 있어. 어느 항아리에 있는지 찾아봐. 항아리를 두드려 봐도 안 되고, 엄마를 불러서도 안 돼."
(나) 꽃담이는 킁킁 냄새를 맡았어요.
"바로 이 항아리야!" / 그 항아리에서 고소하고 달콤하고 향긋한 냄새가 났거든요. 바로 엄마 냄새였지요.
꽃담이가 너무 쉽게 찾으니까 초록 고양이가 심통이 났나 봐요. / "쳇! 좋아. 엄마를 데려가!"
그 말을 하고 초록 고양이는 뿅 사라졌어요.
(다) "우리 꽃담이를 돌려줘!"
초록 고양이가 수염을 쓰다듬으며 말했어요.
"쉽게 돌려줄 수는 없어요. 딸을 찾고 싶으면 나를 찾아와요."
초록 고양이가 노란 장화 신은 발을 탁탁 굴렀어요.
커다란 동굴 안에 하얀 항아리들이 잔뜩 놓여 있었어요.
"항아리는 모두 40개예요. 저 가운데 하나에 꽃담이가 들어 있어요. 어느 항아리에 들어 있는지 찾아보세요. 뚜껑을 열어 봐서도 안 되고, 딸 이름을 불러서도 안 돼요."
초록 고양이는 또 낄낄낄 웃었어요.
"기회는 딱 한 번뿐이에요. 만일 틀린 항아리를 고르면, 딸을 영영 못 찾게 될 거예요."

## 07 이 이야기의 등장인물을 알맞게 묶은 것은 무엇입니까? (　　)

① 꽃담이, 엄마
② 초록 고양이, 엄마
③ 초록 고양이, 꽃담이
④ 초록 고양이, 꽃담이, 아빠
⑤ 초록 고양이, 꽃담이, 엄마

## 08 꽃담이가 냄새를 맡고 엄마를 찾을 수 있었던 까닭은 무엇입니까? (　　)

① 엄마가 지나간 냄새가 났기 때문에
② 비어 있는 항아리가 많았기 때문에
③ 항아리는 엄마가 들어가기에 좁았기 때문에
④ 항아리에 달콤한 음식들이 많이 있었기 때문에
⑤ 항아리에서 달콤하고 향긋한 엄마 냄새가 났기 때문에

## 09 <sup>중요</sup> 이 이야기에서 일이 일어난 차례대로 기호를 쓰시오.

⑦ 초록 고양이는 엄마를 어디론가 데려간다.
⑭ 꽃담이는 엄마 냄새를 맡고 엄마가 있는 항아리를 찾는다.
⑭ 초록 고양이는 꽃담이를 항아리에 숨기고 엄마에게 찾으라고 한다.
⑭ 엄마를 데려간 초록 고양이는 꽃담이에게 엄마를 찾고 싶으면 자신을 따라오라고 한다.
⑭ 초록 고양이는 항아리 40개 가운데에서 엄마가 들어가 있는 항아리를 한 번에 찾으라고 한다.

⑦ → (　　) → (　　) → (　　) → (　　)

## 10 <sup>서술형</sup> 이 이야기의 이어질 내용을 상상하여 간단히 쓰시오.

_____

_____

_____

**도움말** 이어질 내용을 상상할 때에는 사건의 흐름에 맞고, 사건들 사이에 원인과 결과 관계가 맞아야 합니다.

# 학급 회의

선생님께서 내일 학급 회의를 한다고 하셨지?

나는 올해 처음으로 회장이 되어서 학급 회의를 진행하는 방법을 모르는데…….

아이들이 내일 하게 될 학급 회의에 대해 이야기를 나누고 있어요. 처음으로 회장을 맡은 여자아이는 회의를 어떻게 진행해야 할까요? 그리고 회의에 참여하는 아이들은 회의에서 어떤 말을 해야 할까요?

이제, 6단원에서는 우리도 회의의 절차와 규칙을 알고 회의에 적극적으로 참여해 볼 거예요.

# 6 회의를 해요

102쪽 단원 정리 학습에서 더 자세히 공부해 보세요.

## 단원 학습 목표

**1. 회의의 절차와 참여자의 역할을 익힐 수 있습니다.**
- 회의에 대한 경험을 떠올리며 회의가 필요한 까닭을 정리해 봅니다.
- 학급 회의를 해 본 경험을 떠올리며 회의의 절차와 참여자의 역할을 확인해 봅니다.

**2. 회의 주제에 맞게 말할 내용을 쓰고, 회의의 절차와 규칙을 지키며 회의를 할 수 있습니다.**
- 회의 주제를 정하는 방법을 알아보고, 회의 주제에 맞게 말할 내용을 정리해 봅니다.
- 회의에서 참여자들이 지켜야 할 규칙을 알아보고, 절차와 규칙을 지키며 학급 회의를 해 봅니다.

## 단원 진도 체크

| 회차 | | 학습 내용 | 진도 체크 |
|---|---|---|---|
| 1차 | 단원 열기 | 단원 학습 내용 미리 보고 목표 확인하기 | ✓ |
| | 교과서 내용 학습 | 회의의 절차와 참여자의 역할 익히기 | ✓ |
| 2차 | 교과서 내용 학습 | 회의 주제에 맞게 말할 내용 쓰기 | ✓ |
| 3차 | 교과서 내용 학습 | 절차와 규칙을 지키며 회의하기 | ✓ |
| 4차 | 교과서 내용 학습 | 국어 활동 학습하기 | ✓ |
| | 교과서 문제 확인 | 교과서 문제 학습하며 학교 숙제 해결하기 | ✓ |
| 5차 | 단원 정리 학습 | 단원 학습 내용 정리하기 | ✓ |
| | 단원 확인 평가 | 확인 평가를 통한 단원 학습 상황 파악하기 | ✓ |

해당 부분을 공부하고 나서 ✓표를 하세요.

# 교과서 내용 학습

**국어 180~185쪽 내용**

학습 목표 ▶ 회의의 절차와 참여자의 역할 익히기

국어 180~185쪽

- **글의 특징**: 학급의 생활 목표와 실천 사항을 정하는 학급 회의의 회의록으로 회의 절차와 참여자의 역할을 알 수 있습니다.

| 사회자 | 제5회 학급 회의를 시작하겠습니다. | 개회 |
|---|---|---|
| 기록자 | (칠판이나 회의록에 내용을 기록한다.) | |
| 사회자 | 이번 주 학급 회의 주제를 무엇으로 정하면 좋을지 말씀해 주십시오. 김영이 친구가 의견을 발표해 주십시오. | 주제 선정 |
| 회의 참여자 1 | 요즘 교실이 많이 지저분합니다. 그래서 "깨끗한 교실을 만들자."를 주제로 제안합니다. | |
| 사회자 | 김사랑 친구도 의견을 발표해 주십시오. | |
| 회의 참여자 2 | 지난주에 복도에서 뛰다가 다친 친구를 봤습니다. 저는 "학교생활을 안전하게 하자."를 주제로 제안합니다. | |
| 사회자 | 이제 어떤 주제로 할지 표결을 하겠습니다. 참석자의 반이 넘는 수가 찬성하는 것으로 주제를 정하겠습니다.<br>두 주제 가운데 첫 번째 주제에 찬성하시는 분은 손을 들어 주십시오. 두 번째 주제에 찬성하시는 분은 손을 들어 주십시오.<br>27명 가운데 18명이 두 번째 주제를 선택했습니다. 이번 주 학급 회의 주제는 "학교생활을 안전하게 하자."입니다. | |

회의에서는 사회자, 회의 참여자, 기록자의 역할을 맡아서 할 수 있어.

**01** 다음 중 이 회의에 참여하지 <u>않은</u> 역할을 두 가지 고르시오. ( , )

① 사회자    ② 기록자    ③ 평가단
④ 봉사자    ⑤ 회의 참여자

**02** 학급 회의 중 '개회' 절차에서 하는 일은 무엇입니까? ( )

① 회의 시작을 알린다.
② 회의 절차를 결정한다.
③ 회의의 마침을 알린다.
④ 회의 주제를 선정한다.
⑤ 결정된 의견을 발표한다.

**03** 이 회의의 주제 선정 절차에서 나온 의견을 정리한 것입니다. 빈칸에 알맞은 말을 쓰시오.

| 제안 ① | 깨끗한 교실을 만들자. |
|---|---|
| 제안 ② | |

**04**  이 회의에서 사회자의 역할을 두 가지 고르시오. ( , )

① 회의 절차를 안내한다.
② 회의의 주제를 제안한다.
③ 골고루 말할 기회를 준다.
④ 주제에 대해 의견을 발표한다.
⑤ 회의가 잘 진행되었는지 판결한다.

| | |
|---|---|
| ㉠ | (칠판이나 회의록에 내용을 기록한다.) |
| 사회자 | 학교생활을 안전하게 하려면 실천해야 할 일이 무엇인지 발표해 주십시오.<br>이정수 친구가 의견을 발표해 주십시오. |
| 회의 참여자 3 | 안전 게시판을 만들면 좋겠습니다. 학교생활을 안전하게 하는 방법을 써 붙이면 안전사고를 예방할 수 있습니다. |
| 사회자 | 좋은 의견 고맙습니다. 다른 의견이 있으면 발표해 주십시오.<br>윤지호 친구가 의견을 발표해 주십시오. |
| 회의 참여자 4 | 모둠별로 안전 지킴이 활동을 하면 좋겠습니다. 사고를 예방할 수 있기 때문입니다. |
| 사회자 | 좋은 의견입니다. 다른 의견은 없습니까? |
| 회의 참여자 5 | 학교에서 위험한 행동을 했을 때 벌점을 받는 제도를 만들었으면 좋겠습니다. 벌점을 받지 않기 위해 행동을 조심하면 서로 피해를 주는 일이 없을 것이기 때문입니다. |
| 사회자 | 네, 그리고 이정수 친구 발표해 주십시오. |
| 회의 참여자 3 | 벌점 제도는 위험한 행동을 강력히 규제할 수 있다는 장점이 있지만 학생들이 스스로 노력하기보다 벌점만 피하면 된다는 생각을 할 단점도 있습니다. |

주제
토의

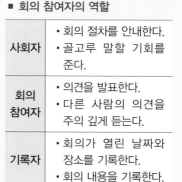

■ 회의 참여자의 역할

| 사회자 | • 회의 절차를 안내한다.<br>• 골고루 말할 기회를 준다. |
|---|---|
| 회의<br>참여자 | • 의견을 발표한다.<br>• 다른 사람의 의견을 주의 깊게 듣는다. |
| 기록자 | • 회의가 열린 날짜와 장소를 기록한다.<br>• 회의 내용을 기록한다. |

**05** 학급 회의 중 '주제 토의' 절차에서 하는 일은 무엇입니까? (　　　)

① 표결을 한다.
② 찬성과 반대 의견을 헤아린다.
③ 친구 의견의 잘못된 점을 지적한다.
④ 선정된 주제에 맞는 의견을 제시한다.
⑤ 친구들과 결정된 의견을 실천한다.

서술형
**06** 이 회의 장면에서 회의 참여자가 하는 일은 무엇인지 쓰시오.

_____

_____

도움말 회의 참여자 3~5가 한 말을 주의 깊게 살펴봅니다.

**07** 이 회의에서 회의 참여자 3, 4가 제시한 실천 사항을 바르게 선으로 이으시오.

(1)  •　　　• ① 안전 게시판을 만들자.

(2)  •　　　• ② 모둠별로 안전 지킴이 활동을 하자.

**08** ㉠에 들어갈 역할로 회의 내용을 기록하는 일을 하는 사람은 누구인지 쓰시오.

(　　　　　　　　　　)

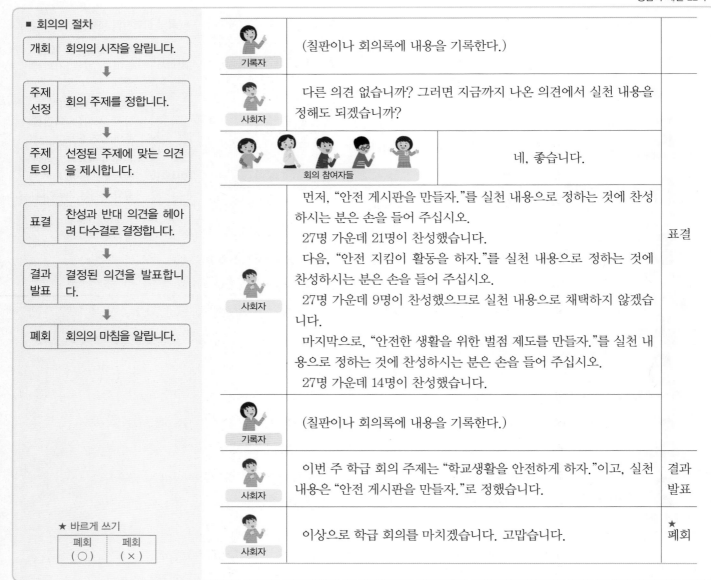

■ 회의의 절차

| 개회 | 회의의 시작을 알립니다. |
| --- | --- |

↓

| 주제 선정 | 회의 주제를 정합니다. |
| --- | --- |

↓

| 주제 토의 | 선정된 주제에 맞는 의견을 제시합니다. |
| --- | --- |

↓

| 표결 | 찬성과 반대 의견을 헤아려 다수결로 결정합니다. |
| --- | --- |

↓

| 결과 발표 | 결정된 의견을 발표합니다. |
| --- | --- |

↓

| 폐회 | 회의의 마침을 알립니다. |
| --- | --- |

★ 바르게 쓰기

| 폐회 | 페회 |
| --- | --- |
| ( ○ ) | ( × ) |

기록자 (칠판이나 회의록에 내용을 기록한다.)

사회자 다른 의견 없습니까? 그러면 지금까지 나온 의견에서 실천 내용을 정해도 되겠습니까?

회의 참여자들 네, 좋습니다.

사회자 먼저, "안전 게시판을 만들자."를 실천 내용으로 정하는 것에 찬성하시는 분은 손을 들어 주십시오.
27명 가운데 21명이 찬성했습니다.
다음, "안전 지킴이 활동을 하자."를 실천 내용으로 정하는 것에 찬성하시는 분은 손을 들어 주십시오.
27명 가운데 9명이 찬성했으므로 실천 내용으로 채택하지 않겠습니다.
마지막으로, "안전한 생활을 위한 벌점 제도를 만들자."를 실천 내용으로 정하는 것에 찬성하시는 분은 손을 들어 주십시오.
27명 가운데 14명이 찬성했습니다. **표결**

기록자 (칠판이나 회의록에 내용을 기록한다.)

사회자 이번 주 학급 회의 주제는 "학교생활을 안전하게 하자."이고, 실천 내용은 "안전 게시판을 만들자."로 정했습니다. **결과 발표**

사회자 이상으로 학급 회의를 마치겠습니다. 고맙습니다. **★ 폐회**

**09** 이와 같은 회의를 할 때 찬성과 반대 의견을 헤아려 다수결로 결정하는 절차를 무엇이라고 하는지 쓰시오.

( )

**10** 이 회의에서 실천 내용을 어떤 방법으로 정하였는지 알맞은 것을 찾아 ○표를 하시오.

(1) 제시된 의견을 모두 실천 내용으로 정하였다. ( )

(2) 표결을 하여 가장 많은 표를 얻은 의견으로 정하였다. ( )

**11** 이 회의에서 결정된 의견을 정리한 것입니다. 빈칸에 알맞은 말을 쓰시오.

생활 목표: 학교생활을 안전하게 하자.

실천 내용: _____

**중요**
**12** 이와 같은 회의를 할 때에 알맞은 회의의 절차를 순서대로 기호를 쓰시오.

㉮ 개회    ㉯ 폐회    ㉰ 주제 토의
㉱ 주제 선정    ㉲ 결과 발표    ㉳ 표결

㉮ → ( ) → ( ) → ( ) → ( ) → ㉯

학습 목표 ▶ 회의 주제에 맞게 말할 내용 쓰기

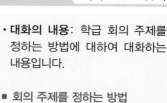

• 대화의 내용: 학급 회의 주제를 정하는 방법에 대하여 대화하는 내용입니다.

■ 회의 주제를 정하는 방법
• 해결해야 할 문제점을 찾습니다.
• 우리가 해결할 수 있는 문제인지 생각합니다.
• 모두의 관심사인지 확인합니다.
• 실천할 수 있는 해결 방법이 있는지 떠올립니다.

■ 회의의 주제에 맞게 말할 내용을 정리하는 방법
• 주제를 실천할 수 있는 여러 가지 의견을 떠올립니다.
• 의견을 뒷받침할 수 있는 근거를 찾아봅니다.
• 근거가 적절한 의견을 선택합니다.
• 의견이 여러 사람에게 의미 있는 것인지 따져 봅니다.
• 의견과 근거로 말할 내용을 정리합니다.

**13** 이 그림에서 친구들의 대화 내용은 무엇입니까?
( )

① 회의 주제를 정하는 방법
② 회의 날짜를 정하는 방법
③ 회의 순서를 정하는 방법
④ 회의 결과를 게시하는 방법
⑤ 회의의 사회자를 정하는 방법

**14** ㉠이 회의 주제로 알맞지 않은 까닭을 무엇이라고 하였습니까? ( )

① 근거를 내세울 수 없어서
② 실천하기 어려운 주제라서
③ 친구들이 모두 좋아하는 주제라서
④ 친구들이 해결할 수 없는 주제라서
⑤ 친구들이 공통으로 관심을 보일 만한 것이 아니라서

**15** ㉡과 같은 회의 주제로 말할 내용을 정하려고 할 때 알맞은 방법이 아닌 것은 무엇입니까? ( )

① 근거가 적절한 의견을 선택한다.
② 의견과 근거로 말할 내용을 정리한다.
③ 의견을 뒷받침할 수 있는 근거를 찾아본다.
④ 친구들을 재미있게 할 수 있는 의견으로만 생각한다.
⑤ 주제를 실천할 수 있는 여러 가지 의견을 떠올린다.

서술형
**16** ㉡과 같은 회의 주제로 회의를 할 때 알맞은 의견과 근거를 생각하며 쓰시오.

| (1) 의견 | |
|---|---|
| (2) 근거 | |

도움말 학급에서 점심밥을 먹을 때 누가 먼저 먹으면 좋을지 생각하여 의견과 그렇게 생각한 까닭을 써 봅니다.

## 국어 190~192쪽 내용

학습 목표 ▶ 절차와 규칙을 지키며 회의하기

• **회의 내용**: 각각의 회의 장면에 나타난 문제점을 살펴보면서 회의의 절차와 규칙을 생각해 보게 하는 내용입니다.

■ **회의 참여자들이 지켜야 할 규칙**

**사회자**
• 말할 기회를 골고루 줍니다.
• 회의 절차를 안내합니다.

**회의 참여자**
• 친구가 의견을 말할 때 끼어들지 않습니다.
• 다른 사람의 의견을 존중합니다.
• 사회자의 허락을 얻고 말합니다.
• 자신의 의견만 옳다고 주장하지 않습니다.
• 알맞은 크기의 목소리로 말합니다.

**기록자**
• 중요한 내용을 요약해서 기록합니다.
• 회의 날짜와 시간, 장소를 기록합니다.

★ **바르게 쓰기**

| 가리키며 | 가르키며 |
|---|---|
| ( ○ ) | ( × ) |

---

**1**

사회자: "친구들과 사이좋게 지냅시다."라는 주제에 맞게 의견을 발표해 주시기 바랍니다.

회의 참여자 1: (갑자기 벌떡 일어나며) 친구들끼리 고운 말을 썼으면 좋겠습니다.

사회자: (당황하며) 사회자의 허락을 얻고 말씀해 주시기 바랍니다.

**2**

회의 참여자 2: 친구들끼리 서로 별명을 부르지…….

회의 참여자 3: (중간에 말을 가로채며) 별명을 부르는 것은 서로 가깝기 때문입니다. 저는 함께 어울려 노는 것이…….

회의 참여자 2: 제 의견을 끝까지 들어 주시기 바랍니다.

**3**

회의 참여자 2: 친구들끼리 서로 별명을 부르지 않았으면 합니다. 별명을 들으면 기분이 나쁠 때가 많기 때문입니다.

사회자: 또 다른 의견이 있습니까? (여러 친구가 손을 들지만 다시 회의 참여자 2를 가리키며) 네, 김현수 친구, 발표해 주십시오.

회의 참여자 4: 사회자님, 말할 기회를 골고루 주시기 바랍니다.

---

**17** 회의 장면 **1**에서 회의 참여자 1이 잘못한 점을 찾아 ○표를 하시오.

(1) 사회자의 허락을 얻지 않고 말하였다. ( )

(2) 주제에 맞지 않은 의견을 제시하였다. ( )

**18** 장면 **2**에서 회의 참여자 3과 같은 행동을 하였을 때의 문제점을 바르게 말한 친구의 이름을 쓰시오.

> 민정: 목소리가 너무 작아서 의견이 잘 들리지 않아.
> 현우: 중간에 끼어들어서 말하면 발표하고 있던 친구의 의견을 끝까지 듣지 못해.

( )

**19** 중요
장면 **3**에서 사회자가 고쳐야 할 점은 무엇인지 쓰시오.

( )

**20** 서술형
이와 같은 회의에서 회의 참여자들이 지켜야 할 규칙을 한 가지 이상 쓰시오.

_____

_____

**도움말** 회의를 할 때 의견을 제시하는 역할을 하는 회의 참여자가 지켜야 할 규칙을 생각해 봅니다.

## 받침이 있는 낱말을 바르게 읽기

밥 먹을 시간입니다.

 '먹을'은 [머글]로 소리 납니다.

먼저 찾은 사람은 누구일까?

 '찾은'은 [차즌]으로 소리 납니다.

개가 강아지를 낳았다.

 '낳았다'는 [나앋따]로 소리 납니다.

나는 친구가 좋아요.

 '좋아요'는 [조아요]로 소리 납니다.

• 활동 내용: 받침이 있는 낱말을 바르게 읽어 보고 소리 나는 대로 써 보는 활동입니다.

'먹을'이 [머글]로, '찾은'이 [차즌]으로 소리 나는 것처럼 어떤 받침은 소리가 나지만 '낳았다', '좋아요'와 같은 낱말에 있는 'ㅎ'받침은 소리가 나지 않아.

## 낱말을 소리 나는 대로 써 보기

• 책장 위에 있는 책이 겨우 손에 닿았다.
→ [ 다앋따 ]
• 들고 있는 물건을 조심히 내려놓아라.
→ [ 내려노아라 ]
• 들고 있는 짐이 많아서 너무 무거워.
→ [ 마나서 ]

확인 문제

※ 다음 중 밑줄 그은 부분을 소리 나는 대로 바르게 쓴 것에 ○ 표를 하시오.

1. 어항 속의 구피가 새끼를 낳았습니다[나핟씀니다].
( )

2. 옷을 예쁘게 입은[이은] 동생이 사진을 찍고 있습니다.
( )

3. 나는 토요일 아침을 제일 좋아합니다[조아합니다]. ( )

정답 3. ○

# 교과서 문제 확인

## 교과서 177쪽, 179쪽　　　○ 회의에 대한 경험 떠올리기

• 무엇에 대한 회의였나요?

　예 가족 여행 장소에 대한 회의였습니다.

• 회의는 어떤 과정으로 진행되었나요?

　예 어머니께서 다수결로 정하자고 하셨습니다.

• 회의에서 어떤 이야기를 주고받았나요?

　예 아버지께서는 산으로 캠핑을 가자고 하셨고, 나는 놀이공원에 가자고 했습니다.

• 회의를 하거나 회의하는 모습을 본 경험을 떠올려 정리해 봅시다.

| 회의 주제 | 예 여행 장소 |
|---|---|
| 회의 목적 | 예 가족 여행 장소 정하기 |
| 회의 참석자 | 예 아버지, 어머니, 나, 남동생 |
| 회의 내용 | 예 아버지께서는 산으로 캠핑을 가자고 하셨고, 나는 놀이공원에 가자고 했다. |
| 회의 결과 | 예 아버지께서 추천하신 산 캠핑을 여름에 먼저 가고, 내가 추천한 놀이공원에는 겨울에 가기로 했다. |

• 모둠별 회의 결과를 정리해 봅시다.

• 잘된 점은 무엇인가요?

　예 친구가 의견을 잘 들어 주어서 회의가 잘 진행되었습니다.

• 어려웠던 점은 무엇인가요?

　예 말하는 도중에 자꾸 끼어드는 친구가 있어서 회의 진행이 잘 안되었습니다.

• 회의가 필요한 까닭을 정리해 봅시다.

　문제에 대한 좋은 해결 방법을 찾을 수 있다. / 예 같이 해야 할 일을 결정할 수 있다. / 여러 사람의 의견을 들을 수 있다.

## 교과서 181쪽, 184~185쪽　　　○ 회의의 절차와 참여자의 역할 익히기

• 무엇에 대해 회의했나요?

　예 '깨끗한 교실을 만들자'에 대해 회의를 했습니다.

• 회의는 어떻게 진행되었나요?

　예 '깨끗한 교실을 만들자'가 '안전한 학교생활을 하자'보다 더 많은 표를 받아 주제가 되었습니다.

• 누가 어떤 말을 했나요? 예 회의에 참여하는 학생들은 '1인 1역할을 정해 청소하자', '일주일에 한 번은 대청소를 하자', '분리 배출을 잘하자'와 같은 실천 사항을 건의했습니다.

• 회의의 절차를 정리해 보세요.

| 개회 | 회의의 시작을 알린다. |
|------|---------------------|
| 주제 선정 | 예 회의 주제를 정한다. |
| 주제 토의 | 선정된 주제에 맞는 의견을 제시한다. |
| 표결 | 예 찬성과 반대 의견을 헤아려 다수결로 결정한다. |
| 결과 발표 | 결정된 의견을 발표한다. |
| 폐회 | 회의의 마침을 알린다. |

• 참여자의 역할을 정리해 보세요.

| 사회자 | • 회의 절차를 안내한다.<br>• 예 말할 기회를 골고루 준다. |
|--------|---------------------------------------------|
| 회의 참여자 | • 의견을 발표한다.<br>• 예 다른 사람의 의견을 주의 깊게 듣는다. |
| 기록자 | • 회의가 열린 날짜와 시간, 장소를 기록한다.<br>• 예 회의 내용을 기록한다. |

교과서
187~189쪽

## 교과서 187~189쪽　　　○ 회의 주제에 맞게 말할 내용 쓰기

• 회의 주제를 정하는 방법을 정리해 보세요.

　해결해야 할 문제점을 찾는다. / 우리가 해결할 수 있는 문제인지 생각한다. / 예 모두의 관심사인지 확인한다. / 실천할 수 있는 해결 방법이 있는지 떠올린다.

• 의견을 말하는 방법을 정리해 보세요.

　주제를 실천할 수 있는 여러 가지 의견을 떠올린다. / 의견을 뒷받침할 수 있는 근거를 찾아본다. / 예 근거가 적절한 의견을 선택한다. / 의견이 여러 사람에게 의미 있는 것인지 따져 본다. / 의견과 근거로 말할 내용을 정리한다.

• 의견과 근거를 생각해 보세요.

| 회의 주제 | | 예 친구들과 사이좋게 지내자 |
|---------|------|----------------------------|
| 1 | 의견 | 예 친구에게 바르고 고운 말을 사용하자. |
| | 근거 | 예 거친 말을 사용해 다툼이 일어나는 일이 많기 때문입니다. |
| 2 | 의견 | 예 친구에게 기분이 좋은 말을 하자. |
| | 근거 | 예 친구가 싫어하는 별명을 부르거나 놀려서 서로 다투는 경우도 많기 때문입니다. |
| 3 | 의견 | 예 오해가 생기면 대화로 풀자. |
| | 근거 | 예 오해가 생겼을 때 서로 말을 하지 않으면 오해가 더 깊어져서 친구 사이가 멀어지기 때문입니다. |

# 단원 정리 학습

**회의의 절차와 참여자의 역할**

**1 회의가 필요한 까닭**

- 문제에 대한 좋은 해결 방법을 찾을 수 있습니다.
- 같이 해야 할 일을 결정할 수 있으며, 여러 사람의 의견을 들을 수 있습니다.

**2 회의의 절차**

| 개회 | 회의의 시작을 알린다. | ㉲ 제5회 학급 회의를 시작하겠습니다. |
|---|---|---|
| 주제 선정 | 회의 주제를 정한다. | ㉲ 학급의 생활 목표를 정함. |
| 주제 토의 | 선정된 주제에 맞는 의견을 제시한다. | ㉲ 정한 생활 목표에 알맞은 실천 내용을 정함. |
| 표결 | 찬성과 반대 의견을 헤아려 다수결로 결정한다. | ㉲ 실천 내용을 다수결로 결정함. |
| 결과 발표 | 결정된 의견을 발표한다. | ㉲ 회의 결과를 알려 줌. |
| 폐회 | 회의의 마침을 알린다. | ㉲ 이상으로 학급 회의를 마치겠습니다. |

**3 참여자의 역할**

| 사회자 | • 회의 절차를 안내한다. / • 말할 기회를 골고루 준다. |
|---|---|
| 회의 참여자 | • 의견을 발표한다. / • 다른 사람의 의견을 주의 깊게 듣는다. |
| 기록자 | • 회의가 열린 날짜와 장소를 기록한다. / • 회의 내용을 기록한다. |

**회의 주제에 맞는 말할 내용 쓰고, 회의 규칙 지키기**

**1 회의 주제에 맞게 말할 내용을 정하는 방법**

- 주제를 실천할 수 있는 여러 가지 의견을 떠올립니다.
- 근거가 적절한 의견을 선택합니다.
- 의견과 근거로 말할 내용을 정리합니다.
- 의견을 뒷받침할 수 있는 근거를 찾아봅니다.
- 의견이 여러 사람에게 의미가 있는지 따져 봅니다.

**2 회의에서 참여자들이 지켜야 할 규칙**

| 사회자 | • 말할 기회를 골고루 줍니다. | • 회의 절차를 안내합니다. |
|---|---|---|
| 회의 참여자 | • 친구가 의견을 말할 때 끼어들지 않고, 사회자의 허락을 얻어 말합니다. <br> • 자신의 의견만 옳다고 주장하지 않습니다. | • 다른 사람의 의견을 존중합니다. <br> • 알맞은 크기의 목소리로 말합니다. |
| 기록자 | • 중요한 내용을 요약해서 기록합니다. | • 회의 날짜와 시간, 장소를 기록합니다. |

# 단원 확인 평가

## 01 회의가 필요한 까닭을 두 가지 고르시오.
( , )

① 어떤 대상의 특징을 설명하기 위해서
② 여러 사람의 의견을 들어보기 위해서
③ 내 의견을 상대방에게 주장하기 위해서
④ 상대의 말에 반박할 근거를 찾기 위해서
⑤ 문제에 대한 좋은 해결 방법을 찾기 위해서

## [02~05] 다음의 회의 장면을 보고, 물음에 답하시오.

| | |
|---|---|
|  사회자 | 학교생활을 안전하게 하려면 실천해야 할 일이 무엇인지 발표해 주십시오.<br>이정수 친구가 의견을 발표해 주십시오. |
|  회의 참여자 3 | 안전 게시판을 만들면 좋겠습니다. 학교생활을 안전하게 하는 방법을 써 붙이면 안전사고를 예방할 수 있습니다. |
|  사회자 | 좋은 의견 고맙습니다. 다른 의견이 있으면 발표해 주십시오.<br>윤지호 친구가 의견을 발표해 주십시오. |
|  회의 참여자 4 | 모둠별로 안전 지킴이 활동을 하면 좋겠습니다. 사고를 예방할 수 있기 때문입니다. |
|  사회자 | 좋은 의견입니다. 다른 의견은 없습니까? |
|  회의 참여자 5 | 학교에서 위험한 행동을 했을 때 벌점을 받는 제도를 만들었으면 좋겠습니다. 벌점을 받지 않기 위해 행동을 조심하면 서로 피해 주는 일이 없을 것이기 때문입니다. |

## 02 이 회의 장면의 앞 부분에 와야 할 절차는 무엇입니까? ( )

① 개회 – 주제 선정
② 개회 – 표결 – 폐회
③ 주제 선정 – 결과 발표
④ 주제 토의 – 주제 선정
⑤ 국민의례 – 개회 – 결과 발표

## 03 회의 내용으로 보아 이 회의의 주제는 무엇입니까? ( )

① 학교생활을 안전하게 하자.
② 급식 시간에 조용히 하자.
③ 수업 시간에 떠들지 말자.
④ 화장실을 바르게 사용하자.
⑤ 학급 문고를 바르게 정리하자.

## 04 이 회의 장면에서 회의 참여자가 하는 일은 무엇입니까? ( )

① 회의 절차를 안내한다.
② 회의의 내용을 기록한다.
③ 발표할 사람을 정해 준다.
④ 주제에 대한 의견을 발표한다.
⑤ 회의의 시작과 마침을 알려 준다.

## 05 이 회의에서 사회자가 하는 일은 무엇인지 빈칸에 들어갈 알맞은 말에 ○표를 하시오.

회의를 진행하며,

(1) 말할 기회를 골고루 준다. ( )
(2) 의견을 결정한다. ( )

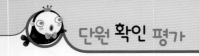

**06** 다음은 학급 회의의 절차 중 무엇에 해당합니까?
( )

| 사회자 | 이번 주 회의 주제는 "학교생활을 안전하게 하자."이고, 실천 내용은 "안전 게시판을 만들자."로 결정되었습니다. |
|---|---|

① 표결      ② 개회
③ 주제 선정      ④ 주제 토의
⑤ 결과 발표

**07** 학급 회의의 주제를 정할 때 고려해야 할 점이 아닌 것은 어느 것입니까? ( )

① 해결 방법이 아주 복잡한가?
② 친구들이 관심을 가지는가?
③ 학급에서 해결해야 할 문제인가?
④ 실천할 수 있는 해결 방법이 있는가?
⑤ 학급에서 공동으로 해결해야 하는가?

**08** <sup>서술형</sup> 다음과 같은 주제로 회의를 하려고 할 때, 주제에 맞는 말할 내용을 정리하여 쓰시오.

| 주제 | 친구들과 사이좋게 지내자. |
|---|---|
| (1) 의견 | |
| (2) 근거 | |

도움말 친구들과 사이좋게 지내는 방법과 그에 알맞은 근거를 생각하여 써 봅니다.

**09** 다음 회의 장면에서 회의 참여자 3이 잘못한 점은 무엇입니까? ( )

| 회의 참여자 2 | 친구들끼리 서로 별명을 부르지…….|
|---|---|
| 회의 참여자 3 | (중간에 말을 가로채며) 별명을 부르는 것은 서로 가깝기 때문입니다. 저는 함께 어울려 노는 것이…….|
| 회의 참여자 2 | 제 의견을 끝까지 들어 주시기 바랍니다. |

① 말끝을 흐리며 말하였다.
② 회의 주제에 어긋난 말을 하고 있다.
③ 발표자의 말에 무조건 찬성하고 있다.
④ 다른 사람이 말하는 중간에 끼어들었다.
⑤ 사회자의 말에 집중하지 않고 떠들고 있다.

**10** <sup>중요</sup> 회의에 참여하는 사람들이 지켜야 할 규칙이 아닌 것은 무엇입니까? ( )

① 사회자는 회의 절차를 안내해 준다.
② 회의 참여자는 알맞은 목소리로 발표한다.
③ 기록자는 중요한 내용을 요약해서 기록한다.
④ 회의 참여자는 다른 사람의 의견을 존중한다.
⑤ 회의 참여자는 자신의 의견만 옳다고 주장한다.

# 쉬어가기

## 꼭꼭 숨어라, 숨은 그림 찾기

놀이공원으로 놀러 간 친구들이 여러 가지 놀이기구를 재미있게 타고 있네요. 어떤 그림이 꼭 꼭 숨어 있는지 찾아보세요.

정답 당나귀, 책, 양말, 안경, 양, 숫자, 개구리

친구들이 책을 읽으면서 모르는 낱말이 나오자 국어사전을 찾아보네요. 국어사전에서 '행성'이란 낱말의 뜻을 확인하고, '행성'과 '천체' 사이의 관계도 알게 되었어요. 이제, 7단원에서는 사전에서 뜻을 찾아 낱말의 관계를 알아보고, 낱말의 뜻을 여러 가지 사전에서 찾아보며 글을 읽어 볼 거예요.

# 7 사전은 내 친구

## 단원 학습 목표

121~122쪽 단원 정리 학습에서 더 자세히 공부해 보세요.

1. 글에서 낱말의 뜻을 짐작해 보고 사전에서 뜻을 찾아 낱말의 관계를 알 수 있습니다.
   • 뜻이 비슷한 낱말이 있습니다.
   • 뜻이 반대인 낱말이 있습니다.
   • 포함 관계에 있는 낱말이 있습니다.

2. 여러 가지 사전에서 낱말의 뜻을 찾으며 글을 읽을 수 있습니다.
   • 스마트폰으로 인터넷 사전을 이용할 수 있습니다.
   • 컴퓨터에 저장된 사전을 이용할 수 있습니다.
   • 도서관에 가서 국어사전을 빌려 와 이용할 수 있습니다.

## 단원 진도 체크

| 회차 | | 학습 내용 | 진도 체크 |
|---|---|---|---|
| 1차 | 단원 열기 | 단원 학습 내용 미리 보고 목표 확인하기 | ✓ |
| | 교과서 내용 학습 | 글에서 낱말의 뜻 짐작하기 / 「최첨단 과학, 종이」 | ✓ |
| 2차 | 교과서 내용 학습 | 사전에서 뜻을 찾아 낱말의 관계 알기 / 「화성 탐사의 현재와 미래」 | ✓ |
| 3차 | 교과서 내용 학습 | 「동물 속에 인간이 보여요」 | ✓ |
| 4차 | 교과서 내용 학습 | 국어 활동 학습하기 | ✓ |
| | 교과서 문제 확인 | 교과서 문제 학습하며 학교 숙제 해결하기 | ✓ |
| 5차 | 단원 정리 학습 | 단원 학습 내용 정리하기 | ✓ |
| | 단원 확인 평가 | 확인 평가를 통한 단원 학습 상황 파악하기 | ✓ |

해당 부분을 공부하고 나서 ✓표를 하세요.

국어 196~198쪽 내용    학습 목표 ▶ 낱말의 뜻 짐작하기    국어 196~198쪽

**[01~02]** 다음 낱말을 보고, 물음에 답하시오.

| 벽지 | 접는다 | 창호지 |
| 묶어서 | 갱지 | 찢으면 |

**01** 이 낱말들을 형태가 바뀌는 낱말과 바뀌지 않는 낱말로 분류하여 쓰시오.

(1) 형태가 바뀌는 낱말:
( )

(2) 형태가 바뀌지 않는 낱말:
( )

**02** 이 낱말 중 국어사전에 세 번째로 실리는 낱말은 무엇인지 쓰시오.

( )

**03** (중요) 다음 파란색으로 쓴 낱말을 형태가 바뀌지 않는 부분과 바뀌는 부분으로 분류한 뒤 기본형을 쓰시오.

동생이 색종이로 꽃잎을 접는다. 누나는 색종이의 끝을 묶어서 꽃받침을 만든다. 엄마가 색종이를 찢으면 아빠는 꽃자루에 붙인다.

| 낱말 | 형태가 바뀌지 않는 부분 | 형태가 바뀌는 부분 | 기본형 |
|---|---|---|---|
| 접는다 | 접 | 는다 | 접다 |
| (1) 묶어서 | | | |
| (2) 찢으면 | | | |

**04** 다음 중 낱말의 기본형이 잘못된 것은 어느 것입니까? ( )

| | 낱말 | 형태가 바뀌지 않는 부분 | 기본형 |
|---|---|---|---|
| ① | 읽는, 읽으니, 읽어서, 읽고 | 읽 | 읽다 |
| ② | 밝아서, 밝고, 밝으니, 밝은 | 밝 | 밝다 |
| ③ | 달아나서, 달아나니, 달아나는, 달아나고 | 달 | 달다 |
| ④ | 잡아, 잡으니, 잡고, 잡을 | 잡 | 잡다 |
| ⑤ | 뽑는다, 뽑아서, 뽑으니, 뽑겠다 | 뽑 | 뽑다 |

**[05~06]** 다음 글을 읽고, 물음에 답하시오.

나는 한지 공예를 좋아합니다. 한지를 ㉠작은 모양으로 잘라서 색깔을 맞추어 ㉡붙여 아름다운 그릇을 만듭니다. 내가 만든 작품을 보고 있으면 기분이 좋습니다.

**05** ㉠의 형태가 바뀌지 않는 부분에 ○표를 하시오.

(1) 작 ( )
(2) 작으 ( )
(3) 작은 ( )

**06** ㉡의 기본형을 쓰시오.

( )

### 최첨단 과학, 종이

**학습 목표** ▶ 글에서 낱말의 뜻 짐작하기

- **글의 종류:** 설명하는 글
- **글쓴이:** 김해보, 정원선

- **글의 특징:** 컴퓨터 사용이 늘어났지만 종이 소비가 증가한 까닭 과 최첨단 과학 기술로 개발되고 있는 종이를 설명하는 글입니다.

**중심 내용** 컴퓨터가 보급되면서 종이 사용이 줄어들 것이라는 예상과 달리 오 히려 종이 소비량은 늘고 있습니다.

**1** 최근, 컴퓨터는 사용이 일반화되어 생활필수품이 되었습니다. 처음 컴퓨터가 **보급되기** 시작할 때 많은 사람이 종이 사용이 점점 줄어들 것이라고 예상했습 니다. <u>컴퓨터가 보급되기 시작할 때 사람들의 예상</u> 컴퓨터의 모니터가 종이를 대신할 것으로 여겨 던 것이지요. ㉠그러나 그 예상과는 반대로 종이 소 비량은 오히려 점점 더 늘고 있습니다. 왜냐하면 『모니 터로 보는 것보다 종이에 인쇄하여 보는 것이 익숙하 기 때문입니다. 또한 종이책은 전자책과는 다른 특유 의 **질감**에서 오는 매력이 있기 때문이죠.』 『 』: 종이 소비가 늘어난 까닭

**낱말 사전**

**보급되기** 널리 펴져서 많은 사람에게 골고루 미치게 되어 누리게 되기.
**질감(質** 바탕 질, **感** 느낄 감) 재료의 차이에서 받는 느낌.
예 이 가구는 나무의 질감이 그대로 살아있습니다.

**중심 내용** 종이는 다양한 종류와 품질을 가진 것으로 개발되고 발전되었고, 앞 으로도 새롭게 만들어 사용될 것입니다.

**2** 종이는 정보를 전달하는 **매체**로, 물건을 포장하는 <u>종이의 용도</u> 재료로, 기타 여러 가지 **용도**로 쓰입니다. 종이가 가 반 무겁고 볍고, ★**값싸고**, 비교적 질기고, 위생적이기 때문입니 반 비싸고 반 비위생적 다. 이와 같이 종이는 많은 장점이 있어 생활에 많이 활용되고 있습니다. 그래서 종이는 다양한 종류와 품 질을 가진 것으로 개발되고 발전되었습니다. 앞으로 도 우리는 계속 종이를 새롭게 만들어 사용할 것입니다. 앞으로의 전망

★ 바르게 읽기

| [갑싸고] | [갑사고] |
|---|---|
| ( ○ ) | ( × ) |

**매체** 어떤 작용을 한쪽에서 다른 쪽으로 전달하는 물체. 또는 그런 수단.
**용도(用** 쓸 용, **途** 길 도) 쓰이는 곳.
예 이 물건의 용도는 무엇입니까?

---

**07** 이 글에서 설명한 내용으로 알맞은 것에 모두 ○표를 하시오.

(1) 종이로 물건을 포장할 수 있다. ( )
(2) 더 이상 새로운 종이는 만들어지지 않을 것이다. ( )
(3) 컴퓨터가 보급되기 시작하면서 종이 사용 이 점점 줄어들었다. ( )
(4) 컴퓨터가 보급되기 시작하면서 종이 사용 이 오히려 늘어났다. ( )

**08** ㉠의 까닭을 두 가지 고르시오. ( , )

① 새롭고 신기해서
② 종이에 인쇄하여 보는 것이 익숙해서
③ 컴퓨터가 각 가정에는 보급되지 않아서
④ 종이 특유의 질감에서 오는 매력이 있어서
⑤ 숲이 늘어나고 사람들이 나무를 많이 심어서

**중요 09** 종이의 장점이 아닌 것은 무엇입니까? ( )

① 가볍다.
② 값이 싸다.
③ 위생적이다.
④ 비교적 질기다.
⑤ 한 번 사서 계속 쓸 수 있다.

**서술형 10** 이와 같은 글을 읽을 때 모르는 낱말이 나오면 어 떻게 해결하는지 자신의 방법을 쓰시오.

_____

_____

_____

**도움말** 글을 읽다 모르는 낱말이 나오면 어떤 방법으로 해결했 는지 떠올려 봅니다.

**중심 내용** 축광지, 온도 감응 종이, 전자 종이 등 최첨단 과학 기술로 만들어진 새로운 종이들이 있습니다.

❸ 새롭게 개발되고 있는 종이 중에 **최첨단** 과학 기술로 만들어지는 것들이 있습니다. 그중 몇 가지를 예로 들어 보겠습니다. 첫째는 밝을 때 빛을 저장해 두었다가 어두울 때 스스로 빛을 내는 ㉠축광지입니다. 둘째는 종이에 인쇄되거나 쓴 내용이 복사가 안 되는 종이입니다. 셋째는 기록한 지 한 시간 뒤에는 자동으로 그 내용이 없어져서 ㉡극비 문서로 사용되는 종이입니다. 이런 종이들은 공상 과학 영화에서나 볼 수 있었던 것들이지요.
축광지, 복사가 안 되는 종이, 자동으로 내용이 없어지는 종이

주변에서 볼 수 있는 첨단 종이로는 온도에 따라 색깔이 변하는 온도 **감응** 종이, 과일의 신선도는 유지하고 벌레나 세균은 생기지 않도록 하는 포장지가 있습니다. 신용 카드 영수증처럼 앞 장에 글씨를 쓰면 뒷장
온도 감응 종이의 기능

까지 글씨가 적히도록 하는 종이도 있습니다. 이런 특수 기능 종이들은 이미 우리 주위에서도 많이 사용되고 있답니다.

더욱 놀라운 것은, 전자 신호를 이용해 **원격**으로 스스로 인쇄를 하고, 지면의 인쇄 내용을 완전히 바꿀 수 있는 '전자 종이'가 등장했다는 것입니다. 느낌은 종이와 같은데 컴퓨터 모니터처럼 언제든지 새로운 신호를 보내면 완전히 다른 내용으로 인쇄할 수도 있고, 멀리서 무선 신호로 내용을 바꿀 수 있습니다. 이것이 **상용화**되면 『전자 종이로 된 신문이 한 장만 있으면, 매일 아침 새로운 기사들을 받아서 즉석에서 인쇄해서 보고, 다음 날도 똑같은 신문에 새로운 내용을 받아서 볼 수 있을 거예요.』
전자 종이의 뜻 / 일반 종이와 같은 점 / 일반 종이와 다른 점 / 상용화: 전자 종이
『 』: 전자 종이가 상용화되면 일어날 수 있는 일

★ 바르게 읽기

| [비출] | [비슬] |
|---|---|
| ( ○ ) | ( × ) |

**낱말 사전**

**최첨단** 시대나 유행의 맨 앞.
**감응(感 느낄 감, 應 응할 응)** 전기장이나 자기장 속에 있는 물체가 그 전기장이나 자기장, 즉 전기·빛·열 따위의 영향을 받아 전기나 자기를 띠게 된다.

**원격(遠 멀 원, 隔 사이뜰 격)** 멀리 떨어져 있음.
㉞ 이 장난감 자동차는 원격으로 조정하여 움직일 수 있습니다.
**상용화(常 항상 상, 用 쓸 용, 化 될 화)** 일상적으로 쓰게 됨. 즐겨 쓰게 됨. ㉞ 새로 발명한 물건이 상용화되려면 시간이 좀 걸립니다.

---

**11** ㉠의 뜻을 이 글에서 찾아 쓰시오.

(                    ) 종이

**서술형 12** ㉡의 뜻을 짐작하고, 그렇게 짐작한 까닭과 함께 쓰시오.

(1) 짐작한 뜻: _____

(2) 그렇게 짐작한 까닭: _____

_____

**도움말** 앞뒤의 문장이나 낱말을 살펴보고, 비슷하거나 반대되는 뜻의 낱말을 넣어 보거나, 낱말이 사용된 상황을 떠올려 보며 낱말의 뜻을 짐작해 봅니다.

**13** 최첨단 과학 기술로 만들어지는 종이가 아닌 것은 무엇입니까? (      )

① 갱지　　　　　② 온도 감응 종이
③ 축광지　　　　④ 복사가 안 되는 종이
⑤ 극비 문서로 사용되는 종이

**중요 14** 이와 같은 글을 읽을 때 낱말의 뜻을 짐작하는 방법이 아닌 것은 무엇입니까? (      )

① 내 마음대로 상상하여 짐작한다.
② 낱말을 쪼개어 뜻을 짐작해 본다.
③ 앞뒤의 문장이나 낱말을 살펴본다.
④ 낱말이 사용된 상황을 떠올려 본다.
⑤ 비슷하거나 반대되는 뜻의 낱말을 넣어 본다.

**15** 다음 낱말은 어떤 관계에 있는지 알맞은 말에 ○ 표를 하시오.

> 가다    오다

뜻이 ( 비슷한 , 반대인 ) 관계

**16** 다음 두 낱말의 관계로 알맞은 것은 무엇입니까?
( )

> 책    동화책

① 뜻이 같은 관계
② 뜻이 반대인 관계
③ 뜻이 비슷한 관계
④ 한 낱말이 다른 낱말을 포함하는 관계
⑤ 두 낱말 모두 다른 낱말에 포함되는 관계

**17** 다음 낱말을 사전에서 찾아보았습니다. 뜻이 반대인 낱말이 아닌 것은 무엇입니까? ( )

| 낱말 | 사전에 찾은 뜻 |
|------|----------------|
| 침침해서 | 눈이 어두워 물건이 똑똑히 보이지 아니하고 흐릿하다. |

① 밝다
② 환하다
③ 선명하다
④ 또렷하다
⑤ 흐릿하다

**18** 다음 낱말에 포함되는 낱말이 아닌 것은 무엇입니까? ( )

> 요일

① 월요일
② 화요일
③ 공휴일
④ 목요일
⑤ 일요일

[19~20] 다음 보기 의 낱말을 보고, 물음에 답하시오.

보기
> 뛰다, 높다, 헤엄치다, 낮다, 움직이다, 날다

**19** 다음 관계에 해당하는 낱말을 보기 에서 골라 쓰시오.

( ) ↔ ( )

**중요**
**20** 다음 관계에 해당하는 낱말을 보기 에서 골라 쓰시오.

(1)

날다    (2)    (3)

## 화성 탐사의 현재와 미래

- 글의 종류: 설명하는 글
- 글의 특징: 과거와 현재 이루어진 화성 탐사 내용과 미래에 화성에서 사람이 살아가는 데 필요한 산소와 자원을 계속해서 탐색할 예정임을 설명하는 글입니다.

**중심 내용** 1976년 바이킹 우주선에 의하면 화성 표면은 삭막하지만 강줄기가 마른 것처럼 보이는 곳과 북극에는 얼음처럼 하얗게 보이는 부분도 있었습니다.

1 화성은 **중세** 이전에도 하늘을 ⊙관측하던 과학자들에게 매우 중요한 천체였다. 화성은 밝게 빛나는 붉은 천체이기에 많은 관심의 대상이 되었다. 1976년 미국의 바이킹 우주선이 화성에 착륙해 표면의 모습을 지구에 알려 주었다. 화성의 표면은 **삭막하지만** 군데군데 강줄기가 마른 것처럼 보이는 곳도 있었고, 북극에는 두꺼운 얼음처럼 하얗게 보이는 부분도 있었다.

바이킹 우주선이 알려 준 화성의 모습

**중심 내용** 1997년 보내온 화성 탐사선의 사진을 보면 화성에는 고원 지대, 협곡, 분지 지형, 화산 지형이 있으며, 화성 표면에 물이 흘렀음을 알 수 있습니다.

2 그 뒤 1997년 미국의 화성 탐사선 마스 글로벌 서베이어는 화성의 **궤도**에 진입해 화성 표면의 상세한 모습을 사진으로 찍어 지구로 보내 주었다. 이 사진에는 높이 ★솟은 고원 지대도 있고, 길게 뻗어 있는 좁은 ⊙협곡도 있었다. 또 거대한 **운석**이 충돌해 만들어진 ⓒ분지 지형도 있었으며, 태양계 행성 가운데 가장 거대한 화산 지형도 있었다. 같은 해 마스 패스파인더는 화성 표면에 착륙해 강줄기처럼 보이는 부분에서 화성 암석을 조사했다. 그 결과 화성에서 강물의 **침식**과 ⓔ퇴적 작용이 있었음을 확인했다. 이러한 증거들은 아주 오래전에 화성 표면에 물이 흘렀음을 말해 준다.

화성 암석에 침식과 퇴적 작용이 있었다는 증거들

★ 바르게 쓰기

| 솟은 | 솓은 |
|---|---|
| ( ○ ) | ( × ) |

### 낱말 사전

**중세**(中 가운데 중, 世 대 세) 역사의 시대 구분의 하나로, 고대에 이어 근대에 앞서는 시기.

**삭막하지만** 쓸쓸하고 막막하지만.

**궤도**(軌 길 궤, 道 길 도) 행성, 혜성, 인공위성 따위가 중력의 영향을 받아 다른 천체의 둘레를 돌면서 그리는 곡선의 길.

**운석** 대기 중에 돌입한 유성이 다 타버리지 않고 땅에 떨어진 것.

**침식** 비, 하천, 빙하, 바람 따위의 자연 현상이 지표를 깎는 일.

---

**21** 화성의 모습에 대한 설명으로 알맞지 <u>않은</u> 것은 무엇입니까? (　　　)

① 푸른 바다가 있다.
② 화성의 표면은 삭막하다.
③ 밝게 빛나는 붉은 별이다.
④ 군데군데 강줄기가 마른 것처럼 보이는 곳이 있다.
⑤ 북극에는 두꺼운 얼음처럼 하얗게 보이는 부분이 있다.

**22** 마스 글로벌 서베이어가 보내온 화성의 지형 모습 사진과 거리가 <u>먼</u> 것은 무엇입니까? (　　　)

① 협곡　　　② 고원 지대
③ 분지 지형　④ 화산 지형
⑤ 거대한 호수

**23** ⊙~ⓔ을 국어사전에서 찾으려고 합니다. 낱말이 사전에 실리는 순서대로 기호를 쓰시오.

(　　　) → (　　　) → (　　　) → (　　　)

**중요 24** 다음은 ⊙~ⓔ을 국어사전에서 찾은 뜻입니다. 낱말과 그 낱말의 뜻을 알맞게 선으로 이으시오.

(1) ⓒ ・　　　・① 험하고 좁은 골짜기.

(2) ⓒ ・　　　・② 높은 지형으로 둘러싸인 평지.

(3) ⓔ ・　　　・③ 자갈, 모래 등이 물, 바람 등에 의하여 운반되어 쌓인 현상.

**중심내용** 2004년에 미국의 화성 탐사선이 조사한 바에 따르면 화성 표면에서 오랜 시간 물이 있다가 증발하는 과정이 반복되었다는 것을 알 수 있습니다.

③ 화성에 물이 있는지는 과학자들은 물론 일반인들도 관심이 많다. 물이 있다는 것은 ㉠화성인 또는 **외계인**까지는 아니더라도 생명체가 있을 수 있다는 것을 뜻
<u>물이 있다는 것의 의미</u>
하기 때문이다. 2004년에 미국의 쌍둥이 화성 로봇 탐사선인 스피릿 로버와 오퍼튜니티 로버가 서로 화성 반대편에 착륙했다. 이들 탐사선은 물의 영향을 받은 **암
석**을 발견했다. 이 암석들은 물속과 물 밖의 환경이 번갈아 바뀌는 곳에서 만들어
<u>화성 탐사선이 발견한 암석</u>
진 것이다. 이것은 화성 표면에서 오랜 시간에 걸쳐 물이 있다가 증발하는 과정이 반복되었다는 것을 알려 준다.

**중심내용** 2012년 큐리오시티는 화성 표면 바로 아래에 있는 얼음을 발견했습니다.

④ 미국의 화성 탐사선인 큐리오시티는 2012년에 화성의 적도 부근에 착륙했다.
이 탐사선은 화성 표면 바로 아래에 있는 얼음을 발견했다.
<u>큐리오시티가 발견한 것</u>                         반 이륙

**중심내용** 미국은 2030년까지 사람들이 화성을 여행할 수 있도록 준비를 하고 있으며, 사람이 화성에서 살아가는 데 필요한 산소와 자원을 탐색할 예정입니다.

⑤ 미국은 2030년까지 사람들이 화성을 여행할 수 있도록 준비를 하고 있다. 큐리오시티는 이 연구 과제의 준비 단계로서 화성에서 사람들이 사는 데 필요한 정
<u>사람들이 화성을 여행할 수 있도록 하는 연구 과제</u>
보를 모으고 있다. 미국은 현재 화성 여행을 위해 마스 2020 로버를 준비하고 있으며, 이 탐사선은 화성에서 사람이 살아가는 데 필요한 산소와 자원을 **조사할** 예정이다.

■ 사전의 여러 가지 이용 방법
• 스마트폰으로 인터넷 사전을 이용할 수 있습니다.
• 컴퓨터에 있는 사전을 이용할 수 있습니다.
• 도서관에 가서 국어사전을 빌려 와 이용할 수 있습니다.

**낱말 사전**
**외계인** 공상 과학 소설 따위에서 지구 이외의 천체에 존재한다고 생각되는 지적인 생명체.
**암석(巖 바위 암, 石 돌 석)** 지각을 구성하고 있는 단단한 물질.
**조사(調 고를 조, 査 조사할 사)할** 사물의 내용을 명확히 알기 위하여 자세히 살펴보거나 찾아봄.
예 오늘 밤, 옥상에 올라가 별자리의 변화를 조사할 예정입니다.

**25** 화성에서 발견된 물의 영향을 받은 암석을 통해 알 수 있는 사실에 ○표를 하시오.

(1) 화성에 외계인이 살았고, 문명을 발전시켰음. ( )

(2) 화성 표면에서 오랜 시간에 걸쳐 물이 있다가 증발하는 과정이 반복되었음. ( )

**26** 큐리오시티는 화성에서 어떤 정보를 모으고 있습니까? ( )

① 화성의 과거 모습에 관한 정보
② 화성에서 보이는 별자리에 관한 정보
③ 화성에 살고 있는 생명체에 관한 정보
④ 화성에서 사람들이 사는 데 필요한 정보
⑤ 화성에서 보이는 지구의 모습에 대한 정보

**27** ㉠을 포함하는 낱말을 이 글에서 찾아 쓰시오.

( )

**28** <sup>중요</sup> 이 글을 읽다 모르는 낱말이 나왔을 때 여러 가지 사전을 이용하는 방법을 바르게 말하지 <u>못한</u> 친구의 이름을 쓰시오.

하린: 도서관에서 국어사전을 빌려 와 찾아보면 돼.
건우: 속담 사전을 이용해 모르는 낱말을 찾으면 편리해.
동휘: 스마트폰으로 인터넷 사전을 이용하여 모르는 낱말의 뜻을 찾을 수 있어.

( )

# 동물 속에 인간이 보여요

**학습 목표 ▶** 낱말의 뜻을 사전에서 찾으며 글 읽기

- **글의 종류:** 주장하는 글
- **글쓴이:** 최재천
- **글의 특징:** 인간은 동물과 다른 특별한 존재가 아니라, 지구의 막내일 뿐이며, 인간에게만 있다고 여겼던 능력이나 감정이 다른 동물에게서 발견되는 경우가 많으니 인간은 생명 앞에서 고맙고 겸손한 마음을 가져야 한다고 주장하는 글입니다.

---

**중심 내용** 인간은 자신을 동물과 다르다 생각하지만 인간만이 특별한 생명체는 아닙니다.

**1** 인간은 종종 자신을 동물과 다르다고 생각합니다. 다를 뿐만 아니라 여러 면에서 동물보다 훨씬 뛰어나고 특별하다고 여기지요. 이런 눈으로 세상을 보면 인
〔인간이 동물보다 뛰어나고 특별하다는 관점〕
간 외의 다른 생명은 작고 ⊙**하찮게** 생각돼요. 우리가 사는 지구도 마치 인간을 위해 생겨난 것처럼 잘못 생각할 수도 있고요. 지구의 주인은 인간이 아니고, 인간만이 특별한 생명체도 아니랍니다. 왜 그런지 볼까요?
〔글쓴이의 주장〕

**중심 내용** 인간은 엄연히 동물에 속하며, 지구의 막내라고 할 수 있습니다.

**2** 인간은 **엄연히** 동물에 속하지요. 그것도 새끼를 일정 기간 몸속에서 키워 내보낸
〔포유동물에 대한 설명〕
뒤 젖을 먹여 키우는 포유동물

★ 바르게 읽기

| [저즐] | [저슬] |
|:---:|:---:|
| ( ○ ) | ( × ) |

이에요. 새끼를 갖고 키우는 방식에서 인간은 돼지나 개, 고양이와 다를 바 없어요. 그뿐인가요? 인간의 조
〔포유동물의 예〕
상이 지구에 처음으로 나타난 때가 지금으로부터 20~25만 년 전이에요. 지구의 나이가 46억 년, 생명이 처음 생겨나 오늘에 이르기까지 40억 년쯤 되었으니 인간은 지구에서 아주 짧은 시간을 살아온 셈이에요. 그에 비하면 바퀴벌레, 까치, 돼지는 인간보다 훨
〔인간이 아주 짧은 시간을 산 것에 비하면〕
씬 오랫동안 지구촌 주민으로 살아왔어요.

자연계에도 어른을 **공경하는** 문화가 있다면 지금 인간에게 무시당하고 고통받는 많은 동물의 마음은 나이 지긋한 어른이 한참 어린 아이에게 험한 욕을 듣고
〔인간에게 무시당하는 많은 동물〕 〔인간〕
흠씬 두들겨 맞았을 때의 느낌과 비슷할 거예요.

---

**낱말 사전**

**하찮게** 그다지 훌륭하지 않게, 대수롭지 않게.
예 사람의 생명을 하찮게 여겨서는 안 됩니다.

**엄연히** 어떠한 사실이나 현상이 부인할 수 없을 만큼 뚜렷이.
**공경(恭 공손할 공, 敬 공경 경)하는** 공손히 받들어 모시는.

---

**29** 이 글에서 설명하는 것과 같은 내용에 모두 ○표를 하시오.

(1) 지구의 주인은 인간이다. ( )

(2) 인간은 동물에 속하지 않는다. ( )

(3) 인간은 자신을 동물보다 훨씬 뛰어나고 특별하다고 여긴다. ( )

(4) 다른 동물에 비하면 인간은 지구에서 아주 짧은 시간을 살아 왔다. ( )

**30** 인간의 조상이 지구에 처음 나타난 때는 언제인지 쓰시오.

( )

**31** ⊙과 뜻이 반대인 낱말이 <u>아닌</u> 것은 무엇입니까?

( )

① 중요하다
② 대단하다
③ 훌륭하다
④ 특별하다
⑤ 볼품없다

**32** 다음 낱말들을 포함하는 낱말을 이 글에서 찾아 빈칸에 네 글자로 쓰시오.

| 돼지 | 개 | 고양이 |

㉠인간은 지구의 **막내**예요. 최초의 생명이 수십억 년에 걸쳐 다양하게 가지를 뻗으며 **진화하는** 과정에서 우연히 생겨난 생물의 한 종일 뿐이지요.
<sub>인간</sub>

**중심 내용** 인간에게만 있다고 여겼던 능력이나 감정이 다른 동물에게서도 발견되는 경우가 많습니다.

❸ 지구의 막내이지만 인간은 지능이 높고 다른 동물보다 뛰어난 점이 분명 있어요. 하지만 인간에게만 있다고 여겼던 능력이 다른 동물에게서 발견되는 경우도 많아요. 예를 들어 언어는 인간만이 가진 능력이라고
<sub>인간만이 가졌다고 생각한 능력</sub>
생각했는데, 꿀벌에게도 언어가 있다는 것이 밝혀졌어요. 인간은 말과 글을 사용하지만 꿀벌은 춤을 이용한
<sub>꿀벌이 사용하는 언어</sub>

다는 것만 다를 뿐이에요.

흔히 인간에게만 있다고 잘못 생각하는 게 또 있어요. 바로 아름답고 훌륭한 ㉡감정이에요. 우리는 다른
<sub>인간에게만 있다고 잘못 생각하는 것</sub>
사람의 아픔과 슬픔을 내 일처럼 여기는 따뜻한 마음을 높이 쳐주고 본받고 싶어 하지요. 또 나만 생각하는 **이기심**을 넘어서 남을 돌볼 줄 아는 마음을 동물과 인
<sub>'이기심'을 설명하는 말</sub>   <sub>동물과 인간을 가르는 기준</sub>
간을 가르는 기준으로 삼기도 해요. 하지만 동물의 세계에서도 그처럼 아름다운 마음을 볼 수 있답니다.

★ 바르게 읽기

| [망내] | [막내] |
|---|---|
| ( ○ ) | ( × ) |

★ 바르게 쓰기

| 뿐이에요 | 뿐이예요 |
|---|---|
| ( ○ ) | ( × ) |

**낱말 사전**

**막내** 여러 형제, 자매 중에서 맨 나중에 난 사람.
**진화하는** 생물이 생명의 기원 이후부터 점진적으로 변해 가는.
㉑ 나는 달팽이가 어떻게 진화했는지 공부해 보고 싶습니다.

**이기심(利** 이로울 이, **己** 자기 기, **心** 마음 심**)** 자기 자신의 이익만을 꾀하는 마음.
㉑ 좋은 것을 다 차지하려는 친구의 이기심에 화가 났습니다.

**33** ㉠의 까닭으로 알맞은 것에 ○표를 하시오.

(1) 인간은 다른 동물보다 몸집이 작고 연약하기 때문에 ( )
(2) 인간은 동물보다 훨씬 뛰어나고 특별해서 사랑받는 존재이기 때문에 ( )
(3) 인간은 최초의 생명이 오랜 세월 다양하게 가지를 뻗으며 진화하는 과정에서 우연히 생겨난 생물의 한 종일 뿐이기 때문에 ( )

**서술형 34** 인간과 꿀벌의 공통점과 차이점을 이 글에서 찾아 정리하여 쓰시오.

(1) 공통점: _____
(2) 차이점: _____
_____
_____

**도움말** 글에서 꿀벌과 인간을 비교한 부분을 찾아 공통점과 차이점을 정리해 봅니다.

**중요 35** 이 글에 나오는 다음 낱말 중 ㉡에 포함되는 낱말을 두 가지 고르시오. ( , )

① 능력        ② 아픔
③ 지능        ④ 언어
⑤ 슬픔

**36** 이 글에서 예를 든, 인간에게만 있다고 생각했지만 다른 동물에게도 발견되는 특성을 두 가지 고르시오. ( , )

① 언어
② 과학 기술
③ 불을 다루는 능력
④ 아름답고 훌륭한 감정
⑤ 복잡한 계산을 할 수 있는 능력

**중심내용** 고래는 몸이 불편한 동료를 돕고 괴로워하는 친구 곁에 함께 있어 주기도 합니다.

**4** 고래는 몸이 불편한 **동료**를 결코 나 몰라라 하지
반드시 돕습니다.
않아요. 다친 동료가 있으면 여러 마리가 둘러싸고 거
다친 동료가 숨을 쉴 수 있도록
의 들어 올리듯 떠받치며 보살핍니다. 고래는 물에서
살지만 물 위로 몸을 내밀어 허파로 숨을 쉬어야 하는
폐
포유동물이에요. 그래서 다친 동료가 있으면 기운을
인간과 고래 등이 포함됨.
차릴 때까지 숨을 쉴 수 있도록 이런 식으로 도와준답
니다. 고래는 그물에 걸린 친구를 구하기 위해 그물을
물어뜯는가 하면, 다친 동료와 고래잡이배 사이에 용
감하게 뛰어들어 사냥을 방해하기도 합니다. 때로는
무언가로 괴로워하는 친구 곁에 그냥 오랫동안 함께
있어 주기도 하고요. 이야기만 들어도 마음이 **훈훈해**
따뜻해지지요
**지지요?**

**낱말 사전**

**동료** 같은 직장이나 같은 부문에서 함께 일하는 사람.
**훈훈해지지요** 마음을 부드럽게 녹여 주는 따스함이 생기지요.

**중심내용** 침팬지는 가까운 이의 죽음을 슬퍼합니다.

**5** 그렇게 몸과 마음을 다해 부모와 형제, 친구를 지
자식
켜 주려 해도 어쩔 수 없이 떠나보내야 하는 경우가
죽음을 맞이하는 경우
있지요. 그럴 때 인간은 깊은 슬픔에 잠겨 **서럽게** 웁
죽음을 맞이한 인간의 행동
니다. 슬픔이 너무 크면 오랫동안 괴로워하다 몸을 **상**
**하기도** 하지요. 다른 동물은 어떨까요? 가까운 이의
죽음을 슬퍼하는 건 다른 동물도 마찬가지예요.
포유류, 파충류, 양서류 등이 포함됨.
제인 구달 박사는 어미의 죽음을 슬퍼하다 숨을 거
침팬지의 행동 연구 분야에 대한 세계 최고 권위자
둔 어린 침팬지 이야기를 들려주었어요. 슬픔이 얼마
나 컸으면 아무것도 먹지 못하고 어미 곁을 지키다 숨
을 거두었을까요. 구달 박사는 어미 침팬지가 축 늘어
진 자식의 시체를 차마 버리지 못하고 품에 안고 다니
는 모습 또한 ㉠종종 보았답니다.

**서럽게** 원통하고 슬프게.
**상하기도** 몸이 여위어 축이 나기도.

**37** 이 글에서 '동료'와 뜻이 비슷하게 쓰인 낱말을 찾
아 쓰시오.

( )

**38** 고래와 침팬지의 예를 통해 알게 된 사실을 바르
게 말한 친구의 이름을 쓰시오.

지우: 동물들도 인간만큼이나 지능이 높다는 것
을 알게 되었어.
진혁: 동물들도 인간처럼 아름다운 마음을 가졌
다는 걸 알게 되었어.
예담: 동물들도 인간과 같이 진화하는 과정에서
우연히 생겨난 생물이라는 것을 알게 되었어.

( )

**39** ㉠과 바꾸어 써도 뜻이 통하는 낱말은 무엇입니
까? ( )

① 늘  ② 곧  ③ 가끔
④ 항상  ⑤ 전혀

**40** 다음은 어떤 관계에 있는 낱말인지 알맞게 선으로 이으시오.

(1) 삶 / 죽음 • • ① 뜻이 반대인 관계

(2) 동물 / 고래 • • ② 한 낱말이 다른 낱말을 포함하는 관계

**중심내용** 코끼리는 죽은 이를 그리워하며 특이한 방식으로 죽은 이를 기억합니다.

6 죽음을 슬퍼하는 침팬지의 모습이 인간을 닮았다면, 코끼리의 경우는 죽은 이를 기억하는 방식이 좀 특이합니다. <u>코끼리는 다른 동물의 뼈에는 아무런 관심</u>
<u>훨씬 다릅니다.</u>
<u>이 없지만 코끼리의 뼈를 발견하면 큰 관심을 보입니</u>
<u>다. 긴 코로 뼈 냄새를 맡아 보기도 하고, 뼈를 이리저</u>
코끼리가 죽은 이를 기억하는 방식
<u>리 굴려 보기도 하지요. 때로는 오랫동안 들고 다니기</u>
<u>도 합니다.</u> 뼈를 보고 죽은 어미를 떠올리기 때문이에요. 코끼리는 늘 신선한 물과 풀을 찾아다니는데, 도중에 어미의 머리뼈가 놓여 있는 곳에 들러 한참 동안 그 뼈를 굴리며 시간을 보내곤 합니다. 눈물도 한숨도 없지만, 코끼리가 죽은 어미를 얼마나 그리워하는지 가슴 깊이 느낄 수 있지요.

**중심내용** 동물의 세계를 들여다보면 볼수록 그 속에 자꾸 인간의 모습이 보입니다.

7 인간은 동물과 다르다고 자꾸 <u>선을 그으려 하지만,</u>
구분하려 하지만
동물의 세계를 들여다보면 볼수록 그 속에 자꾸 <u>인간</u>
<u>의 모습이 보입니다.</u> 인간만이 가지고 있다고 내세우
인간과 닮은 점이 보입니다.

**낱말 사전**

---

**멸종(滅 멸망할 멸, 種 씨 종)** 생물의 한 종류가 아주 없어짐. 또는 생물의 한 종류를 아주 없애 버림.

는 능력이 동물에게서 발견되는 것만 봐도 알 수 있지요. 물론 인간이 참으로 대단한 동물인 것은 사실이에요. 하지만 그 대단함은 인간이 혼자 스스로 만들어 낸 것이 아니에요.

**중심내용** 인간은 생명 앞에서 우쭐할 게 아니라 고맙고 겸손한 마음을 가져야 합니다.

8 그 옛날 바닷속에서 처음으로 생겨난 생명은 숱한 ㉠**멸종**의 위기를 넘기고 **다채로운** 모습으로 살아남아 생명의 기운이 가득한 아름답고 풍성한 지구를 이루었어요. 아주 작은 세균부터 이끼와 풀, 나무, 온갖 새와 벌레와 물고기, 원숭이 들에 이르기까지 지구에서 귀하지 않은 생명은 없어요. 인간은 그처럼 수많은 생명이 닦아 놓은 길 위를 걷고 있는 거예요. 그러니 <u>생명</u>
<u>앞에서 우쭐할 게 아니라 고맙고 겸손한 마음을 가져</u>
글쓴이의 주장
<u>야겠지요?</u>

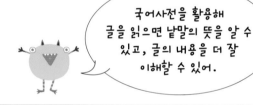

국어사전을 활용해 글을 읽으면 낱말의 뜻을 알 수 있고, 글의 내용을 더 잘 이해할 수 있어.

**다채로운** 여러 가지 색채나 형태, 종류 따위가 한데 어울리어 호화스러운. 예 어린이날을 맞아 학교에서는 다채로운 행사가 열립니다.

---

**41** 코끼리는 어떤 방식으로 죽은 이를 기억합니까?
( )

① 크게 울며 한숨을 쉰다.
② 죽은 이가 내던 소리를 흉내 낸다.
③ 죽은 이의 뼈를 땅에 묻고 돌을 쌓아 둔다.
④ 아무것도 먹지 않고 죽은 이의 곁을 지킨다.
⑤ 코끼리의 뼈를 보면 큰 관심을 보이며 한참 동안 뼈를 굴리며 시간을 보내곤 한다.

**서술형**
**42** ㉠을 넣어 짧은 문장을 만들어 쓰시오.

_____

**도움말** 먼저 '멸종'의 뜻이 무엇인지 파악합니다.

**43** 글쓴이는 우리가 생명 앞에서 어떠한 마음을 가져야 한다고 했는지 쓰시오.

( )

**중요**

**44** 이 글을 읽을 때 국어사전을 활용해 읽으면 좋은 점을 두 가지 고르시오. ( , )

① 낱말의 뜻을 알 수 있다.
② 글을 읽는 데 시간이 적게 걸린다.
③ 글의 내용을 더 잘 이해할 수 있다.
④ 국어사전의 내용을 더 잘 요약할 수 있다.
⑤ 내 생각과 글쓴이의 생각을 비교할 수 있다.

## 올바른 띄어쓰기

■ 올바른 띄어쓰기를 생각해 보기

| 이해를 하다 | ➡ | 이해 하다? 이해하다? |
| 이해가 되다 | ➡ | 이해 되다? 이해되다? |
| 이해를 시키다 | ➡ | 이해 시키다? 이해시키다? |

'공부를 하다'가 '공부하다'로 되듯이 낱말과 낱말이 만나 하나의 낱말이 될 때가 있습니다. 그럴 때에는 붙여 써야 합니다.

 낱말과 낱말이 만나 하나의 낱말이 될 때에는 띄어 쓰지 않고 붙여 씁니다.

■ 파란색으로 쓰인 부분의 띄어쓰기를 바르게 써 보기

지우개를 사용 해서 글자를 지워요.

( 사용해서 )

공장의 폐수가 땅에 흡수 되면 환경이 오염돼요.

( 흡수되면 )

동생에게 공부 시키기가 힘들어요.

( 공부시키기가 )

---

• 활동 내용: 낱말과 낱말이 만나 하나의 낱말이 될 때 띄어쓰기를 어떻게 해야 하는지 알려 주는 활동입니다.

▶ 두 낱말이 만나 하나의 낱말이 될 때에는 붙여 써야 함을 알고, 잘못 띄어 쓴 낱말을 바르게 고쳐 씁니다.
예 이해를 하다 → 이해하다
공부를 시키다 → 공부시키다
통화를 하다 → 통화하다
연결이 되다 → 연결되다

**확인 문제**

※ 다음 밑줄 그은 말을 바르게 고쳐 쓰시오.

1. 아침에 <u>운동 하고</u> 밥을 먹었습니다. ➡ ( )

2. 물이 <u>증발 되면</u> 수증기가 됩니다. ➡ ( )

3. 오늘 장 본 것을 <u>배달 시키기</u>를 잘했습니다.
➡ ( )

4. 친구 집에 갈 때는 부모님과 <u>통화 해서</u> 허락을 받아야 합니다. ➡ ( )

정답 1. 운동하고, 2. 증발되면,
3. 배달시키기를, 4. 통화해서

 교과서 문제와 답을 확인하며
학교 숙제를 해결하세요.

### 교과서 196~198쪽 ○ 글에서 낱말의 뜻 짐작하기

• 형태가 바뀌는 낱말과 형태가 바뀌지 않는 낱말로 분류해 보세요.

　예 형태가 바뀌는 낱말: 접는다, 묶어서, 찢으면 / 형태가 바뀌지 않는 낱말: 벽지, 창호지, 갱지

• 국어사전에 실리는 순서대로 써 보세요. 예 갱지 ➡ 묶어서 ➡ 벽지 ➡ 접는다 ➡ 찢으면 ➡ 창호지

• 낱말에서 형태가 바뀌지 않는 부분과 형태가 바뀌는 부분을 찾아 써 보세요.

| 낱말 | 형태가 바뀌지 않는 부분 | 형태가 바뀌는 부분 |
|---|---|---|
| 접는다 | 접 | 는다 |
| 묶어서 | 예 묶 | 예 어서 |
| 찢으면 | 예 찢 | 예 으면 |

• 낱말에서 형태가 바뀌지 않는 부분에 '-다'를 붙여 기본형을 만들어 써 보세요.

| 형태가 바뀌지 않는 부분 | 형태가 바뀌는 부분 | 기본형 |
|---|---|---|
| 접 | 는다, 어서, 으면, 겠다 | 접다 |
| 묶 | 고, 어서, 으니, 겠다 | 예 묶다 |
| 찢 | 어서, 는다, 고, 겠다 | 예 찢다 |

• 낱말의 기본형을 알고 써 보세요.

| 낱말 | 형태가 바뀌지 않는 부분 | 기본형 |
|---|---|---|
| 뽑는다, 뽑아서, 뽑으니, 뽑겠다 | 뽑 | 뽑다 |
| 밝아서, 밝으니, 밝고, 밝은 | 밝 | 예 밝다 |
| 달아나서, 달아나니, 달아나는, 달아나고 | 예 달아나 | 예 달아나다 |
| 잡아, 잡으니, 잡고, 잡을 | 예 잡 | 예 잡다 |

### 「최첨단 과학, 종이」 ○ 컴퓨터의 보급에도 불구하고 종이 소비가 증가한 까닭과 최첨단 과학 기술로 새롭게 개발되고 있는 종이에 대해 설명하는 글

• 「최첨단 과학, 종이」에 나오는 낱말의 뜻을 짐작해 보고, 그렇게 짐작한 까닭을 써 봅시다.

| 낱말 | 짐작한 뜻 | 그렇게 짐작한 까닭 |
|---|---|---|
| 예 극비 | 예 매우 비밀스러운 | 예 기록한 다음에 자동으로 지워진다고 하니까 감추려는 것처럼 생각되어서 |
| 예 감응 | 예 받아들이고, 응답하는 것 | 예 감지할 때 '감'과 응답할 때 '응'이 들어가는 낱말이어서 |
| 예 상용화 | 예 사용되는 것 | 예 문맥에 매일 사용할 수 있다는 설명이 나와서 |

• 위에서 쓴 낱말들을 국어사전에 실리는 순서대로 써 봅시다. 예 감응 ➡ 극비 ➡ 상용화

교과서 문제와 답을 확인하며 학교 숙제를 해결하세요.

## 교과서 204~205쪽  ○ 사전에서 뜻을 찾아 낱말의 관계 알기

• 두 낱말을 어떤 관계에 맞게 선으로 이어 보세요.

　예 가다, 오다 – 뜻이 반대인 관계 / 책, 동화책 – 한 낱말이 다른 낱말을 포함하는 관계

• 낱말의 뜻을 사전에서 찾고 뜻이 반대인 낱말을 써 보세요.

| 낱말 | 사전에서 찾은 뜻 | 뜻이 반대인 낱말 |
|---|---|---|
| 침침해서 | 예 눈이 어두워 물건이 똑똑히 보이지 아니하고 흐릿하다. | 예 선명하다, 밝다, 또렷하다 |

• 낱말의 뜻을 사전에서 찾고 그 낱말에 포함되는 낱말을 써 보세요.

| 낱말 | 사전에서 찾은 뜻 | '요일'에 포함되는 낱말 |
|---|---|---|
| 요일 | 예 일주일의 각 날을 이르는 말. | 예 일요일, 월요일, 화요일, 수요일, 목요일, 금요일, 토요일 |

## 「화성 탐사의 현재와 미래」  ○ 과거와 현재 이루어진 화성 탐사 내용과 미래에 화성에서 사람이 살아가는 데 필요한 산소와 자원을 계속해서 탐색할 예정임을 설명하는 글

• 오래전에 화성에 물이 흘렀음을 알 수 있는 증거는 무엇인가요?

　예 화성에서 강물의 침식과 퇴적 작용이 있었음을 보여 주는 화성 암석입니다.

• 물의 영향을 받은 암석으로 무엇을 알 수 있나요?

　예 화성 표면에서 오랜 시간에 걸쳐 물이 있다가 증발하는 과정이 반복되었음을 알 수 있습니다.

• 큐리오시티는 화성에서 어떤 정보를 수집하나요? 예 화성에서 사람들이 사는 데 필요한 정보를 수집합니다.

• 「화성 탐사의 현재와 미래」에서 뜻을 잘 모르는 낱말을 여러 가지 사전에서 찾아 그 뜻을 써 봅시다.

| 낱말 | 사전의 종류 | 낱말의 뜻 |
|---|---|---|
| 관측 | 국어사전 | 예 육안이나 기계로 자연 현상, 특히 천체나 기상의 상태, 추이, 변화 등을 관찰해 측정하는 일. |

## 「동물 속에 인간이 보여요」  ○ 인간에게만 있다고 생각한 특별한 능력이나 감정이 동물에게서도 보이니, 인간은 생명 앞에서 우쭐할 게 아니라 고맙고 겸손한 마음을 가져야 한다고 주장하는 글

• 이 글에 나오는 낱말들을 뜻을 정확히 모르는 낱말, 처음 보는 낱말, 다른 뜻을 더 알고 싶은 낱말로 나누어 정리한 낱말의 뜻을 짐작해 보고, 여러 가지 사전을 이용해 뜻을 찾아보세요.

| 낱말 | 짐작한 뜻 | 이용한 사전 | 사전에서 찾은 뜻 |
|---|---|---|---|
| 예 진화 | 예 발전 | 예 국어사전 | 예 생물이 간단한 것에서 복잡한 것으로 발전하는 것. |

• 위에서 찾은 낱말로 문장을 만들어 봅시다. 예 나는 달팽이의 진화 과정을 공부해 보고 싶다.

# 단원 정리 학습

## 핵심 1 ▸ 글에서 낱말의 뜻 짐작하기

**1 국어사전에서 낱말의 뜻을 찾는 방법**

● 국어사전에서 낱말 찾기

• 첫 자음자가 실린 순서: ㄱ, ㄲ, ㄴ, ㄷ, ㄸ, ㄹ, ㅁ, ㅂ, ㅃ, ㅅ, ㅆ, ㅇ, ㅈ, ㅉ, ㅊ, ㅋ, ㅌ, ㅍ, ㅎ

• 모음자가 실린 순서: ㅏ, ㅐ, ㅑ, ㅒ, ㅓ, ㅔ, ㅕ, ㅖ, ㅗ, ㅘ, ㅙ, ㅚ, ㅛ, ㅜ, ㅝ, ㅞ, ㅟ, ㅠ, ㅡ, ㅢ, ㅣ

• 받침이 실린 순서: ㄱ, ㄲ, ㄳ, ㄴ, ㄵ, ㄶ, ㄷ, ㄹ, ㄺ, ㄻ, ㄼ, ㄽ, ㄾ, ㄿ, ㅀ, ㅁ, ㅂ, ㅄ, ㅅ, ㅆ, ㅇ, ㅈ, ㅊ, ㅋ, ㅌ, ㅍ, ㅎ

● 형태가 바뀌는 낱말은 형태가 바뀌는 부분과 형태가 바뀌지 않는 부분으로 나누어, 형태가 바뀌지 않는 부분에 '-다'를 붙여 기본형을 만들어 찾습니다.

예)

| 낱말 | 형태가 바뀌지 않는 부분 | 기본형 |
|---|---|---|
| 뽑는다, 뽑아서, 뽑으니, 뽑겠다 | 뽑 | 뽑다 |
| 달아나서, 달아나니, 달아나는, 달아나고 | 달아나 | 달아나다 |

> 예를 들어 '벽지'를 찾으려면, 먼저 첫 번째 글자인 '벽'을 찾고, 그다음에 두 번째 글자인 '지'를 찾아요. '벽'을 찾을 때에는 첫 자음자인 'ㅂ'을 찾고, 모음자 'ㅕ', 받침 'ㄱ'을 순서대로 찾아요.

**2 글에서 낱말의 뜻을 짐작하는 방법**

● 문맥의 앞뒤 내용을 살펴보고 상황에 맞는 뜻을 찾아 짐작해 봅니다.

● 낱말을 쪼개어 뜻을 짐작해 봅니다.

● 모양이 비슷한 다른 낱말의 뜻으로 뜻을 유추해 봅니다.

● 다른 낱말을 넣어 뜻이 통하는지 살펴봅니다.

## 핵심 2 ▸ 사전에서 뜻을 찾아 낱말의 관계 알아보기

● 뜻이 반대인 낱말이 있습니다.

예) 넓다 ↔ 좁다, 크다 ↔ 작다, 낮다 ↔ 높다

● 한 낱말이 다른 낱말을 포함하는 관계에 있는 낱말이 있습니다.

예)

## 핵심 3 여러 가지 사전에서 낱말의 뜻 찾기

**1 국어사전의 종류**

- 종이책 사전: 낱말이 실리는 순서대로 사전을 찾을 수 있습니다.
- 인터넷 사전
  - 낱말을 입력하여 간단하게 뜻을 찾을 수 있습니다.
  - 모양이 바뀌는 낱말은 기본형으로 입력하여야 합니다.
- 띄어쓰기 사전: 띄어쓰기 중 혼동하기 쉬운 사용 예들을 가려내 정리한 사전입니다.
- 속담 사전: 여러 가지 속담의 뜻과 쓰임을 자세하게 설명해 줍니다.

  ⑩ 한 가지 사전을 정하여 조사해 보기

  | 사전의 종류 | 속담 사전 |
  |---|---|
  | 특징 | 여러 가지 속담의 뜻과 쓰임을 자세하게 설명해 준다. |
  | 쓰임 및 좋은 점 | 책을 읽다가 모르는 속담을 보았을 때나 글을 쓸 때 효과적인 표현을 위해 속담을 찾아볼 수 있다. |

**2 사전의 여러 가지 이용 방법**

- 스마트폰으로 인터넷 사전을 이용할 수 있습니다.
- 컴퓨터에 저장된 사전을 이용할 수 있습니다.
- 도서관에 가서 국어사전을 빌려 와 이용할 수 있습니다.

종이책 사전은 두꺼워서 낱말을 찾는 데 시간이 걸리지만, 스마트 폰이나 컴퓨터 사전은 낱말을 입력만 하면 금방 찾을 수 있어 편리해요. 반면, 종이책 사전은 초등학생용이 있어 쉬운 낱말 풀이를 알 수 있지만, 인터넷 사전은 초등학생용이 따로 없어요.

## 핵심 4 낱말의 뜻을 사전에서 찾으며 글 읽기

**1 국어사전을 활용하여 글 읽기**

- 모르는 낱말의 뜻을 짐작해 봅니다.
- 사전에서 낱말 뜻을 찾아 짐작한 뜻과 비교해 봅니다.
- 사전에 나온 뜻 중 글의 문장에 어울리는 뜻을 찾습니다.

**2 국어사전을 이용해 글을 읽으면 좋은 점**

- 낱말의 정확한 뜻을 알 수 있습니다.
- 글의 내용을 더 잘 이해할 수 있습니다.

# 단원 확인 평가

**01** 다음 파란색으로 쓴 낱말의 기본형으로 알맞지 <u>않은</u> 것을 [보기]에서 찾아 번호를 쓰시오.

> 동생이 색종이로 꽃잎을 접는다. 누나는 색종이의 끝을 묶어서 꽃받침을 만든다.

> **보기**
> ① 접는다 - 접다    ② 묶어서 - 묶는다

(                    )

**[02~05]** 다음 글을 읽고, 물음에 답하시오.

(가) 최근, 컴퓨터는 사용이 일반화되어 생활필수품이 되었습니다. 처음 컴퓨터가 보급되기 시작할 때 많은 사람이 종이 사용이 점점 줄어들 것이라고 예상했습니다. 컴퓨터의 모니터가 종이를 대신할 것으로 여겼던 것이지요. 그러나 그 예상과는 반대로 종이 소비량은 오히려 점점 더 늘고 있습니다. 왜냐하면 모니터로 보는 것보다 종이에 인쇄하여 보는 것이 익숙하기 때문입니다. 또한 종이책은 전자책과는 다른 특유의 질감에서 오는 매력이 있기 때문이죠.

(나) 주변에서 볼 수 있는 첨단 종이로는 온도에 따라 색깔이 변하는 온도 ㉠감응 종이, 과일의 신선도는 유지하고 벌레나 세균은 생기지 않도록 하는 포장지가 있습니다. 신용 카드 영수증처럼 앞 장에 글씨를 쓰면 뒷장까지 글씨가 적히도록 하는 종이도 있습니다. 이런 특수 기능 종이들은 이미 우리 주위에서도 많이 사용되고 있답니다.

더욱 놀라운 것은, 전자 신호를 이용해 원격으로 스스로 인쇄를 하고, 지면의 인쇄 내용을 완전히 바꿀 수 있는 '전자 종이'가 등장했다는 것입니다. 느낌은 종이와 같은데 컴퓨터 모니터처럼 언제든지 새로운 신호를 보내면 완전히 다른 내용으로 인쇄할 수도 있고, 멀리서 무선 신호로 내용을 바꿀 수 있습니다. 이것이 ㉡상용화되면 전자 종이로 된 신문이 한 장만 있으면, 매일 아침 새로운 기사들을 받아서 즉석에서 인쇄해서 보고, 다음 날도 똑같은 신문에 새로운 내용을 받아서 볼 수 있을 거예요.

**02** 처음 컴퓨터가 보급될 때 사람들은 어떤 예상을 하였습니까? (        )

① 최첨단 종이가 나올 것이라고 예상했다.
② 종이 사용이 점점 줄어들 것을 예상했다.
③ 컴퓨터가 금방 사라질 것이라고 예상했다.
④ 모니터가 종이처럼 얇아질 것이라고 예상했다.
⑤ 종이가 컴퓨터의 모니터를 대신할 것이라고 예상했다.

**03** 종이 소비가 늘어난 까닭을 생각하며 알맞은 말에 ○표를 하시오.

(1) 모니터로 보는 것보다 종이로 인쇄하여 보는 것이 ( 간편하기 , 익숙하기 ) 때문이다.
(2) 종이책은 전자책과는 다른 특유의 ( 질감 , 색깔 )에서 오는 매력이 있기 때문이다.

**04** ⭐중요 다음은 어떤 방법으로 ㉠의 뜻을 짐작한 것인지 알맞은 것에 ○표를 하시오.

> '감응' 대신 '반응'을 넣어도 말이 통하는 것 같아. 감응과 반응은 비슷한 뜻이 아닐까?

(1) 낱말을 쪼개어 뜻을 짐작해 본다.    (        )
(2) 앞뒤의 문장이나 낱말을 살펴본다.  (        )
(3) 비슷한 다른 낱말의 뜻으로 뜻을 유추해 본다.    (        )

**05** 서술형 ㉡의 낱말 뜻을 짐작하고, 그렇게 짐작한 까닭을 쓰시오.

(1) 짐작한 뜻: _____

(2) 그렇게 짐작한 까닭: _____

_____

**도움말** 낱말의 뜻을 짐작하는 방법에 따라 그 뜻을 짐작해 봅니다.

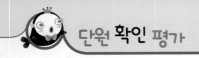

**06** 다음 중 뜻이 반대인 낱말끼리 알맞게 짝 지어지지 <u>않은</u> 것은 무엇입니까? (    )

① 넓다–좁다          ② 높다–낮다
③ 크다–작다          ④ 죽다–살다
⑤ 곱다–예쁘다

**07** 다음 낱말들을 포함하는 관계에 있는 낱말을 빈칸에 한 글자로 쓰시오.

[08~10] 다음 글을 읽고, 물음에 답하시오.

　㉠화성에 물이 있는지는 과학자들은 물론 일반인들도 관심이 많다. 물이 있다는 것은 화성인 또는 외계인까지는 아니더라도 생명체가 있을 수 있다는 것을 뜻하기 때문이다. 2004년에 미국의 쌍둥이 화성 로봇 탐사선인 스피릿 로버와 오퍼튜니티 로버가 서로 화성 반대편에 ㉡착륙했다. 이들 탐사선은 물의 영향을 받은 암석을 발견했다. 이 암석들은 물속과 물 밖의 환경이 번갈아 바뀌는 곳에서 만들어진 것이다. 이것은 화성 표면에서 오랜 시간에 걸쳐 물이 있다가 증발하는 과정이 반복되었다는 것을 알려 준다.
　미국의 화성 탐사선인 큐리오시티는 2012년에 화성의 적도 부근에 착륙했다. 이 탐사선은 화성 표면 바로 아래에 있는 얼음을 발견했다.
　미국은 2030년까지 사람들이 화성을 여행할 수 있도록 준비를 하고 있다. 큐리오시티는 이 연구 과제의 준비 단계로서 화성에서 사람들이 사는 데 필요한 정보를 모으고 있다. 미국은 현재 화성 여행을 위해 마스 2020 로버를 준비하고 있으며, 이 탐사선은 화성에서 사람들이 살아가는 데 필요한 산소와 자원을 조사할 예정이다.

**08** ㉠의 까닭은 무엇입니까? (    )

① 지구에 물이 많이 부족하기 때문에
② 물이 있으면 화성으로의 여행이 가능하기 때문에
③ 물이 있으면 우주인들이 목욕을 할 수 있기 때문에
④ 물이 있으면 화성이 푸른빛으로 바뀔 것이기 때문에
⑤ 물이 있다는 것은 화성에 생명체가 있을 수 있음을 의미하기 때문에

**09** 이 글에 나온 다음 낱말을 국어사전에서 찾아보려 합니다. 국어사전에 실리는 순서대로 낱말을 쓰되, 형태가 바뀌는 낱말은 기본형으로 쓰시오.

**10** ㉡과 뜻이 반대인 낱말은 어느 것입니까? (    )

① 도착하다
② 이륙하다
③ 연착하다
④ 착지하다
⑤ 착석하다

**[11~15] 다음 글을 읽고, 물음에 답하시오.**

(개) 인간은 종종 자신을 동물과 다르다고 생각합니다. 다를 뿐만 아니라 여러 면에서 동물보다 훨씬 뛰어나고 특별하다고 여기지요. 이런 눈으로 세상을 보면 인간 외의 다른 생명은 작고 하찮게 생각돼요. 우리가 사는 지구도 마치 인간을 위해 생겨난 것처럼 잘못 생각할 수도 있고요. 지구의 주인은 인간이 아니고, 인간만이 특별한 생명체도 아니랍니다. 왜 그런지 볼까요?

인간은 엄연히 동물에 속하지요. 그것도 새끼를 일정 기간 몸속에서 키워 내보낸 뒤 젖을 먹여 키우는 포유동물이에요. 새끼를 갖고 키우는 방식에서 인간은 돼지나 개, 고양이와 다를 바 없어요. 그뿐인가요? 인간의 조상이 지구에 처음으로 나타난 때가 지금으로부터 20~25만 년 전이에요. 지구의 나이가 46억 년, 생명이 처음 생겨나 오늘에 이르기까지 40억 년쯤 되었으니 인간은 지구에서 아주 짧은 시간을 살아온 셈이에요. 그에 비하면 바퀴벌레, 까치, 돼지는 인간보다 훨씬 오랫동안 지구촌 주민으로 살아왔어요.

(내) 인간은 지구의 막내예요. 최초의 생명이 수십억 년에 걸쳐 다양하게 가지를 뻗으며 진화하는 과정에서 우연히 생겨난 생물의 한 종일 뿐이지요.

지구의 막내이지만 인간은 지능이 높고 다른 동물보다 뛰어난 점이 분명 있어요. 하지만 인간에게만 있다고 여겼던 능력이 다른 동물에게서 발견되는 경우도 많아요. 예를 들어 언어는 인간만이 가진 능력이라고 생각했는데, 꿀벌에게도 언어가 있다는 것이 밝혀졌어요. 인간은 말과 글을 사용하지만 꿀벌은 춤을 이용한다는 것만 다를 뿐이에요.

**11** 포유동물에 포함되는 낱말이 <u>아닌</u> 것은 어느 것입니까? ( )

① 개
② 돼지
③ 인간
④ 까치
⑤ 고양이

**12** 꿀벌이 사용하는 언어는 무엇인지 쓰시오.

( )

**13** (중요) 다음은 어떤 관계에 있는 낱말인지 알맞은 것에 ○표를 하시오.

| 동물　　인간 |
|---|

(1) 뜻이 비슷한 관계 ( )
(2) 뜻이 반대인 관계 ( )
(3) 한 낱말이 다른 낱말을 포함하는 관계
( )

**14** (서술형) '포유동물'이라는 낱말의 뜻을 어떤 사전을 이용해 찾고 싶은지 쓰시오.

_____

도움말 사전의 여러 가지 이용 방법을 떠올려 봅니다.

**15** 이 글에 담긴 글쓴이의 주장으로 알맞은 것에 ○표를 하시오.

(1) 지구의 주인은 인간이다. ( )
(2) 인간은 동물보다 훨씬 뛰어나고 특별하다.
( )
(3) 인간은 지구의 주인이 아니고, 인간만이 특별한 생명체도 아니다. ( )

**[16~20] 다음 글을 읽고, 물음에 답하시오.**

㈎ 고래는 몸이 불편한 동료를 결코 나 몰라라 하지 않아요. 다친 동료가 있으면 여러 마리가 둘러싸고 거의 들어 올리듯 떠받치며 보살핍니다. 고래는 물에서 살지만 물 위로 몸을 내밀어 허파로 숨을 쉬어야 하는 포유동물이에요. 그래서 다친 동료가 있으면 기운을 차릴 때까지 숨을 쉴 수 있도록 이런 식으로 도와준답니다. 고래는 그물에 걸린 친구를 구하기 위해 그물을 물어뜯는가 하면, 다친 동료와 고래잡이배 사이에 용감하게 뛰어들어 사냥을 방해하기도 합니다. 때로는 무언가로 괴로워하는 친구 곁에 그냥 오랫동안 함께 있어 주기도 하고요.

㈏ 그렇게 몸과 마음을 다해 ㉠부모와 형제, 친구를 지켜 주려 해도 어쩔 수 없이 떠나보내야 하는 경우가 있지요. 그럴 때 인간은 깊은 슬픔에 잠겨 서럽게 웁니다. 슬픔이 너무 크면 오랫동안 괴로워하다 몸을 상하기도 하지요. 다른 동물은 어떨까요? 가까운 이의 죽음을 슬퍼하는 건 다른 동물도 마찬가지예요.

제인 구달 박사는 어미의 죽음을 슬퍼하다 숨을 거둔 어린 침팬지 이야기를 들려주었어요. 슬픔이 얼마나 컸으면 아무것도 먹지 못하고 어미 곁을 지키다 숨을 거두었을까요. 구달 박사는 어미 침팬지가 축 늘어진 자식의 시체를 차마 버리지 못하고 품에 안고 다니는 모습 또한 종종 보았답니다.

㈐ 아주 작은 세균부터 이끼와 풀, 나무, 온갖 새와 벌레와 물고기, 원숭이 들에 이르기까지 지구에서 귀하지 않은 ⓛ 은 없어요. 인간은 그처럼 수많은 생명이 닦아 놓은 길 위를 걷고 있는 거예요. 그러니 생명 앞에서 우쭐할 게 아니라 고맙고 ⓒ겸손한 마음을 가져야겠지요?

**16** 글쓴이가 자신의 생각을 전하기 위해 예로 든 동물들을 두 가지 고르시오. ( , )

① 고래
② 사자
③ 강아지
④ 침팬지
⑤ 물고기

**17** 이 글을 통해 글쓴이가 말하려는 것은 무엇입니까? ( )

① 인간은 동물을 잘 다스려야 한다.
② 동물들은 자기 자신만 생각하는 존재이므로 인간이 훨씬 뛰어나다.
③ 동물도 인간처럼 지능이 높으므로 동물에게 많은 것을 배워야 한다.
④ 동물들은 살아남기 위해 본능대로 행동하지만 인간은 그래서는 안 된다.
⑤ 동물도 인간처럼 훌륭한 감정을 가지고 있으므로, 고맙고 겸손한 마음을 가져야 한다.

**18** ㉠과 뜻이 반대 관계인 낱말을 글 ㈏에서 찾아 쓰시오.

( )

**19** ⓛ은 다음 의 낱말들을 모두 포함하는 낱말입니다. ⓛ에 들어갈 알맞은 낱말은 무엇입니까?
( )

> **보기**
>
> 세균, 풀, 나무, 새, 벌레, 물고기, 원숭이

① 식물
② 동물
③ 생명
④ 광물
⑤ 무생물

**20** ⓒ의 낱말 뜻을 바르게 짐작한 친구의 이름을 쓰시오.

> 다은: 앞에 '우쭐할 게 아니라'라는 부분을 통해 겸손하다는 것이 잘난 척하지 않는다는 뜻이라고 생각했어.
> 성호: 바로 앞에 있는 '고맙고'라는 말로 보아, 겸손한 것이 고맙다와 비슷한 뜻이라고 생각했어.

( )

# 쉬어가기

## 꼭꼭 숨어라, 숨은 그림 찾기

친구들이 운동장에서 축구 시합을 하고 있네요. 과연 누가 골을 넣을지 궁금하네요. 어떤 그림이 꼭꼭 숨어 있는지 찾아보세요.

정답 연잎, 돛대, 꼬깔, 꽃씨기, 롤러기, 무기

여자아이가 교실에서 장난치는 친구들의 행동을 보고 걱정하고 있네요. 여러분이
여자아이라면 친구들에게 어떤 제안을 하면 좋을지 생각해 보세요.
　이제, 8단원에서는 제안하는 글의 짜임과 제안하는 글을 쓰는 방법을 알아보고
제안하는 글을 써 볼 거예요.

# 8 이런 제안 어때요

## 단원 학습 목표

138쪽 단원 정리 학습에서 더 자세히 공부해 보세요.

1. **제안하는 글의 특성과 문장의 짜임에 대하여 알 수 있습니다.**
   - 제안하는 글에는 문제 상황, 제안하는 내용, 제안하는 까닭이 드러나 있습니다.
   - 문장은 '누가/무엇이' + '어찌하다/어떠하다'로 나눌 수 있습니다.

2. **제안하는 글을 쓰는 방법을 알고 제안하는 글을 쓸 수 있습니다.**
   - 제안하는 글에는 문제 상황, 제안하는 내용, 제안하는 까닭을 써야 합니다.
   - 제안하는 글을 읽을 사람이 누구인지 생각하고 제안하는 내용이 잘 드러나게 알맞은 제목을 붙입니다.

| 회차 | 학습 내용 | | 진도 체크 |
|---|---|---|---|
| 1차 | 단원 열기 | 단원 학습 내용 미리 보고 목표 확인하기 | ✓ |
| | 교과서 내용 학습 | 제안하는 글에 대해 알기 | ✓ |
| 2차 | 교과서 내용 학습 | 문장의 짜임에 대해 알기 | ✓ |
| 3차 | 교과서 내용 학습 | 제안하는 글을 쓰는 방법 알기 | ✓ |
| 4차 | 교과서 내용 학습 | 제안하는 글을 쓰고 발표하기 | ✓ |
| | 서술형 수행 평가 돋보기 | 서술형 수행 평가 대비 학습하기 | ✓ |
| | 교과서 문제 확인 | 교과서 문제 학습하며 학교 숙제 해결하기 | ✓ |
| 5차 | 단원 정리 학습 | 단원 학습 내용 정리하기 | ✓ |
| | 단원 확인 평가 | 확인 평가를 통한 단원 학습 상황 파악하기 | ✓ |

해당 부분을 공부하고 나서 ✓표를 하세요.

**국어 226~229쪽 내용**

학습 목표 ▶ 제안하는 글에 대해 알기

국어 226~229쪽

• **글의 특징**
1 : 진영이에게 있었던 일을 쓴 글
2 : 진영이가 아파트 주민에게 자신의 의견을 제안하는 글

★ **바르게 읽기**

| [꼬츨] | [꼬슬] |
| --- | --- |
| ( ○ ) | ( × ) |

★ **바르게 쓰기**

| 곰곰이 | 곰곰히 |
| --- | --- |
| ( ○ ) | ( × ) |

■ **제안하는 글의 특성**
문제 상황, 제안하는 까닭, 제안하는 내용이 드러나 있습니다.

■ **제안하는 글을 쓰면 좋은 점**
• 문제 상황과 해결 방법을 알릴 수 있습니다.
• 더 좋은 쪽으로 일을 해결할 수 있습니다.

1 진영이는 지난 주말에 동생과 함께 집 앞 꽃밭에 꽃을 심었습니다.★ 그런데 오늘 물을 주려고 보니 쓰레기가 꽃 주위에 흩어져 있었습니다. 진영이와 동생은 그 모습을 보고 실망을 했습니다.

진영이는 꽃밭에 버려진 쓰레기를 보면서 깨끗한 꽃밭을 만들려면 어떻게 하면 좋을지 곰곰이★ 생각했습니다. 그리고 자신의 의견을 알리고자 아파트 주민에게
여러 모로 깊이 생각하는 모양.
글을 써서 붙이기로 결심했습니다. 얼마 뒤, 꽃밭은 몰라보게 깨끗해졌습니다.

2 지난 주말에 저는 동생과 함께 집 앞 꽃밭에 꽃을 심었습니다. 그런데 오늘 물을 주려고 보니 쓰레기가 꽃 주위에 흩어져 있었습니다. 그 모습을 보니 속이 상
문제 상황
했습니다.

꽃밭에 쓰레기를 버리지 않았으면 좋겠습니다. 꽃은 쓰레기가 없는 깨끗한 꽃
제안하는 내용                              제안하는 까닭
밭에서 건강하게 자랄 수 있습니다. 우리가 노력하면 꽃밭을 더 아름답게 가꿀 수 있습니다.

**01** 글 **1**에서 글쓴이가 실망한 까닭은 무엇입니까?
( )

① 꽃을 심지 못해서
② 꽃밭에 쓰레기가 많아서
③ 꽃을 심다가 동생과 싸워서
④ 꽃밭에 심은 꽃이 시들어 버려서
⑤ 꽃밭에 쓰레기를 버리다가 혼나서

**02** 글쓴이가 생각한 문제 해결 방법을 바르게 말한 친구의 이름을 쓰시오.

민호: 글쓴이는 동생과 함께 꽃밭에 있는 쓰레기를 치웠어.
유진: 글쓴이는 아파트 주민에게 자신의 의견을 알리는 글을 써서 붙였어.

( )

**03** 글 **2**와 같이 제안하는 글을 써야 하는 상황으로 알맞은 것은 무엇입니까? ( )

① 우리 가족을 소개할 때
② 중요한 내용을 기억해야 할 때
③ 친구에게 고마운 마음을 전할 때
④ 주변의 문제를 해결하고 싶을 때
⑤ 문제가 해결된 것을 알리고 싶을 때

**서술형**
**04** 제안하는 글을 쓰려고 할 때 꼭 들어가야 하는 내용은 무엇인지 쓰시오.

_____

_____

도움말 제안하는 글인 글 **2**를 읽고 어떤 내용이 들어가 있는지 찾아봅니다.

[05~06] 다음을 읽고, 물음에 답하시오.

(가)

**운동을 합시다**

날씨가 따뜻해졌습니다. 우리 모두 운동을 합시다. 운동이 건강을 지켜 줍니다.

(나)

| ㉠ | 어찌하다 / 어떠하다 |
|---|---|
| 날씨가 | 따뜻해졌습니다. |
| ㉡ | 운동을 합시다. |
| 운동이 | 건강을 지켜 줍니다. |

■ **문장의 짜임 알아보기**

• 문장은 '누가+어찌하다', '누가+어떠하다', '무엇이+어찌하다', '무엇이+어떠하다'와 같은 짜임으로 나눌 수 있습니다.

• 문장에서 '(누가/무엇이)'나 '(어찌하다/어떠하다)'의 부분 중 한 가지를 빼고 읽으면 문장의 의미가 잘 전달되지 않습니다.

**05** ㉠에 들어갈 알맞은 말을 두 가지 고르시오.

(     ,     )

① 누가      ② 언제
③ 어디에서      ④ 무엇이
⑤ 어떻게

> 문장에서 '어찌하다', '어떠하다' 와 함께 써야 할 말이 무엇인지 생각해 봐.

**06** ㉡에 들어갈 알맞은 말을 글 ㈎에서 찾아 쓰시오.

(             )

**07** 중요 다음 문장을 보기 와 같이 나누어 쓰시오.

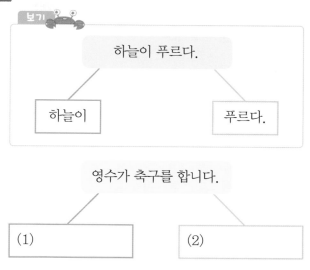

보기

하늘이 푸르다.
→ 하늘이 / 푸르다.

영수가 축구를 합니다.
→ (1)        / (2)

[08~09] 다음을 보고, 물음에 답하시오.

| 아이들이 | 여자아이가 | 이층 버스의 색깔이 |
|---|---|---|
| 공을 찹니다. | 빨갛습니다. | 자전거를 타고 있습니다. |

**08** '어찌하다/어떠하다'에 해당하는 것은 모두 몇 개인지 숫자로 쓰시오.

(           )개

**09** 문장의 짜임에 맞게 표현한 것 중 어색한 것은 무엇입니까? (     )

① 아이들이 공을 찹니다.
② 여자아이가 빨갛습니다.
③ 여자아이가 공을 찹니다.
④ 이층 버스의 색깔이 빨갛습니다.
⑤ 여자아이가 자전거를 타고 있습니다.

## 1리터의 생명

학습 목표 ▶ 제안하는 글을 쓰는 방법 알기

• **글의 특징**: 깨끗한 물을 구하지 못해 어려움을 겪고 있는 아프리카 어린이들을 위해 기부 운동에 참여하자는 내용의 「1리터의 생명」 동영상 줄거리입니다.

**낱말 사전**

**위협** 힘으로 으르고 협박함.
㉇ 그는 생명의 위협에도 자신의 뜻을 굽히지 않았습니다.
**기부** 자선 사업이나 공공사업을 돕기 위해 돈이나 물건 따위를 대가 없이 내놓음.
㉇ 이렇게 좋은 일에 기부를 하지 않으면 어디에 하겠습니까?

### 「1리터의 생명」 동영상 줄거리

아프리카에는 깨끗한 물이 없어 물을 마실 수 없는 어려움을 겪고 있는 어린이가 있습니다. 그곳에는 깨끗한 물이 나오는 우물도 없어 어린이가 <u>당하고 있는</u> 오염된 물을 마시며 생활하고 있어서 질병에 걸리는 등 생명에 **위협**을 받고 있습니다. 아프리카 어린이들이 깨끗한 물을 마시고 사용할 수 있도록 **기부** 운동에 참여합시다.
<u>어떤 일에 끼어들어 관계합시다.</u>

★ 바르게 쓰기

| 위협 | 위험 |
|------|------|
| ( ○ ) | ( × ) |

■ 제안하는 글을 쓰는 과정

| 문제 상황 확인하기 | ➡ | 제안하는 내용 정하기 | ➡ | 제안하는 까닭 파악하기 | ➡ | 제안하는 글 쓰기 |

---

**10** 이 글을 읽고 알 수 있는 문제 상황으로 알맞은 것에 ○표를 하시오.

(1) 아프리카 어린이가 기부 운동에 참여하고 있다. ( )

(2) 아프리카 어린이가 깨끗한 물을 마시지 못하고 있다. ( )

(3) 아프리카 어린이가 깨끗한 자연환경 속에서 즐겁게 생활하고 있다. ( )

**11** 이 글을 읽고 학급 친구들에게 제안하는 내용으로 알맞지 <u>않은</u> 것은 무엇입니까? ( )

① 아프리카 어린이들을 돕자.
② 아프리카에 가서 음식을 만들어 주자.
③ 아프리카 어린이들을 위해 모금 운동을 하자.
④ 아프리카 어린이들에게 정수기를 보내 주자.
⑤ 아프리카 어린이들에게 깨끗한 물을 보내 주자.

**[12~13]** 다음 **보기** 를 읽고, 물음에 답하시오.

**보기**

㉮ 제안하는 글 쓰기
㉯ 문제 상황 확인하기
㉰ 제안하는 내용 정하기
㉱ 제안하는 까닭 파악하기

**중요**
**12** 제안하는 글을 쓰는 과정에 맞게 순서대로 기호를 쓰시오.

( ) ➡ ( ) ➡ ( ) ➡ ( )

**13** 다음은 ㉮~㉱ 중 어디에 들어가야 할 내용인지 **보기** 에서 찾아 기호를 쓰시오.

아프리카 어린이들을 위해 기부 운동에 참여합시다.

( )

| ㉠ |
| --- |

물은 사람이 살아가는 데 매우 중요합니다. 우리는 어디에서든지 물을 쉽게 구할 수 있습니다. 그러나 <u>동영상에 나오는 아이는 깨끗한 물을 구하지 못해 어려움을 겪고 있습니다. 많은 아이가 더러운 물을 마셔 생명이 위험할 수 있습니다.</u>
<small>문제 상황</small>

깨끗한 물을 마시지 못하는 아이들을 위해 기부 운동에 참여합시다. 기부 운동에 참여하면 아프리카 어린이들이 깨끗한 물을 마시고 사용할 수 있습니다.

- **글의 종류**: 제안하는 글
- **글의 특징**: 「1리터의 생명」 동영상을 보고 나서 쓴 제안하는 글로 문제 상황과 제안하는 내용, 제안하는 까닭이 잘 드러난 글입니다.

■ 제안하는 글을 쓸 때 주의할 점
- 어떤 문제 상황인지 파악하고 자세히 씁니다.
- 문제를 해결하기 위한 자신의 의견을 제안합니다.
- 제안에 대한 적절한 까닭을 씁니다.
- 제안하는 내용이 잘 드러나게 알맞은 제목을 붙입니다.

**14** 이 글의 내용을 바르게 이해한 친구는 누구인지 이름을 쓰시오.

지용: 아프리카 어린이들은 깨끗한 물을 마시고 있어.
연우: 아프리카 어린이들은 열심히 기부 운동을 하고 있어.
소미: 아프리카 어린이들은 더러운 물을 마셔 생명이 위험할 수도 있어.

( )

**서술형**
**15** 이 글에서 제안하는 내용과 까닭을 찾아 정리하여 쓰시오.

| | | |
| --- | --- | --- |
| (1) | 제안하는 내용 | |
| (2) | 제안하는 까닭 | |

**도움말** 이 글의 첫 번째 문단에는 문제 상황이, 두 번째 문단에는 제안하는 내용과 까닭이 드러나 있습니다.

**16** ㉠에 들어갈 이 글의 제목으로 알맞은 것은 어느 것입니까? ( )

① 「물을 아껴 씁시다」
② 「깨끗한 물을 마십시다」
③ 「아프리카를 보호합시다」
④ 「오염된 물을 마시지 맙시다」
⑤ 「당신의 1리터를 나누어 주세요」

**중요**
**17** 제안하는 글을 쓸 때 주의할 점으로 알맞지 <u>않은</u> 것은 무엇입니까? ( )

① 제안에 대한 적절한 까닭을 쓴다.
② 문제 상황이 무엇인지 자세하게 쓴다.
③ 사람들이 실천하기 어려운 내용도 제안한다.
④ 제안하는 내용이 잘 드러나게 제목을 붙인다.
⑤ 제안하는 글을 읽을 사람이 누구인지 생각한다.

■ 제안하는 글에 알맞은 표현

| 문제<br>상황 | 요즘 ~하고 있습니다. / ~(이)가 심각해지고 있습니다. / 가장 큰 문제점은 ~입니다. |
| --- | --- |
| 제안하는<br>내용 | ~했으면 좋겠습니다. / ~합시다. / ~해 봅시다. / ~하는 것이 어떨까요? |
| 제안하는<br>까닭 | 왜냐하면 ~하기 때문입니다. / 만약 ~하면 ~할 수 있습니다. |

**18** 우리 주변에서 해결되기를 바라는 문제로 알맞은 것에 ○표를 하시오.

(1) 늦은 밤 피아노를 치는 문제 (     )

(2) 학교 앞에서 차들이 천천히 달린 문제
(     )

(3) 집안일을 가족 모두가 나눠서 한 문제
(     )

(4) 어두운 골목길에 가로등을 설치한 문제
(     )

서술형
**19** 다음 그림을 보고 제안하고 싶은 내용과 그 까닭을 쓰시오.

| (1) | 제안하는<br>내용 | |
| --- | --- | --- |
| (2) | 제안하는<br>까닭 | |

도움말 그림을 보고 문제 상황이 무엇인지 생각해 봅니다. 그리고 그 문제 상황을 해결하기 위해서 어떻게 하면 좋을지 생각해 봅니다.

[20~22] 다음 글을 읽고, 물음에 답하시오.

⊙점심시간에 음식을 남기는 친구가 많습니다. 그래서 저는 수요일은 음식을 남기지 않고 다 먹는 날로 정하면 좋겠습니다.
일주일에 단 하루라도 그런 날을 정해 실천하면
_____ⓒ_____

**20** 이 글에 대한 설명으로 알맞지 <u>않은</u> 것을 두 가지 골라 기호를 쓰시오.

㉮ 어떤 점이 문제인지 잘 알 수 있다.
㉯ 누구에게 제안하는지 잘 나타나 있다.
㉰ 제안하는 내용이 드러나는 제목이 있다.
㉱ 문제를 해결하기 위한 제안 내용이 있다.

(     ,     )

**21** ⊙을 다른 표현으로 바꾸어 쓸 때 가장 알맞은 것은 무엇입니까? (     )

① 점심시간에 음식을 남기지 맙시다.
② 점심시간에 음식을 남기기 때문입니다.
③ 점심시간에 음식을 다 먹을 수 있습니다.
④ 점심시간에 음식을 남기지 않으면 어떨까요?
⑤ 요즘 친구들이 음식을 많이 남기고 있습니다.

**22** ⓒ에 들어갈 내용으로 알맞은 것에 모두 ○표를 하시오.

(1) 자원 낭비를 막을 수 있기 때문입니다.
(     )

(2) 환경 오염을 막을 수 있기 때문입니다.
(     )

(3) 선생님과 더 친해질 수 있기 때문입니다.
(     )

# 서술형 수행 평가 돋보기

학교에서 출제되는 서술형 수행 평가를 미리 준비하세요.

◑ 다음 물음에 답하시오.

| 제목 | 아름다운 꽃밭 만들기에 동참해 주세요 |
|---|---|
| ㉠ | 지난 주말에 저는 동생과 함께 집 앞 꽃밭에 꽃을 심었습니다. 그런데 오늘 물을 주려고 보니 쓰레기가 꽃 주위에 흩어져 있었습니다. 그 모습을 보니 속이 상했습니다. |
| 제안하는 내용 | ㉡ |
| 제안하는 까닭 | ㉢ |

**1** ㉠에 들어갈 알맞은 말을 쓰시오.

(            )

**2** ㉡과 ㉢에 들어갈 알맞은 내용을 쓰시오.

| (1) | ㉡ | |
|---|---|---|
| (2) | ㉢ | |

**3** **2**에서 답한 것을 참고하여 제목에 어울리는 제안하는 글을 쓰시오.

<br><br><br><br><br>

🔍 **문제 파악**
제목과 문제 상황을 보고 제안하는 내용과 까닭을 떠올려 제안하는 글을 쓰는 문제입니다.

🔍 **해결 전략**

| 1 단계 | 문제 상황 파악하기 |
|---|---|

↓

| 2 단계 | 문제 상황을 해결하기 위해 제안하는 내용과 제안하는 까닭 정리하기 |
|---|---|

↓

| 3 단계 | 중심 문장을 자세히 설명하는 뒷받침 문장 쓰기 |
|---|---|

학교 선생님께서 알려 주시는 모범 답안과 채점 기준도 book ❸ 해설책에서 꼭 확인하세요!

# 교과서 문제 확인

## 교과서 226~229쪽　　○ 제안하는 글에 대해 알기

- 지난 주말에 진영이는 무엇을 했나요? 예 꽃을 심었습니다.
- 진영이와 진영이 동생이 실망한 까닭은 무엇인가요? 예 꽃밭에 쓰레기가 버려져 있었기 때문입니다.
- 진영이는 문제를 어떻게 해결하기로 했나요? 예 아파트 주민이 볼 수 있게 자신의 의견을 글로 써서 붙이기로 했습니다.
- 진영이가 쓴 글을 읽고 물음에 답해 봅시다.

| 어떤 문제가 있었나요? | 예 꽃밭에 쓰레기가 버려져 있었습니다. |
|---|---|
| 이 글을 왜 썼나요? | 예 꽃밭에 쓰레기가 버려져 있어서 속이 상했기 때문입니다. / 쓰레기를 버리지 말라는 의견을 전하기 위해서입니다. |
| 어떤 내용을 썼나요? | 예 꽃이 건강하게 자랄 수 있도록 꽃밭에 쓰레기를 버리지 않았으면 좋겠다는 내용입니다. |

- 〈보기〉의 말을 알맞은 곳에 넣고, 제안하는 글이 무엇인지 친구들과 이야기해 봅시다.

| 예 문제 상황 | 지난 주말에 저는 동생과 함께 집 앞 꽃밭에 꽃을 심었습니다. 그런데 오늘 물을 주려고 보니 쓰레기가 꽃 주위에 흩어져 있었습니다. 그 모습을 보니 속이 상했습니다. |
|---|---|
| 예 제안하는 내용 | 꽃밭에 쓰레기를 버리지 않으면 좋겠습니다. |
| 예 제안하는 까닭 | 꽃은 쓰레기가 없는 깨끗한 꽃밭에서 건강하게 자랄 수 있습니다. |

- 제안하는 글을 쓰면 좋은 점을 친구들과 이야기해 봅시다.
  예 문제 상황과 해결 방법을 알릴 수 있어. / 더 좋은 쪽으로 일을 해결할 수 있어.

## 교과서 230~231쪽　　○ 문장의 짜임에 대해 알기

- 「운동을 합시다」를 읽고 문장의 짜임을 알아봅시다.

| 누가/무엇이 | 어찌하다/어떠하다 |
|---|---|
| 날씨가 | 따뜻해졌습니다. |
| 우리 모두 | 예 운동을 합시다. |
| 예 누구나 | 건강을 지킬 수 있습니다. |

- 문장을 '(누가/무엇이)+(어찌하다/어떠하다)'로 나누어 봅시다.

하늘이 푸르다.　　　　영수가 축구를 합니다.　　　　우리 반 친구들이 도서관에서 책을 읽습니다.

| 예 하늘이 | 예 푸르다. | 예 영수가 | 예 축구를 합니다. | 예 우리 반 친구들이 | 예 도서관에서 책을 읽습니다. |

## 교과서 235~239쪽　　○ 제안하는 글을 쓰는 방법 알기

• 아이는 어떤 어려움을 겪고 있나요? 例 깨끗한 물이 없어 물을 마실 수 없습니다.

• "당신의 1리터를 나누어 주세요."라는 말은 무슨 뜻인가요? 例 아프리카 어린이들을 돕자는 뜻입니다.

• 광고를 보고 어떤 생각이 드나요? 例 깨끗한 물을 보내 주는 기부 운동에 참여하고 싶습니다.

• 제안하는 글에 들어가야 할 내용은 무엇인가요? 例 문제 상황, 제안하는 내용, 제안하는 까닭입니다.

• 제안하는 글을 쓰는 과정을 말해 보세요.

　例 <u>문제 상황 확인하기</u> → 제안하는 내용 정하기 → <u>제안하는 까닭 파악하기</u> → 제안하는 글 쓰기

• 제안하는 글을 쓸 때 생각할 점은 무엇인가요?

　例 제안하는 글을 읽을 사람이 누구인지 생각해야 해. / 내가 하는 제안을 사람들이 실천할 수 있는지 생각해야 해.

• 제안하는 글에 들어갈 내용을 정리해 봅시다.

| 문제 상황 | 어떤 점이 문제인지 다른 사람들이 알 수 있게 자세히 씁니다. | 깨끗한 물을 구하지 못해 어려움을 겪고 있는 아이들이 있습니다. |
| --- | --- | --- |
| 제안하는 내용 | 문제를 해결하기 위한 자신의 제안을 씁니다. | 例 아프리카 어린이들을 위해 기부 운동에 참여합시다. |
| 제안하는 까닭 | 왜 그런 제안을 했는지, 제안한 내용대로 했을 때 무엇이 더 나아지는지를 씁니다. | 例 아프리카 어린이들이 깨끗한 물을 마시고 사용할 수 있기 때문입니다. |
| 제목 | 제안하는 내용이 잘 드러나게 제목을 붙입니다. | 例 당신의 1리터를 나누어 주세요 |

• 제안하는 글을 쓸 때 주의할 점을 정리해 봅시다.

　例 어떤 <u>문제 상황</u>인지 파악하고 자세히 쓴다. / 문제를 해결하기 위한 자신의 의견을 <u>제안</u>한다. / 제안에 알맞은 <u>까닭</u>을 쓴다. / 제안하는 내용이 잘 드러나게 알맞은 <u>제목</u>을 붙인다.

## 교과서 241쪽　　○ 제안하는 글을 쓰고 발표하기

• 제안하고 싶은 문제 상황을 정해 보세요. 例 점심시간에 음식을 남기는 친구가 많습니다.

• 제안할 내용과 그것을 제안하는 까닭을 떠올려 보세요.

| 제안할 내용 | 例 수요일은 음식을 남기지 않고 다 먹는 날로 정하면 좋겠습니다. |
| --- | --- |
| 제안하는 까닭 | 例 일주일에 단 하루라도 그런 날을 정해 실천하면 조금이라도 자원을 낭비하고 환경을 오염시키는 일을 막을 수 있다고 생각하기 때문입니다. |

## 단원 정리 학습

### 핵심 1 제안하는 글을 쓰는 방법 알기

**1 제안하는 글의 특성 알기**

- 제안하는 글에는 문제 상황, 제안하는 내용, 제안하는 까닭이 드러나 있습니다.
- 제안하는 글을 쓸 때에는 "~합시다.", "~하면 좋겠습니다.", "~하면 어떨까요?" 등의 표현을 사용합니다.
- 제안하는 글을 쓰면 문제 상황과 해결 방법을 알릴 수 있습니다.
- 제안하는 글을 쓰면 더 좋은 쪽으로 일을 해결할 수 있습니다.

**2 제안하는 글을 쓰는 방법 알기**

- 제안하는 글을 쓰는 과정

| 문제 상황 확인하기 | ➡ | 제안하는 내용 정하기 | ➡ | 제안하는 까닭 파악하기 | ➡ | 제안하는 글 쓰기 |
|---|---|---|---|---|---|---|

- 제안하는 글은 글을 읽을 사람이 누구인지 생각해야 합니다.
- 자신이 하는 제안을 사람들이 실천할 수 있는지 생각해야 합니다.
- 제목을 미리 정해 놓고 쓸 내용을 정리할 수도 있고, 쓸 내용을 정리하고 난 뒤에 제목을 붙일 수도 있습니다.

**3 제안하는 글을 쓸 때 주의할 점 알기**

- 어떤 문제 상황인지 파악하고 자세히 씁니다.
- 문제를 해결하기 위한 자신의 의견을 제안합니다.
- 제안에 대한 적절한 까닭을 씁니다.
- 제안하는 내용이 잘 드러나게 알맞은 제목을 붙입니다.

### 핵심 2 문장의 짜임에 대해 알기

- 문장은 생각을 담을 수 있는 말의 단위입니다.
- 문장은 '누가 + 어찌하다', '누가 + 어떠하다', '무엇이 + 어찌하다', '무엇이 + 어떠하다'와 같은 짜임으로 나눌 수 있습니다.

  예
  | 누가 | + | 어찌하다 | ➡ 영수가 축구를 합니다. |

  | 누가 | + | 어떠하다 | ➡ 여자아이가 아주 큽니다. |

  | 무엇이 | + | 어찌하다 | ➡ 버스가 달리고 있습니다. |

  | 무엇이 | + | 어떠하다 | ➡ 날씨가 따뜻해졌습니다. |

- '어찌하다'는 움직임을 나타내는 말이고, '어떠하다'는 상태를 나타내는 말입니다.

## 단원 확인 평가

**[01~04]** 다음 글을 읽고, 물음에 답하시오.

> 지난 주말에 저는 동생과 함께 집 앞 꽃밭에 꽃을 심었습니다. ㉠그런데 오늘 물을 주려고 보니 쓰레기가 꽃 주위에 흩어져 있었습니다. 그 모습을 보니 속이 상했습니다.
> 꽃밭에 쓰레기를 버리지 않으면 좋겠습니다. 꽃은 쓰레기가 없는 깨끗한 꽃밭에서 건강하게 자랄 수 있습니다. 우리가 노력하면 꽃밭을 더 아름답게 가꿀 수 있습니다.

**01** 이 글의 종류는 무엇입니까? (    )

① 설명하는 글
② 광고하는 글
③ 제안하는 글
④ 마음을 전하는 글
⑤ 여행을 다녀와서 쓴 글

**02** ㉠에 대한 설명으로 알맞은 것은 무엇입니까?
(    )

① 문제 상황
② 제안하는 까닭
③ 제안하는 내용
④ 문제 해결에 대한 실천 방법
⑤ 문제 상황에 대한 해결 방법

**03** 글쓴이가 쓴 내용으로 알맞지 <u>않은</u> 것은 어느 것입니까? (    )

① 꽃밭에 나무를 많이 심었으면 좋겠다.
② 꽃밭에 쓰레기를 버리지 않으면 좋겠다.
③ 꽃은 깨끗한 꽃밭에서 건강하게 자랄 수 있다.
④ 우리가 노력하면 꽃밭을 더 아름답게 가꿀 수 있다.
⑤ 지난 주말에 동생과 함께 집 앞 꽃밭에 꽃을 심었다.

**서술형 04** 이 글을 읽고 제안하는 내용이 잘 드러나는 알맞은 제목을 붙이고, 그렇게 제목을 붙인 까닭을 쓰시오.

(1) 제목: _____
_____

(2) 까닭: _____
_____

**도움말** 글쓴이가 제안하는 내용과 제안하는 까닭을 살펴보고 어울리는 제목을 생각해 봅니다.

**중요 05** 다음 문장을 '(누가/무엇이) + (어찌하다/어떠하다)'로 나누어 쓰시오.

> 해적들이 배에 타고 있습니다.

(1) 누가/무엇이: _____

(2) 어찌하다/어떠하다: _____

**[06~07]** 다음 글을 읽고, 물음에 답하시오.

> 물은 사람이 살아가는 데 매우 중요합니다. 우리는 어디에서든지 물을 쉽게 구할 수 있습니다. 그러나 동영상에 나오는 아이는 깨끗한 물을 구하지 못해 어려움을 겪고 있습니다. 많은 아이가 더러운 물을 마셔 생명이 위험할 수도 있습니다.
>
> ┌─────────── ㉠ ───────────┐

**06** 다음 중 '누가/무엇이'에 해당하지 <u>않는</u> 것은 무엇입니까? (　　)

① 물은
② 우리는
③ 많은 아이가
④ 매우 중요합니다.
⑤ 영상 속의 아이는

**07** ㉠에 들어갈 수 있는 제안하는 내용으로 알맞은 것은 무엇입니까? (　　)

① 물을 아껴 씁시다.
② 어린이를 사랑합시다.
③ 더러운 물을 마시지 맙시다.
④ 깨끗한 물을 마실 수 있도록 도와줍시다.
⑤ 오염된 물을 마시면 질병에 걸릴 수 있습니다.

**08** 다음 ㉮~㉰ 중 '문제 상황'으로 알맞은 것은 무엇인지 기호를 쓰시오.

> ㉮ 교실이나 복도에서 뛰어다니지 맙시다.
> ㉯ 부딪히면 크게 다칠 수 있기 때문입니다.
> ㉰ 교실이나 복도에서 친구들이 많이 뛰어다닙니다.

(　　　　　　　)

**09** 제안하는 글을 쓸 때 주의해야 할 점을 두 가지 고르시오. (　　,　　)

① 문제 상황은 쓰지 않아도 된다.
② 제안에 대한 까닭이나 근거는 필요 없다.
③ 글을 읽을 사람은 신경 쓰지 않아도 된다.
④ 제안하는 내용이 잘 드러나게 제목을 붙인다.
⑤ 자신이 하는 제안을 사람들이 실천할 수 있는지 생각한다.

**서술형**

**10** 우리 주변에서 해결되기를 바라는 문제를 떠올려 **기준** 에 따라 정리하여 쓰시오.

**기준** 🦀

| 문제 상황 | 어떤 점이 문제인지 다른 사람들이 알 수 있게 자세히 쓴다. |
|---|---|
| 제안하는 내용 | 문제를 해결하기 위한 자신의 제안을 쓴다. |
| 제안하는 까닭 | 왜 그런 제안을 했는지, 제안한 내용대로 했을 때 무엇이 더 나아지는지를 쓴다. |

| (1) | 문제 상황 | |
|---|---|---|
| (2) | 제안하는 내용 | |
| (3) | 제안하는 까닭 | |

**도움말** 문제 상황은 '요즘 ~하고 있습니다.', '~이 문제입니다.', 제안하는 내용은 '~했으면 좋겠습니다', '~하는 것이 어떨까요', 제안하는 까닭에는 '왜냐하면 ~이기 때문입니다.'라는 표현을 사용하면 좋습니다.

# 쉬어가기

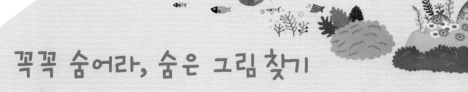

## 꼭꼭 숨어라, 숨은 그림 찾기

더운 여름날 친구들이 시원하게 물놀이를 하면서 더위를 이기고 있네요. 어떤 그림이 꼭꼭 숨어 있는지 찾아보세요.

친구들이 글자가 없었던 시절에 사람들이 생각한 것이나 기억하고 싶은 말을 벽에 새겨 놓은 벽화를 보고 있네요. 그 시절에 글자가 있었으면 어땠을까요?

이제, 9단원에서는 한글이 만들어진 배경과 특성을 알아보고, 한글을 소중히 여기는 마음을 가져 볼 거예요.

# 9 자랑스러운 한글

156쪽 단원 정리 학습에서 더 자세히 공부해 보세요.

## 단원 학습 목표

1. **한글을 만든 과정과 한글의 특성을 이해할 수 있습니다.**
   - 세종 대왕이 한글을 만든 까닭을 알아봅니다.
   - 훈민정음을 알리는 글을 써 봅니다.
   - 한글의 특성을 생각하며 한글이 위대한 이유를 이해합니다.

2. **한글을 소중히 여기는 마음을 가질 수 있습니다.**
   - 한글을 사랑하는 마음을 가집니다.
   - 한글의 우수한 점에 대해 자랑해 봅니다.
   - 한글을 바르게 사용합니다.

## 단원 진도 체크

| 회차 | | 학습 내용 | 진도 체크 |
|---|---|---|---|
| 1차 | 단원 열기 | 단원 학습 내용 미리 보고 목표 확인하기 | ✓ |
| | 교과서 내용 학습 | 「훈민정음의 탄생」 | ✓ |
| 2차 | 교과서 내용 학습 | 「한글이 위대한 이유」 | ✓ |
| 3차 | 교과서 내용 학습 | 「주시경」 / 한글 바르게 사용하기 | ✓ |
| 4차 | 교과서 내용 학습 | 국어 활동 학습하기 | ✓ |
| | 서술형 수행 평가 돋보기 | 서술형 수행 평가 대비 학습하기 | ✓ |
| | 교과서 문제 확인 | 교과서 문제 학습하며 학교 숙제 해결하기 | ✓ |
| 5차 | 단원 정리 학습 | 단원 학습 내용 정리하기 | ✓ |
| | 단원 확인 평가 | 확인 평가를 통한 단원 학습 상황 파악하기 | ✓ |

해당 부분을 공부하고 나서 ✓표를 하세요.

## 교과서 내용 학습

정답과 해설 32쪽

| 훈민정음의 탄생 | 학습 목표 ▶ 한글을 만든 과정 이해하기 | 국어 254~257쪽 |

- 글의 종류: 이야기
- 글쓴이: 이은서
- 글의 특징: 세종 대왕이 한글을 만들게 된 배경과 과정이 나타나 있습니다.

**중심 내용** 세종 대왕은 나라가 안정되자 신하들에게 비밀로 하면서 문자 만드는 일에 온 힘을 기울였습니다.

**1** "명나라에 가는 사신들이 있거든 말소리 연구에 대
임금이나 국가의 명령을 받고 외국에 사절로 가는 신하.
한 책을 구해 오도록 하라."

"전하, 말소리 연구에 관한 책은 무슨 이유로 구해

오라 하시나이까?"

"허허, 그저 궁금해서 그런 것뿐이오. 과인이 관심
임금이 자기를 낮추어 부르던 말.
을 둔 학문이 어디 한두 가지요?"

나라가 안정을 되찾자 세종은 새로운 문자를 만드
명나라에서 말소리 연구에 대한 책을 구해 오라고 한 까닭
는 일에 온 힘을 기울였습니다. 가장 먼저 한 일은 구

해 온 책을 읽는 것이었습니다.

신하들은 세종이 새 문자를 만들고 있는 줄은 꿈에

도 생각하지 못했습니다. 세종은 평소에도 워낙 많은
문자 만드는 일을 의심 받지 않았던 까닭
책을 읽는 터라 누구의 의심도 받지 않았습니다.

세종 또한 새 문자를 만드는 일을 철저히 비밀에 부

쳤습니다. 신하들 중에는 중국의 글자인 한자를 쓰는
신하들이 새 문자를 만드는 일을 반대하는 이유를 알 수 있음.
데 자부심을 느끼는 이가 많아 그들이 새 문자를 만들

고 있다는 사실을 알았다가는 벌 떼처럼 들고일어날

게 뻔했기 때문입니다.

★ 바르게 쓰기

| 철저히 | 철저이 |
|--------|--------|
| (○) | (×) |

**중심 내용** 세종 대왕은 눈이 나빠져도 문자 연구를 계속 하였으며, 오랜 시간을 연구한 끝에 '훈민정음' 28자를 완성했습니다.

**2** 하지만 세종에게는 시간이 그리 많지 않았습니다.

"왜 이렇게 방 안이 어두운가. 서둘러 방을 환히 밝

혀라." / "저, 전하……."

어의가 바닥에 납작 엎드려 울먹였습니다.
궁궐 내에서 임금이나 왕족의 병을 치료하던 의원.
"불을 밝히지 않고 무엇을 하고 있느냐!"

"전하, 방이 어두운 게 아니오라 전하의 눈이 점점
세종 대왕은 시력을 점점 잃어 감.
어두워지는 것이옵니다." / "뭐라?"

---

**01** 세종 대왕은 명나라에 가는 사신들에게 어떤 책을 구해 오라고 하였습니까? (     )

① 문화에 관한 책
② 음악에 관한 책
③ 농사에 관한 책
④ 과학에 관한 책
⑤ 말소리 연구에 관한 책

**02** 세종 대왕이 나라가 안정되자 한 일은 무엇인지 쓰시오.

(                    )

**중요 03** 세종 대왕이 새 문자를 만드는 일을 철저히 비밀에 부친 까닭은 무엇입니까? (     )

① 우리나라 고유의 문자가 있어서
② 신하들이 한자를 쓰는 것에 어려움을 느껴서
③ 백성들이 새 문자를 만드는 일을 좋아하지 않아서
④ 신하들이 한자를 쓰는 데 자부심을 느끼고 있어서
⑤ 신하들이 군사를 만드는 일을 더 중요하게 생각하여서

**04** 세종 대왕의 방 안이 어두웠던 까닭은 무엇인지 쓰시오.

(                    )

어의의 말에 세종은 하늘이 무너지는 것만 같았습
<u>니다. 지금도 온 세상이 눈을 감은 듯 캄캄한데</u>, **조만
간** 영영 시력을 잃을지도 몰랐습니다.
<small>자신이 시력을 점점 잃는다는 것을 알게 되어</small>

세종은 대낮에도 깜깜한 어둠 속에 있는 것 같은 날
들이 하루하루 늘어 갔지만, 식사를 하거나 휴식을 취
할 때조차 늘 문자를 생각했습니다.
<small>항상 한글을 연구함.</small>

"글은 말과 같아야 한다. 글로는 '天(천)'이라 하고,
말로는 '하늘'이라 하면 안 된다. 쉽고 단순한 문자
<small>글과 말이 같아야 하는 까닭</small>
이지만, 그 안에 담긴 의미는 세상 어떤 것보다 깊
어야 한다. 이 <u>우주 만물에는 하늘과 땅이 있고 그
가운데 사람이 있다. 이 원리를 바탕으로 문자를 만</u>
<small>한글의 제자 원리 ①</small>

**낱말 사전**

조만간  앞으로 곧. 예 우리 집은 조만간 이사를 갑니다.

들면 어떨까? 또 사람이 말소리를 내는 기관을 <u>본떠</u>
<small>한글의 제자 원리 ②</small>
문자를 만드는 것도 좋을 것이다."

오랜 시간을 묵묵히 연구한 끝에 세종은 '훈민정음'
28자를 완성했습니다.
<small>한글이 완성됨.</small>

**중심내용** 그 뒤, 훈민정음은 백성들 사이에 퍼져 나갔으며, 억울한 일을 당하는 사람이 줄고 여자들도 책을 읽거나 편지를 썼습니다.

③ 그 뒤, 훈민정음은 백성들 사이에 퍼져 나갔습니
다. 이제는 글을 읽지 못해 억울한 일을 당하는 사람
이 줄었습니다. 한자를 배울 기회조차 적었던 여자들
<small>한글이 만들어진 뒤 변화된 백성의 삶</small>
도 훈민정음을 익혀 책을 읽거나 편지를 썼습니다. 훈
민정음은 그야말로 세종이 백성들에게 준 가장 큰 선
물이었습니다.

★ 바르게 쓰기

| 기회조차 | 기회좇아 |
|---|---|
| ( ○ ) | ( × ) |

본떠  이미 있는 대상을 본으로 삼아 그대로 좇아 만든.

---

**05** 한글을 만들기 위해 노력한 세종 대왕의 생각으로 알맞은 것은 무엇입니까? ( )

① 글은 말과 같아야 한다.
② 글이 말보다 길어야 한다.
③ 우리말을 만들어서는 안 된다.
④ 우리말은 한자로 적는 게 좋다.
⑤ 말은 단순해야 하지만 문자는 복잡해야 한다.

**06** 세종 대왕은 어떤 원리로 글자를 만들고자 했습니까? ( )

① 문자는 단순하지 않게 만들자.
② 한 문자에 여러 개의 뜻을 만들자.
③ 우주의 모양을 본떠 글자를 만들자.
④ 사물의 형태를 보면서 뜻을 만들자.
⑤ 발음 기관과 하늘, 땅, 사람의 모양을 본떠 글자를 만들자.

**07** 글쓴이는 세종 대왕이 백성들에게 준 가장 큰 선물을 무엇이라고 하였는지 쓰시오.

( )

**서술형 08** 세종 대왕이 한글을 만들게 된 배경과 과정을 정리하여 쓰시오.

> • 글을 읽지 못해 억울한 일을 당하는 백성이 많았다.
> • 우리말에 알맞은 글자가 필요하다고 생각했다.

> • 말소리에 대한 책을 구해 읽으며 문자 연구를 했다.
> • 신하들의 반대를 피해 새 문자를 만드는 일을 비밀에 부쳤다.

> • 세종은 눈이 나빠져도 문자 연구를 계속했다.
> • (1) ( )
> ↓
> • 억울한 일을 당하는 사람이 줄어들었다.
> • (2) ( )

**도움말** (1)은 세종 대왕이 문자 연구를 한 결과가, (2)는 세종 대왕이 문자를 만든 결과가 들어가야 합니다.

## 한글이 위대한 이유

학습 목표 ▶ 한글의 특성 이해하기

- **글의 종류**: 설명하는 글
- **글쓴이**: 박영순
- **글의 내용**: 한글은 제자 원리가 독창적이고 과학적인 문자이며, 적은 수의 글자로 많은 소리를 적을 수 있는 문자입니다. 또 한글은 쉽고 빨리 배울 수 있는 문자이며, 한글은 컴퓨터, 휴대 전화 등 기계화에 적합한 문자이기도 합니다.

**중심내용** 지구상에는 현재 사용하고 있는 문자의 종류는 약 50개이고, 그 중 한글은 우수한 문자라고 인정받고 있습니다.

**1** 이 지구상에는 많은 언어가 있으나, 현재 사용하고 있는 문자의 종류는 약 50개밖에 안 된다. 말은 있지만 문자가 없는 언어도 많고, 말은 다르지만 같은 문자를 쓰는 경우도 있기 때문이다. 이 50여 개의 문자 가운데 우리가 사용하고 있는 한글이 우수한 문자라는 것은 이미 많은 사람이 인정하고 있다.

**중심내용** 재러드 다이아몬드는 한글을 독창적이고 과학적인 문자라고 칭찬하였고, 펄 벅은 세종 대왕을 '한국의 레오나르도 다빈치'라고 칭찬하였습니다.

**2** 재러드 다이아몬드라는 학자는 한글은 독창성이 있고 과학적인 문자라고 칭찬하면서 한국인의 **문맹률**이 낮은 것은 바로 한글 덕분이라고 말하였다. 또 노벨 문학상을 받은 유명한 작가 펄 벅은 한글은 익히기 쉬운 훌륭한 문자이며, 한글을 **창제**한 세종 대왕은 '한국의 레오나르도 다빈치'라며 칭찬을 아끼지 않았다.

**중심내용** 한글은 제자 원리가 독창적이고 과학적인 문자입니다.

**3** 그렇다면 구체적으로 어떤 점에서 한글이 우수한 문자 체계라고 말할 수 있는 것일까?

첫째, 한글은 그 제자 원리가 독창적이고 과학적인 문자이다. 한글 모음자의 경우 하늘, 땅, 사람을 본떠 각각 'ㆍ', 'ㅡ', 'ㅣ'의 기본 문자를 먼저 만들고, 이 기본 문자를 합쳐 'ㅗ', 'ㅏ', 'ㅜ', 'ㅓ'와 같은 나머지 모음자를 만들었다.

★ **바르게 읽기**

[문맹늘] [문맹률]
( ○ ) ( × )

**낱말 사전**

**문맹률**(文 글월 문, 盲 소경 맹, 率 따를 률) 배우지 못하여 글을 읽거나 쓸 줄 모르는 사람의 비율.

**창제**(創 비롯할 창, 製 지을 제) 전에 없던 것을 처음으로 만들거나 제정함. 예 새로운 문학 양식을 창제하였습니다.

**09** 지구상에 많은 언어가 있지만 사용하고 있는 문자가 약 50개인 까닭을 두 가지 고르시오. ( , )

① 말과 문자가 같은 경우가 많아서
② 같은 말을 사용하는 민족이 많아서
③ 말은 있지만 문자가 없는 언어가 많아서
④ 말에 따라 다른 문자를 쓰는 경우가 있어서
⑤ 말은 다르지만 같은 문자를 쓰는 경우도 있어서

**10** 재러드 다이아몬드라는 학자는 한국인의 문맹률이 낮은 까닭은 무엇이라고 하였습니까? ( )

① 기계화가 빨리 되어서
② 알파벳을 많이 사용하여서
③ 한자를 사용하는 문화권이어서
④ 한글의 자음자의 종류가 많아서
⑤ 한글은 독창적이고 과학적인 문자라서

**11** 펄 벅은 세종 대왕을 한국의 무엇이라고 비유하며 칭찬하였는지 쓰시오.

( )

**12** 중요 다음 빈칸에 들어갈 알맞은 말을 쓰시오.

한글 모음자의 경우 [ ], 땅, 사람을 본떠 각각 'ㆍ', 'ㅡ', 'ㅣ'의 기본 문자를 먼저 만들었다.

( )

한글 자음의 경우 발음 기관의 모양을 본떠 'ㄱ, ㄴ, ㅁ, ㅅ, ㅇ'의 기본 문자를 만들고, 이 기본 문자에 획 을 더하거나 같은 문자를 하나 더 써서 'ㅋ, ㄲ'과 같 은 자음자를 만들었다.
<small>자음자의 기본 문자 　　　　같은 글자를 하나 더 쓴 경우 　　　　　　　　　　　　　획을 더한 경우</small>

**[중심 내용]** 한글은 적은 수의 문자로 많은 소리를 적을 수 있는 음소 문자입니다.

④ 둘째, 한글은 적은 수의 문자로 많은 소리를 적을 수 있는 음소 문자이다. 한글은 자음자와 모음자 스물
<small>한글의 우수성 ②</small>
넉 자의 문자로 많은 음절을 적을 수 있다. 한글은 사
<small>현재 사용하는 낱글자</small>
람의 입에서 나오는 대부분의 ⬚⬚ ㉠ ⬚⬚을/를 효과적 으로 적을 수 있는 문자이다.

**[중심 내용]** 한글은 쉽고 빨리 배울 수 있는 문자입니다.

⑤ 셋째, 한글은 쉽고 빨리 배울 수 있는 문자이다. 영어
<small>한글의 우수성 ③</small>
알파벳이 스물여섯 자이지만, 소문자, 대문자, 인쇄

체, 필기체를 알아야 하니 100개가 넘고, 중국어에서 사용하는 문자는 3500자이며, 일본의 가나 문자 역시 모든 문자를 따로 익혀야 한다. 반면에 한글은 일정한 원리에 따라 만들어졌기 때문에, 기본이 되는 자음자 다섯 개, 모음자 세 개만 익히면 다른 문자도 쉽게 익
<small>한글을 쉽게 배울 수 있는 까닭</small>
힐 수 있어 문자를 배우는 데 드는 시간이 놀랄 만큼 절약된다.

예를 들어 한글의 자음자는 'ㄱ, ㄴ, ㅁ, ㅅ, ㅇ' 등과
<small>자음자의 기본자</small>
같이 기본 문자를 바탕으로 새로운 문자를 만들어 그 것들이 서로 연관 있는 소리임을 미루어 짐작할 수 있 다. 기본 자음자에 획을 더 그으면 **거센소릿자**가 되고
<small>거센소릿자의 제자 원리</small>
겹쳐 쓰면 **된소릿자**가 된다.
<small>된소릿자의 제자 원리</small>

**[낱말 사전]**

**거센소릿자** 숨이 거세게 나오는 자음으로 국어의 'ㅊ', 'ㅋ', 'ㅌ', 'ㅍ' 등이 있음.

**된소릿자** 예사 소리보다 더 강하고 단단한 느낌을 주는 자음자로, 'ㄲ', 'ㄸ', 'ㅃ', 'ㅆ', 'ㅉ' 등이 있음.

---

**13** 한글 자음자의 제자 원리로 알맞은 것을 두 가지 고르시오. (　　　,　　　)

① 하늘, 땅, 사람을 본뜸.
② 발음 기관의 모양을 본뜸.
③ 소문자, 대문자, 인쇄체, 필기체를 만듦.
④ 기본 문자를 오른쪽, 왼쪽, 위, 아래로 합침.
⑤ 기본 문자에 획을 더하거나 같은 문자를 하 나 더 씀.

**[중요] 14** 한글의 자음자를 거센소릿자나 된소릿자로 만드 는 방법을 알맞게 선으로 이으시오.

(1) 거센소릿자 　•

(2) 된소릿자 　•

• ① 기본 자음자 를 겹쳐 씀.

• ② 기본 자음자 에 획을 하나 더 그음.

**15** 한글의 특성을 생각하여 볼 때, ㉠에 들어갈 알맞 은 말은 무엇이겠습니까? (　　　)

① 뜻　　　　　　② 색깔
③ 모양　　　　　④ 소리
⑤ 길이

**[서술형] 16** 이 글에서 설명하는 한글의 우수성을 정리하여 쓰시오.

첫째, 한글은 그 제자 원리가 독창적이고 과 학적인 문자이다.

둘째, (1) ＿＿＿＿＿＿＿＿＿＿＿＿＿＿＿＿＿ ＿＿＿＿＿＿＿＿＿＿＿＿＿＿＿＿＿＿＿＿＿

셋째, (2) ＿＿＿＿＿＿＿＿＿＿＿＿＿＿＿＿＿ ＿＿＿＿＿＿＿＿＿＿＿＿＿＿＿＿＿＿＿＿＿

**[도움말]** 4, 5문단의 중심 문장이 무엇인지 알아봅니다.

한글의 모음자는 소리의 변화가 없이 한 문자가 한 소리만 나타낸다. <u>한글을 쉽고 빠르게 배울 수 있는 까닭</u> 한글의 '아'는 언제나 [아]로만 발음되지만, 영어의 'a'는 낱말에 따라 여러 가지로 발음되기 때문에 <u>영어를 배우는 데 노력이 필요한 까닭</u> 영어는 발음법을 배우는 데 상당한 노력을 기울여야 한다. 이렇게 한글이 배우기 쉽고 과학적인 까닭에 세계 언어학자들은 한글을 '알파벳의 꿈'이라고 표현한다.

**중심내용** 한글은 컴퓨터, 휴대 전화 등 기계화에 적합한 문자입니다.

6 넷째, 한글은 컴퓨터, 휴대 전화 등 기계화에 **적합한** 문자이다. <u>한글의 우수성 ④</u> 오늘날과 같은 정보 통신 시대에 사용하기 좋은 '디지털 문자'로서 **탁월하다**. 휴대 전화로 문자를 보낼 때에 한글로는 5초면 되는 문장을 중국어

나 일본어로는 35초가 걸린다는 연구가 있다. <u>휴대 전화의 한글 자판은 한글의 자음과 모음의 획을 더하는 원리에 기초하여 설계되었다.</u> <u>한글이 기계화에 적합한 문자인 까닭</u> 그렇기 때문에 누구나 쉽고 빠르게 글자를 입력할 수 있다.

**중심내용** 한글의 우수성은 널리 외국에도 알려졌고, 한글을 배우고자 하는 외국인의 수도 늘어나고 있습니다.

7 로버트 램지 교수는 "한글은 소리와 문자가 서로 체계적 연관성을 지닌 과학적인 문자"라면서 <u>어느 문자에서 볼 수 없는 특징</u> "한글 창제는 그 어느 문자에서도 찾아볼 수 없는 위대한 성취★"라고 하였다. <u>한글의 우수성은 널리 외국에도 알려졌고, 한글을 배우고자 하는 외국인의 수도 늘어나고 있다.</u> <u>한글의 세계적인 위상</u>

★ 바르게 쓰기

| 성취 | 성치 |
|---|---|
| ( ○ ) | ( × ) |

**낱말 사전**

**적합(適** 갈 적, **合** 합할 합)**한** 일이나 조건 등이 꼭 알맞은.
㉖ 오늘은 소풍 가기에 적합한 날씨입니다.

**탁월(卓** 높을 탁, **越** 넘을 월)**하다** 남보다 두드러지게 뛰어나다.
㉖ 그의 언어 실력은 매우 탁월하다.

**17** 세계의 언어학자들이 한글을 '알파벳의 꿈'이라고 표현한 까닭은 무엇입니까? (　　)

① 글자를 따로 익혀야 해서
② 배우기 쉽고 과학적이라서
③ 배우는 데 상당한 노력이 필요해서
④ 인쇄체, 필기체 등 문자가 다양해서
⑤ 낱말에 따라 여러 가지로 발음되어서

**18** 다음 연구에서 알 수 있는 한글의 특성은 무엇입니까? (　　)

> 휴대 전화로 문자를 보낼 때에 한글로는 5초면 되는 문장을 중국어나 일본어로는 35초가 걸린다는 연구가 있다.

① 아름다운 문자
② 창의적인 문자
③ 기계화에 적합한 문자
④ 쉽고 빨리 배울 수 있는 문자
⑤ 많은 소리를 적을 수 있는 문자

**19** 글쓴이가 이 글을 쓴 까닭은 무엇입니까? (　　)

① 한글의 문제점을 알리려고
② 한글의 우수성을 알리려고
③ 한글 사용의 문제점을 말하려고
④ 한글을 연구한 박사들을 소개하려고
⑤ 여러 나라 언어의 비슷한 점을 알리려고

**중요**
**20** 이 글을 읽고 친구들이 한글의 우수성에 대하여 말하고 있습니다. 바르지 <u>않게</u> 말한 친구의 이름을 쓰시오.

> 현수: 많은 소리를 자유롭게 표현할 수 있어.
> 다희: 과학적이고 독창적인 창제 원리를 가지고 있어.
> 경진: 낱말에 따라 발음이 변하지만 외우면 누구나 쉽게 배울 수 있어.

(　　　　)

## 주시경

**학습 목표 ▶** 한글을 소중히 여기는 마음 가지기

국어 264~269쪽

- **글의 종류:** 이야기
- **글쓴이:** 이은정

• **글의 내용:** 주시경은 우리글의 소중함을 알고 『대한 국어 문법』 책을 펴냈으며, 한글을 연구하고 가르쳤습니다.

**중심 내용** 주시경은 과거 시험을 잘 보기 위해서 공부를 게을리하지 않았습니다.

1 1876년 12월 22일 황해도 봉산에서 태어난 주시경은 과거 시험을 잘 보기 위해서 하루도 공부를 게을리 <sub>한자로 시험 보는 과거 시험</sub> 하지 않았어요.

**중심 내용** 주시경이 열두 살 무렵 서울 큰아버지 댁으로 가서 이회종 선생님에게 한문을 배웠습니다.

2 주시경이 열두 살이던 무렵이었어요. 서울에서 장사를 하는 큰아버지가 찾아왔어요. 병으로 자식들을 <sub>큰아버지가 조카를 데리고 가려는 까닭</sub> 모두 잃은 큰아버지는 조카 한 명을 데려가 아들로 키우려고 했어요.

부모님은 곰곰이 의논한 끝에 둘째 아들인 주시경을 큰집에 보내기로 했어요. 주시경은 가족과 헤어지는 것이 너무나 슬펐지만 부모님의 뜻에 따라 서울 큰아버지 댁으로 갔어요. / 서울에 온 뒤 주시경은 큰아버지 댁 근처에 사는 이회종 선생님에게 한문을 배웠어요.

**중심 내용** 열여덟 살이 된 주시경이 『시경』을 공부하다가 소리와 글자가 다른 한문에 답답한 마음이 들었고, 점점 한글에 빠져들었습니다.

3 열여덟 살이 된 주시경이 중국의 옛 시집인 『시경』 <sub>유학의 다섯 가지 경전 중 하나.</sub> 을 알기 쉽게 풀이한 『시전』을 공부할 때의 일이에요. <sub>『시경』의 내용을 알기 쉽게 풀이한 책.</sub>

"내가 한 구절을 읽을 테니 따라 읊으려무나. '㉠벌목정정 조명앵앵'." / 학생들은 멍하니 선생님을 따라 읊었어요. 도무지 무슨 뜻인지 알 수가 없었거든

요. 주시경도 뜻을 모르기는 마찬가지였지요.

"벌목정정, 나무 찍는 소리는 쩡쩡 울리고. 조명앵 <sub>'벌목정정'의 뜻</sub> 앵, 새들은 짹짹 울음을 우네. 이리 쉬운 시도 풀이 <sub>'조명앵앵'의 뜻</sub> 를 못 하다니 공부를 게을리하였구나!"

선생님이 못마땅한 얼굴로 뜻을 가르쳐 주었어요. 주시경은 저도 모르게 힘이 **빠졌어요**.

'저 뜻 모를 말이 겨우 나무 찍는 소리와 새 울음소리였다니! 왜 알아듣기 힘든 한문으로 읽고, 우리말 <sub>주시경이 힘이 빠진 까닭</sub> 로 다시 풀이해야 할까? 처음부터 우리말로 하면 바로 알아들을 텐데.' <sub>한글의 필요성에 대해 생각함.</sub>

주시경은 그전에도 한문 글귀를 못 알아들은 적이 <sub>글의 구나 절.</sub> 몇 번 있었어요. 그때마다 공부를 열심히 안 한 스스로를 탓했지요. 그런데 오늘은 도무지 잘못했다는 마음이 들지 않았어요. / 공부를 마치고 집으로 가는 동안 주시경은 골똘히 생각에 잠겼어요.

'나무 찍는 소리 쩡쩡은 쩡이라 읽는 한자가 없어 정을 쓰고, 새 울음소리 짹짹도 짹이라 읽는 한자가 없어 새가 운다는 뜻의 한자 앵을 쓴 거야. '쩡쩡'과 '짹짹'이라 쓰면 훨씬 알아듣기 쉽고 본디 소리에도 <sub>한글로 쓰면 좋은 점</sub> 가까운데 말이야.'

---

**21** 주시경은 왜 서울로 가게 되었습니까? (     )

① 과거 시험을 보기 위해서
② 『시경』을 더 열심히 공부하기 위해서
③ 큰아버지에게 장사를 배우기 위해서
④ 부모님이 큰아버지의 아들로 보내셔서
⑤ 이회종 선생님께 한문을 배우기 위해서

**22** 선생님이 풀어 주신 ㉠의 의미는 무엇인지 쓰시오.

(                                                    )

**23** (중요) 주시경이 한문을 공부하면서 생각한 것을 두 가지 고르시오. (     ,     )

① 한문은 본디 소리에 가까운 말이다.
② 한자는 뜻이 깊은 훌륭한 문자이다.
③ 우리말을 한자로 표현하니 뜻을 알기 쉽다.
④ 처음부터 우리말로 읽으면 바로 알아들을 것이다.
⑤ 알아듣기 힘든 한문을 우리말로 다시 풀이해야 하니 이상하다.

9. 자랑스러운 한글 **149**

주시경은 답답한 마음에 철퍼덕 주저앉았어요. 그러고는 몇 해 전 배운 한글을 흙바닥에 끼적였어요. 십 년을 넘게 배워도 아직 다 깨우치지 못한 한문과 달리 한글은 며칠 만에 읽고 쓸 수 있었어요.
<sub>주시경이 한글에 빠져들었던 까닭</sub>

그날 이후 주시경은 점점 한글에 빠져들었어요.

**중심내용** 열아홉 살이 된 주시경은 배재 학당에 입학해 한글 연구에 필요한 지식을 다져 나갔으며, 우리 말 문법책을 만들기 위해 자료를 모았습니다.

④ 1894년 열아홉 살이 된 주시경은 배재학당에 입학해 지리, 수학, 영어 등 여러 가지를 공부하며 한글 연구에 필요한 지식을 다져 나갔어요. 주시경은 집안 형편이 어려워 수업이 끝나면 인쇄소에서 일하며 생활에 필요한 돈을 마련해야 했지요. 집에 돌아오면 몹시 피곤했지만 주시경은 한글을 연구했어요.

당시 우리나라에는 사람들이 두루 볼 만한 우리말 문법책이 없었어요. 많은 사람이 한문만을 글로 여기고 우리글에는 관심을 가지지 않았기 때문이지요. 주시경은 사람들이 쉽게 알아볼 수 있는 우리말 문법책을 만들기로 마음먹었어요. 도움이 될 만한 자료가 있다는 얘기를 들으면 먼 길도 마다하지 않고 찾아갔어요. 빌려 봐야 하는 자료는 일일이 베껴서 모았지요.

**중심내용** 1906년 주시경은 『대한 국어 문법』책을 펴냈고, 한글 가르치는 일에 힘썼습니다.

⑤ 1906년 주시경은 『대한 국어 문법』이라는 책을 펴
<sub>주시경의 업적</sub>

냈어요. 이 책에는 한글과 우리말을 바르게 사용하기 위한 규칙인 문법이 실려 있었어요. 그 후로 주시경은 사람들에게 한글을 연구하는 학자로 널리 알려졌어요. 여기저기에서 한글을 가르쳐 달라고 주시경에게 부탁을 해 왔어요. 이 무렵은 다른 나라들이 서로 우리나라를 차지하려고 다투던 시기였어요. 우리나라는 힘이 없었지요. 주시경은 이런 어려운 때일수록 우리글이 힘이 될 거라고 생각하며 한글을 가르쳐 달라는 곳이 있으면 어디든지 달려갔어요. 주시경은 한글을 가르치며 늘 우리글을 아끼고 사랑하는 것이 나라를 사랑하는 길이라는 것을 강조했어요.

**중심내용** 주시경은 한글을 가르치기 위해 보따리를 들고 이곳저곳을 찾아다녀서 '주 보따리'라는 별명이 붙여졌습니다.

⑥ "주 보따리 오신다!"

학교에 들어설 때마다 학생들이 주시경을 알아보고 소리쳤어요. 주시경은 늘 두루마기를 차려입고 옆구리에 커다란 보따리를 들고 다녔어요. 그래서 '주 보따리'라는 별명이 붙었지요. / 그 안에는 학생들을 가르칠 책과 여러 자료가 있었어요. 주시경은 우리글을 연구하는 일 못지않게 우리글을 가르치는 일도 중요하다고 생각했어요. 주시경은 한글을 가르치기 위해 보따리를 들고 이곳저곳을 찾아다녔어요.

**24** 주시경이 살던 당시 사람들은 한글에 대하여 어떻게 생각하였는지 쓰시오.

( )

**25** 주시경의 삶을 연표로 나타낼 때 빈칸에 알맞은 말을 쓰시오.

| 때 | 있었던 일 |
|---|---|
| 1876년 | 태어남. |
| 1894년 | (1) ( )에 입학함. |
| (2) ( )년 | 『대한 국어 문법』이라는 책을 펴냄. |

**26** <sub>중요</sub> 주시경이 『대한 국어 문법』이라는 책을 펴낸 까닭을 찾아 ○표를 하시오.

(1) 세종 대왕의 많은 업적을 기리려고 ( )

(2) 한문으로 된 책을 잘 해석하게 하려고 ( )

(3) 사람들이 볼 만한 우리말 문법책을 만들려고 ( )

**27** <sub>서술형</sub> 우수한 한글을 소중히 여기는 마음을 담아 표어를 만들어 쓰시오.

| |
|---|

**도움말** 한글의 소중함을 담아 표어를 만들어 봅니다.

■ 그림에서 살펴볼 점: 학교 주변의 간판에 어떤 문자가 쓰였는지 살펴봅니다.

■ 간판의 글을 한글로 쓰면 좋은 점
• 어떤 가게인지 쉽게 알 수 있습니다.
• 부르기 쉽고 기억하기 쉽습니다.
• 한글의 소중함을 느낄 수 있습니다.

■ 한글을 바르게 사용하기 위해 할 수 있는 일
• 한글에 관심을 가져야 합니다.
• 바르고 정확하게 한글을 사용하려고 노력합니다.
• 외국어나 외국 문자로 된 말을 우리말로 고쳐 봅니다.

**28** 간판에 쓰인 문자를 분류하여 기호를 쓰시오.

> ㉮ 맛있는 밥집    ㉯ Happy 빵집
> ㉰ 우리 문방구    ㉱ Lovely Flower
> ㉲ 名品 의류

| 한글 | 다른 나라 문자 |
|------|----------------|
| (1)  | (2)            |

**29** ㉱를 한글 간판으로 바꾸려고 합니다. 알맞은 것에 ○표를 하시오.

(1)  예쁜 꽃집          (    )

(2)  러블리 화원        (    )

(3)  사랑스런 플라워    (    )

**30** 다른 나라 문자로 된 간판을 보았을 때 불편한 점을 두 가지 고르시오. (    ,    )

① 물건이 잘 보이지 않는다.
② 사람들의 눈에 잘 띄지 않는다.
③ 다른 나라 문자를 공부할 수 있다.
④ 무엇을 파는 가게인지 잘 모를 때가 있다.
⑤ 어떤 뜻인지 잘 이해가 되지 않을 때가 있다.

**31** 중요 간판의 글을 한글로 쓰면 좋은 점을 바르게 말한 친구의 이름을 쓰시오.

> 윤지: 글씨를 크고 또렷하게 쓸 수 있어.
> 호연: 우리말에 대한 소중함을 느낄 수 있어.
> 백산: 간판이 정리되고 깨끗한 느낌이 들어.

(                    )

국어 활동 89쪽

## 모두 쓸 수 있는 낱말 알아보기

■ 무엇이 옳은지 생각하며 다음 대화를 살펴보기

① 자장면이 맞아! / 아니야. 짜장면이 맞아.

② 차림표에도 짜장면이라고 적혀 있고 많은 사람이 그렇게 말해.

③ 아니야, 그동안 자장면으로 써 왔으니까 자장면이라고 해야 해.

④ 그럼 짬뽕은 왜 잠봉이 아닐까?

tip '자장면'이라는 이름은 중국의 '작장면'에서 왔다고 해서 '자장면'이라고 쓰도록 정해졌습니다. 그 뒤에 실제로 '짜장면'이라고 많이 쓰여 '자장면'과 '짜장면'을 모두 쓸 수 있게 바뀌었습니다.

■ 모두 쓸 수 있는 낱말의 예를 더 찾아보기

| 이렇게 써야 했어요 | 이제는 이렇게 써도 돼요 |
|---|---|
| 태껸 | 택견 |
| 예쁘다 | 이쁘다 |

• 활동 내용: '짜장면'과 '자장면'처럼 모두 쓸 수 있는 또 다른 낱말은 무엇이 있는지 알아봅니다.

보통 '짜장면'이라고 말하면서 표현은 '자장면'이라고 알고 있는 경우가 많아. 하지만 '짜장면', '자장면' 모두 쓸 수 있는 낱말이야.

확인 문제

※ 다음 중 알맞은 낱말에 모두 ○표를 하시오.

1. 태껸 ( )

2. 택견 ( )

정답 1. ○, 2. ○

# 서술형 수행 평가 돋보기

학교에서 출제되는 서술형 수행 평가를 미리 준비하세요.

◑ 다음 글을 읽고, 물음에 답하시오.

(가) 첫째, 한글은 그 제자 원리가 독창적이고 과학적인 문자이다. 한글 모음자의 경우 하늘, 땅, 사람을 본떠 각각 '·', '―', 'ㅣ'의 기본 문자를 먼저 만들고, 이 기본 문자를 합쳐 'ㅗ', 'ㅏ', 'ㅜ', 'ㅓ'와 같은 나머지 모음자를 만들었다.

(나) 둘째, 한글은 적은 수의 문자로 많은 소리를 적을 수 있는 음소 문자이다. 한글은 자음자와 모음자 스물넉 자의 문자로 많은 음절을 적을 수 있다. 한글은 사람의 입에서 나오는 대부분의 소리를 효과적으로 적을 수 있는 문자이다.

(다) 셋째, 한글은 쉽고 빨리 배울 수 있는 문자이다. 영어 알파벳이 스물여섯 자이지만, 소문자, 대문자, 인쇄체, 필기체를 알아야 하니 100개가 넘고, 중국어에서 사용하는 문자는 3500자이며, 일본의 가나 문자 역시 모든 문자를 따로 익혀야 한다. 반면에 한글은 일정한 원리에 따라 만들어졌기 때문에, 기본이 되는 자음자 다섯 개, 모음자 세 개만 익히면 다른 문자도 쉽게 익힐 수 있어 문자를 배우는 데 드는 시간이 놀랄 만큼 절약된다.

(라) 넷째, 한글은 컴퓨터, 휴대 전화 등 기계화에 적합한 문자이다. 오늘날과 같은 정보 통신 시대에 사용하기 좋은 '디지털 문자'로서 탁월하다. 휴대 전화로 문자를 보낼 때에 한글로는 5초면 되는 문장을 중국어나 일본어로는 35초가 걸린다는 연구가 있다.

**1** 이 글을 쓴 까닭은 무엇인지 쓰시오.

( )

**2** 한글의 우수성을 정리하여 쓰시오.

첫째, (가)
둘째, (나)
셋째, (다)
넷째, (라)

**3** 이 글을 바탕으로 한글을 잘 모르는 외국인 친구에게 한글을 소개하는 글을 쓰시오.

한글은 조선 시대에 세종 대왕이 만든 문자야.

한글은 유네스코 세계 기록 유산이기도 한 우리나라의 자랑스러운 글자란다.

## 문제 파악

글의 내용을 이해하고 알리고 싶은 내용을 정리하여 소개하는 글을 쓰는 문제입니다.

## 해결 전략

| 1 단계 | 글쓴이가 이 글을 쓴 까닭 파악하기 |
|---|---|

↓

| 2 단계 | 글쓴이가 제시한 한글의 우수성 정리하기 |
|---|---|

↓

| 3 단계 | 글쓴이가 제시한 한글의 우수성 중에서 한글을 모르는 외국인 친구에게 소개하고 싶은 내용 생각하기 |
|---|---|

↓

| 4 단계 | 친구에게 말하듯이 생각한 내용을 한글을 모르는 외국인에게 구체적으로 설명하는 글 쓰기 |
|---|---|

학교 선생님께서 알려 주시는 모범 답안과 채점 기준도 book ❸ 해설책에서 꼭 확인하세요!

# 교과서 문제 확인

**교과서 253쪽**

○ 한글을 만든 과정 이해하기

• 세종 대왕의 고민을 말해 봅시다. ㉙ 백성들이 문자를 알지 못해 어려움을 겪는 것이 안타까웠습니다. / 백성들의 삶에 도움이 되는 일을 하고 싶었습니다. / 백성들이 알기 쉬운 문자를 만들고 싶었습니다.

**「훈민정음의 탄생」**

○ 세종 대왕이 만든 한글이 만들어진 과정이 잘 드러나 있는 이야기

• 세종이 말소리 연구에 대한 책을 구해 오라고 한 까닭은 무엇일까요?
  ㉙ 새로운 문자를 만드는 데 활용하기 위해서입니다. / 문자를 만들기 위한 자료로 쓰기 위해서입니다.
• 세종이 새로운 문자를 만드는 일을 비밀로 한 까닭은 무엇일까요? ㉙ 신하들이 반대할 것을 염려했기 때문입니다.
• 훈민정음을 익힌 백성의 삶은 어떻게 달라졌나요?
  ㉙ 글을 읽거나 쓸 수 있게 되었습니다. / 억울한 일을 당하는 사람이 줄어들었습니다. / 한자를 배울 기회조차 적었던 여자들은 훈민정음을 익혀 책을 읽거나 편지를 썼습니다.

**「한글이 위대한 이유」**

○ 한글의 네 가지 특성을 들어 한글의 우수성을 설명하는 글

• 자음자와 모음자의 기본 문자는 무엇을 본떠 만들었나요?
  ㉙ 자음자는 발음 기관, 모음자는 하늘, 땅, 사람의 모양을 본떠 만들었습니다.
• 기본 문자를 바탕으로 하여 나머지 문자를 만든 원리는 무엇인가요?
  ㉙ 자음자는 기본 문자에 획을 더하거나 문자를 옆으로 겹쳐서 썼습니다. / 모음자는 기본 문자를 서로 합치거나 점을 더해서 썼습니다.
• 한글을 쉽게 익힐 수 있는 까닭은 무엇인가요?
  ㉙ 한글은 일정한 원리에 따라 만들어졌기 때문에 기본이 되는 자음자 다섯 개, 모음자 세 개만 익히면 다른 문자도 쉽게 익힐 수 있기 때문입니다. / 한글의 모음자는 소리의 변화가 없이 한 문자가 한 소리만 가지기 때문입니다.
• 문자의 형태와 관련 있는 발음 기관의 모양을 찾아 선으로 이어 보세요.

## 「주시경」    ○ 한글을 연구하고 가르친 주시경의 이야기

• 주시경이 한글에 관심을 가지게 된 까닭은 무엇인가요? 예 한문은 그 한자들의 뜻을 알기 위해 다시 우리말로 풀이해야 하지만 한글은 며칠 만에 읽고 쓸 수 있었기 때문입니다.

• 주시경이 우리말 문법책을 만든 까닭은 무엇인가요?
  예 당시 우리나라에는 사람들이 두루 볼 만한 쉬운 우리말 문법책이 없어서입니다.

• 주시경에게 '주 보따리'라는 별명이 붙은 까닭은 무엇인가요? 예 학생들에게 한글에 대해 하나라도 더 가르치려고 많은 자료를 들고 다녔기 때문입니다. / 항상 보자기에 한글 연구와 강의에 대한 자료를 싸서 들고 다녔기 때문입니다.

• 주시경이 여러 곳을 찾아다니며 한글을 가르친 까닭은 무엇인가요? 예 한글을 널리 알리기 위해서입니다. / 한글을 더 많은 사람이 잘 쓰게 하기 위해서입니다.

• 주시경의 삶을 연표로 나타내 봅시다.

| 때 | 있었던 일 |
|---|---|
| 1876년 | 태어남. |
| ( 예 1894 )년 | 배재 학당에 입학함. |
| 1906년 | ( 예 『대한 국어 문법』 )(이)라는 책을 펴냄. |

## 교과서 270~271쪽    ○ 한글을 바르게 사용하기

• 문자를 써 보세요. 예 맛있는 밥집, 우리 문방구, 名品 의류, Lovely Flower, Happy 빵집

• 문자를 분류해 보세요.

| 한글로만 쓰인 간판 | 다른 나라 문자도 쓰인 간판 |
|---|---|
| 예 맛있는 밥집, 우리 문방구 | 예 名品 의류, Lovely Flower, Happy 빵집 |

③ 한글로 바꿀 수 있는 간판이 있으면 바꾸어 보세요.

| 바꿀 간판 | 바꾼 간판 |
|---|---|
| 예 名品 의류, Lovely Flower, Happy 빵집 | 예 멋진 옷 가게, 예쁜 꽃집, 꿀맛 빵집 등 |

• 간판에 여러 나라의 문자를 쓰는 까닭은 무엇인가요? 예 사람들의 눈에 잘 띄게 하기 위해서입니다.

• 다른 나라 문자로 된 간판을 보면 어떤 생각이 드나요?
  예 어떤 뜻인지 잘 이해되지 않습니다. / 무엇을 파는 가게인지 잘 모를 때가 있습니다.

• 간판의 글을 한글로 쓰면 좋은 점은 무엇인가요?
  예 어떤 가게인지 쉽게 알 수 있습니다. / 부르기 쉽고 기억하기 좋습니다. / 한글의 소중함을 느낄 수 있습니다.

# 단원 정리 학습

## 핵심 1    세종 대왕이 한글을 만들게 된 배경과 과정

| | | | |
|---|---|---|---|
| • 글을 읽지 못해 억울한 일을 당하는 백성이 많았다.<br>• 우리말에 알맞은 글자가 필요하다고 생각했다. | • 말소리에 대한 책을 구해 읽으며 문자 연구를 했다.<br>• 신하들의 반대를 피해 새 문자 만드는 일을 비밀에 부쳤다. | • 세종은 눈이 나빠져도 문자 연구를 계속했다.<br>• 훈민정음 28자를 완성했다. | • 억울한 일을 당하는 사람이 줄어들었다.<br>• 한글로 책을 읽거나 편지를 쓰는 사람들이 늘어났다. |

## 핵심 2    한글의 특성

| | |
|---|---|
| • 독창적이고 과학적인 문자이다. | • 적은 수의 문자로 많은 소리를 적을 수 있는 음소 문자이다. |
| • 쉽고 빨리 배울 수 있는 문자이다. | • 컴퓨터, 휴대 전화 등 기계화에 적합한 문자이다. |

## 핵심 3    한글을 소중히 여기는 마음 가지기

● 한글을 소중히 여긴 대표적인 인물은 주시경입니다.

| | |
|---|---|
| 주시경의 업적 | 한글 연구 / 우리말 문법 사전 『대한 국어 문법』 편찬 / 한글 강의 등 |
| 당시 한글에 대한 생각 | 한문만을 글로 여기고 우리글에서는 관심이 없었음. |
| 당시 우리나라 상황 | 다른 나라들이 서로 우리나라를 차지하려고 다투던 시기임. |
| 주시경이 한글을 연구한 까닭 | 어려운 나라의 상황을 이겨 내는 길이 한글을 갈고닦는 데 있기 때문에 |

## 핵심 4    한글을 바르게 사용하기

● 한글에 관심을 가져야 합니다.

● 바르고 정확하게 한글을 사용하려고 노력합니다.

● 외국어나 외국 문자로 된 말을 우리말로 고쳐 봅니다.

 다른 나라 문자로 된 간판 우리말로 바꾸기

| Happy 빵집 | ➡ | 행복한 빵집 |
|---|---|---|

# 단원 확인 평가

**[01~02]** 다음 글을 읽고, 물음에 답하시오.

㈎ "명나라에 가는 사신들이 있거든 말소리 연구에 대한 책을 구해 오도록 하라."

"전하, 말소리 연구에 관한 책은 무슨 이유로 구해 오라 하시나이까?"

"허허, 그저 궁금해서 그런 것뿐이오. 과인이 관심을 둔 학문이 어디 한두 가지요?"

나라가 안정을 되찾자 세종은 새로운 문자를 만드는 일에 온 힘을 기울였습니다. 가장 먼저 한 일은 구해 온 책을 읽는 것이었습니다.

㈏ 세종은 대낮에도 깜깜한 어둠 속에 있는 것 같은 날들이 하루하루 늘어 갔지만, 식사를 하거나 휴식을 취할 때조차 늘 문자를 생각했습니다.

"글은 말과 같아야 한다. 글로는 '天(천)'이라고 하고, 말로는 '하늘'이라 하면 안 된다. 쉽고 단순한 문자이지만, 그 안에 담긴 의미는 세상 어떤 것보다 깊어야 한다. 이 우주 만물에는 하늘과 땅이 있고 그 가운데 사람이 있다. 이 원리를 바탕으로 문자를 만들면 어떨까? 또 사람이 말소리를 내는 기관을 본떠 문자를 만드는 것도 좋을 것이다."

오랜 시간을 묵묵히 연구한 끝에 세종은 '훈민정음' 28자를 완성했습니다.

**01** 세종 대왕이 말소리 연구에 대한 책을 구해 오라고 한 까닭은 무엇이겠습니까? (      )

① 중국말을 배우게 하려고
② 중국의 문화를 본받으려고
③ 백성들에게 한자를 보급하려고
④ 백성의 억울한 일을 재판하려고
⑤ 새로운 문자를 만드는데 활용하려고

**중요**
**02** 훈민정음을 만든 과정에 맞게 번호를 쓰시오.

(1) 훈민정음 28자를 완성했다. (      )
(2) 세종은 쉬지 않고 문자 연구를 계속했다.
(      )
(3) 세종은 말소리에 대한 책을 구해 읽으며 문자 연구를 했다. (      )

**[03~05]** 다음 글을 읽고, 물음에 답하시오.

셋째, 한글은 쉽고 빨리 배울 수 있는 문자이다. 영어 알파벳이 스물여섯 자이지만, 소문자, 대문자, 인쇄체, 필기체를 알아야 하니 100개가 넘고, 중국어에서 사용하는 한자는 한자 수만 5만 자가 넘으며, 일본의 가나 문자 역시 모든 글자를 따로 익혀야 한다. 반면에 한글은 일정한 원리에 따라 만들어졌기 때문에, 기본이 되는 자음자 다섯 개, 모음자 세 개만 익히면 다른 글자도 쉽게 익힐 수 있어 문자를 배우는 데 드는 시간이 놀랄 만큼 절약된다.

예를 들어, 한글의 자음자는 'ㄱ, ㄴ, ㅁ, ㅅ, ㅇ' 등과 같이 기본 문자를 바탕으로 새로운 문자를 만들어 그것들이 서로 연관 있는 소리임을 미루어 짐작할 수 있다. ㉠기본 자음자에 획을 하나 더 그으면 거센소릿자가 되고 겹쳐 쓰면 된소릿자가 된다. 한글의 모음자는 소리의 변화가 없이 한 문자가 한 소리만 나타낸다. 한글의 '아'는 언제나 [아]로만 발음되지만, 영어의 'a'는 낱말에 따라 여러 가지로 발음되기 때문에 영어는 발음법을 배우는 데 상당한 노력을 기울여야 한다. 이렇게 한글이 배우기 쉽고 과학적인 까닭에 세계 언어학자들은 한글을 '알파벳의 꿈'이라고 표현한다.

**03** ㉠과 관계있는 자음자는 무엇입니까? (      )

① ㅋ          ② ㄴ          ③ ㅃ
④ ㅆ          ⑤ ㅇ

**04** 세계 언어학자들은 한글을 무엇이라고 표현하는지 이 글에서 찾아 쓰시오.

(                                          )

**서술형**
**05** 이 글에서 설명하고 있는 한글의 우수성은 무엇인지 쓰시오.

_____

_____

_____

**도움말** 이 글의 중심 내용을 살펴봅니다.

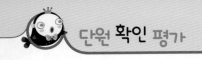
**[06~08]** 다음 글을 읽고, 물음에 답하시오.

> 1906년 주시경은 『대한 국어 문법』이라는 책을 펴냈어요. 이 책에는 한글과 우리말을 바르게 사용하기 위한 규칙인 문법이 실려 있었어요. 그 후로 주시경은 사람들에게 한글을 연구하는 학자로 널리 알려졌어요. 여기저기에서 한글을 가르쳐 달라고 주시경에게 부탁을 해 왔어요. 이 무렵은 다른 나라들이 서로 우리나라를 차지하려고 다투던 시기였어요. 우리나라는 힘이 없었지요. 주시경은 이런 어려운 때일수록 우리 글이 힘이 될 거라고 생각하며 한글을 가르쳐 달라는 곳이 있으면 어디든지 달려갔어요. 주시경은 한글을 가르치며 늘 우리글을 아끼고 사랑하는 것이 나라를 사랑하는 길이라는 것을 강조했어요.
> "주 보따리 오신다!"
> 학교에 들어설 때마다 학생들이 주시경을 알아보고 소리쳤어요. 주시경은 늘 두루마기를 차려입고 옆구리에 커다란 보따리를 들고 다녔어요. 그래서 '주 보따리'라는 별명이 붙었지요.

**06** 『대한 국어 문법』에 실려 있는 내용은 무엇입니까? ( )

① 훈민정음 창제의 원리
② 한글과 우리말의 특성과 우수한 점
③ 한자로 된 책을 우리말로 해석하는 방법
④ 한글과 우리말을 바르게 사용하기 위한 규칙
⑤ 한글과 우리말을 공부해야 하는 까닭과 방법

**07** 주시경이 살던 시기의 우리나라 상황은 어떠하였습니까? ( )

① 우리나라가 중국보다 강했다.
② 우리나라가 일본을 차지하려고 하였다.
③ 우리나라가 다른 나라를 차지하려고 하였다.
④ 다른 나라들이 서로 일본을 차지하려고 다투었다.
⑤ 다른 나라들이 서로 우리나라를 차지하려고 다투었다.

**08** <sup>중요</sup> 주시경에 대한 설명으로 알맞지 <u>않은</u> 것은 무엇입니까? ( )

① 한글을 연구한 학자이다.
② 우리나라 국어 문법책을 만들었다.
③ 한글을 가르쳐 달라는 곳이 있으면 어디든지 달려갔다.
④ 두루마기를 보따리에 가지고 다녀 '주 두루마기'라는 별명으로 불렸다.
⑤ 우리글을 아끼고 사랑하는 것이 나라를 사랑하는 길이라고 강조했다.

**[09~10]** 다음 그림을 보고, 물음에 답하시오.

**09** 이 그림에서 한글로 된 간판을 두 가지 찾아 쓰시오.

( )

**10** <sup>서술형</sup> 간판의 문자를 한글로 쓰면 좋은 점은 무엇인지 생각하여 한 가지만 쓰시오.

_____

_____

> 도움말 간판의 문자가 한글일 때와 다른 나라 말일 때의 차이점을 생각해 봅니다.

## 꼭꼭 숨어라, 숨은 그림 찾기

체육시간에 전래 놀이인 제기차기를 하고 있네요. 누가 가장 많이 차는지 살펴볼까요? 어떤 그림이 꼭꼭 숨어 있는지 찾아보세요.

정답 자. 옷솔, 붓, 마름모꼴, 곰인형, 지팡이, 코끼리코

여자아이가 가족들의 깜짝 생일 축하를 받았네요. 장면 속 여자아이의 표정을 잘 살펴보면 인물의 마음을 짐작할 수 있겠죠?

이제, 10단원에서는 만화를 보고 생각과 느낌을 나타내 볼 거예요.

# 10 인물의 마음을 알아봐요

173쪽 단원 정리 학습에서 더 자세히 공부해 보세요.

## 단원 학습 목표

**1. 만화를 읽을 때 인물의 마음을 짐작하는 방법을 압니다.**
- 인물의 표정이나 행동을 살펴봅니다.
- 말풍선의 내용과 함께 그 모양도 살펴봅니다.
- 만화의 배경 색이나 배경에 그려진 다양한 효과도 살펴봅니다.

**2. 만화를 읽고 인물의 마음을 표현할 수 있습니다.**
- 표정을 과장되게 흉내 내야 합니다.
- 상황에 어울리는 소리를 내면 좋습니다.
- 상황에 어울리는 말투와 몸짓으로 표현해야 합니다.

## 단원 진도 체크

| 회차 | | 학습 내용 | 진도 체크 |
|---|---|---|---|
| 1차 | 단원 열기 | 단원 학습 내용 미리 보고 목표 확인하기 | ✓ |
| | 교과서 내용 학습 | 「수업 시간에」 | ✓ |
| 2차 | 교과서 내용 학습 | 「두근두근 탐험대」 | ✓ |
| 3차 | 교과서 내용 학습 | 국어 활동 학습하기 | ✓ |
| | 교과서 문제 확인 | 교과서 문제 학습하며 학교 숙제 해결하기 | ✓ |
| 4차 | 단원 정리 학습 | 단원 학습 내용 정리하기 | ✓ |
| | 단원 확인 평가 | 확인 평가를 통한 단원 학습 상황 파악하기 | ✓ |

해당 부분을 공부하고 나서 ✓표를 하세요.

# 교과서 내용 학습

국어 280~283쪽

**학습 목표 ▶** 인물의 마음을 짐작하며 만화 읽기

## 수업 시간에

- 글의 종류: 만화
- 글쓴이: 박현진
- 그림: 윤정주
- 만화의 특징: 부끄러움을 많이 타는 소민이가 발표를 하게 되는 과정에서 느끼는 여러 가지 마음을 실감 나게 표현한 만화입니다.

■ 만화를 읽을 때 인물의 마음을 짐작할 수 있는 방법
- 인물의 표정이나 행동을 살펴봅니다.
- 말풍선의 내용과 함께 그 모양도 살펴보는 것이 좋습니다.
- 인물뿐만 아니라 만화의 배경 색이나 배경에 그려진 다양한 효과로도 인물의 마음을 짐작할 수 있습니다.

★ 바르게 쓰기

| 부딪혔다 | 부딛쳤다 |
|---|---|
| ( ○ ) | ( × ) |

만화를 읽을 때에는 글뿐만 아니라 배경의 효과, 인물의 표정과 행동, 말풍선의 모양, 글자의 크기도 꼭 살펴봐야 해.

**01** 선생님이 소민이에게 하신 말씀은 무엇입니까?
( )

① 수업 시간에 집중해라.
② 짝꿍인 철민이를 잘 도와줘라.
③ 쉬는 시간에 책을 많이 읽어라.
④ 다음부터는 좀 더 크게 읽어라.
⑤ 집에 가서 글씨 쓰는 연습을 해라.

**02** 장면 **8**에서 알 수 있는 소민이의 마음을 두 가지 고르시오. ( , )

① 즐거운 마음        ② 긴장한 마음
③ 기대하는 마음      ④ 걱정하는 마음
⑤ 용서하는 마음

**03** 만화 속 인물의 마음을 짐작하기 위해서 살펴봐야 할 것이 아닌 것은 무엇입니까? ( )

① 인물의 말          ② 인물의 표정
③ 인물의 행동        ④ 만화의 배경 색
⑤ 말풍선의 위치

[04~06] 다음 장면을 보고, 물음에 답하시오.

**04** 다음은 ㉠과 ㉡을 설명한 것입니다. 빈칸에 들어갈 알맞은 말을 보기 에서 골라 쓰시오.

보기
| 말 | 행동 |

(1) ㉠: 인물이 한 [        ](으)로 짐작할 수 있다.

(2) ㉡: 두 손으로 얼굴을 가리는 [        ]을 보고 인물이 창피해하는 것을 짐작할 수 있다.

**05** 말풍선 테두리를 울퉁불퉁한 물결 모양으로 표현한 까닭은 무엇입니까? ( )

① 기쁜 마음을 표현하려고
② 행복한 마음을 표현하려고
③ 떨리는 마음을 표현하려고
④ 설레는 마음을 표현하려고
⑤ 무관심한 마음을 표현하려고

**06** 인물의 마음을 짐작할 수 있는 배경 효과를 찾아 쓰고, 이를 통해 짐작한 인물의 마음을 쓰시오.

(1) 배경 효과: _____

_____

(2) 인물의 마음: _____

_____

도움말 배경 효과를 살펴본 뒤 인물의 마음을 짐작해 봅니다.

## 두근두근 탐험대

- 글쓴이/그린 이: 김홍모
- 글의 종류: 만화
- 전체 내용: 낯선 세계에서 용을 만난 아이들은 용궁으로 초대받았고 그곳에서 인간 세계에서 날아온 쓰레기와 나쁜 용 때문에 위험에 빠진 용의 나라를 구하기 위해 쓰레기 산으로 여의주를 찾으러 갑니다. 아이들이 결국 여의주를 찾아 용의 나라 다시 평화로운 세상이 된다는 내용의 만화입니다.

■ 인물의 마음을 실감 나게 표현하는 방법
- 표정을 과장되게 흉내 내야 합니다.
- 상황에 어울리는 소리를 함께 내면 좋습니다.
- 상황에 어울리는 말투와 몸짓으로 표현해야 합니다.

★ 바르게 쓰기

| 어떡하지 | 어떻하지 |
|---|---|
| ( ○ ) | ( × ) |

**07** 장면 **3**과 **4**를 비교할 때 날씨는 어떻게 변하였습니까? (　　)

① 덥다 → 춥다
② 춥다 → 덥다
③ 춥다 → 시원하다
④ 따뜻하다 → 춥다
⑤ 따뜻하다 → 덥다

**08** 산에 도착한 아이들이 한 행동은 무엇입니까?
(　　)

① 배를 새로 만들었다.
② 산에서 뱀을 찾았다.
③ 산꼭대기로 올라갔다.
④ 잃어버린 가방을 찾았다.
⑤ 몸에 좋고 맛도 좋은 뱀을 먹었다.

서술형
**09** 장면 **1**에서 인물의 말과 표정으로 짐작할 수 있는 인물의 마음을 쓰시오.

_____

_____

도움말 인물의 말과 표정을 보고 인물의 마음이 어떠한지 생각해 봅니다.

**10** ㉠에 어울리는 말투로 알맞은 것은 무엇이겠습니까? (　　)

① 크고 화난 말투
② 부끄러워하는 말투
③ 차분하고 분명한 말투
④ 침착하게 혼내는 말투
⑤ 작게 웃으면서 하는 말투

**11** ㉡과 ㉢에 어울리는 목소리를 선으로 이으시오.

(1) ㉡　·

(2) ㉢　·

· ① 장난스러운 목소리

· ② 걱정스러운 목소리

중요
**12** 장면 **11**에 대한 설명으로 알맞은 것은 무엇입니까? (　　)

① 슬픈 상황으로, 눈을 감고 입을 꾹 다물고 있다.
② 깜짝 놀라는 상황으로, 입을 크게 떡 벌리고 있다.
③ 기쁜 상황으로, 눈을 감고 콧구멍을 벌렁거리고 있다.
④ 신기해하는 상황으로, 눈물을 흘리며 입을 동그랗게 벌리고 있다.
⑤ 깜짝 놀라는 상황으로, 눈을 가느다랗게 뜨고 입을 앞으로 내밀고 있다.

중요
**13** 인물의 마음을 실감 나게 표현하기 위한 방법으로 알맞지 <u>않은</u> 것은 무엇입니까? (　　)

① 표정을 과장되게 흉내 낸다.
② 상황에 어울리는 소리를 낸다.
③ 상황에 어울리는 말투로 표현한다.
④ 상황에 어울리는 몸짓으로 표현한다.
⑤ 인물이 갖고 있는 물건을 자세히 표현한다.

**14** 처음에 용을 본 아이들은 용을 무엇이라고 생각하였는지 쓰시오.

( )

**15** 장면 **13**에서 인물의 마음에 대해 **잘못** 말한 친구의 이름을 쓰시오.

> 효진: 깜짝 놀란 것 같다.
> 성민: 신기한 광경을 보고 할 말을 잃은 것 같다.
> 은영: 누군가에서 장난을 치고 싶어 하는 것 같다.

( )

**16** 용이 아이들을 보고 한 행동은 무엇입니까?

( )

① 모른 체하였다.
② 모두 잡아먹으려고 하였다.
③ 새끼 용들을 자세히 소개해 주었다.
④ 오랜만에 보는 사람이라며 신기하다는 반응을 보였다.
⑤ 아이들을 태워서 아이들이 원래 있던 곳으로 데려다 주었다.

**17** ㉠에 들어갈 알맞은 말은 무엇입니까? ( )

① 콩닥~
② 캬오ㅡ
③ 영차!
④ 꽁꽁꽁~
⑤ 으랏차차.

**18** 장면 **17**의 인물이 한 말에 어울리는 표정이나 몸짓으로 알맞은 것을 두 가지 고르시오.

( , )

① 입이 벌어지며 놀라는 표정으로
② 흠칫 놀라 주춤거리는 몸짓으로
③ 반가워서 두 팔을 흔드는 몸짓으로
④ 첫 만남에 수줍고 부끄러운 표정으로
⑤ 새로운 사실을 알아 뿌듯한 표정으로

**19** 용을 보고 아이들이 신기하게 생각한 점은 무엇입니까? ( )

① 용에게 새끼가 있다는 점
② 용이 말을 할 수 있다는 점
③ 용에 뿔과 수염이 있다는 점
④ 용이 하늘을 날 수 있다는 점
⑤ 용이 꼬리로 서서 다닌다는 점

**20** 장면 **21**에서의 새끼 용과 아이들의 마음을 보기에서 찾아 쓰시오.

> **보기**
>
> 불쌍함, 반가움, 귀여움, 귀찮음, 부끄러움

(1) 새끼 용: ( )
(2) 아이들: ( )

**21** 이 만화에서 재미있는 내용이나 인상적인 인물의 표정을 쓰시오.

_____

_____

**도움말** 재미있는 내용을 떠올려 보고 인상적이었던 인물의 표정에 대해 생각해 봅니다.

**22** 용의 등에 올라탄 아이들이 가게 된 곳은 어디인지 찾아 쓰시오.

( )

**23** ㉠을 실감 나게 표현하기 위해 어울리는 표정으로 알맞은 것은 무엇입니까? ( )

① 신나고 설레는 표정
② 두렵고 긴장하는 표정
③ 어색하고 쑥스러워하는 표정
④ 무서워서 하기 싫어하는 표정
⑤ 재미있지만 부끄러워하는 표정

**24** 장면 26에서 용의 표정이나 행동을 보고 용의 마음을 짐작하여 쓰시오.

_____

_____

도움말 인물의 표정이나 행동을 보고 인물의 마음이 어떨지 생각해 봅니다.

**25** 똥 냄새를 맡고 남자아이가 한 말은 무엇입니까?

( )

① 함께 방귀를 뀌자고 하였다.
② 용에게 빨리 가자고 하였다.
③ 다른 용으로 갈아타자고 하였다.
④ 소희에게 방귀를 뀌었다고 놀렸다.
⑤ 똥 냄새가 나는 곳을 찾으러 가자고 하였다.

**26** ㉡에 담겨 있는 마음으로 알맞은 것을 두 가지 고르시오. ( , )

① 소희의 반응이 어떨지 궁금해하는 마음
② 누군가에게 장난을 치고 싶어 하는 마음
③ 소희의 상황을 이해하고 배려해 주는 마음
④ 잘난 척하며 다른 사람을 가르치고 싶은 마음
⑤ 진지한 마음으로 정확한 사실을 확인하려는 마음

**27** 장면 28에서 아이들의 말투나 몸짓을 실감 나게 표현하는 방법에 모두 ○표를 하시오.

(1) 오른쪽 남자아이: 장난스럽게 놀리는 말투
( )

(2) 왼쪽 남자아이: 방귀 뀌는 몸짓을 하며 웃는 표정
( )

(3) 소희: 상황을 재미있어하며 남자아이들과 더 큰 소리로 장난을 치는 말투 ( )

**28** 다음은 인물의 마음을 실감 나게 표현한 친구를 칭찬하는 내용입니다. <u>잘못</u> 말한 친구의 이름을 쓰시오.

> 하은: 인물의 표정을 실감 나게 잘 흉내 내었어.
> 나연: 인물이 있는 배경에 대해서 자세히 설명하였어.
> 태민: 인물의 상황에 어울리는 목소리를 잘 흉내 내었어.

( )

## 상태나 움직임을 나타내는 낱말을 다른 형태로 바꾸기

### ■ 낱말이 어떻게 변하는지 살펴보기

| 슬프다 | ➡ | 슬픔 |

| 자다 | ➡ | 잠 |

| 알다 | ➡ | 앎 |

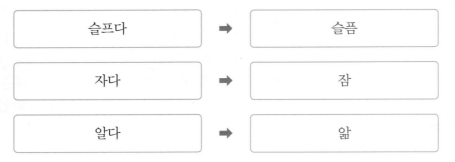 **tip** '슬프다', '자다', '알다'와 같은 낱말의 앞부분 '슬프–', '자–', '알–'에 받침 'ㅁ'을 붙여서 다른 형태로 사용할 수 있습니다. 이때 '알다'와 같이 'ㄹ' 받침이 있는 낱말은 '앎'처럼 받침에 'ㄻ'이 있는 형태로 바꾸어야 합니다. 이때 낱말의 뜻이 조금 달라집니다.

| 슬프다 | 원통한 일을 겪거나 불쌍한 일을 보고 마음이 아프고 괴롭다. |
|---|---|
| 슬픔 | 슬픈 마음이나 느낌. |
| 자다 | 생리적인 요구에 따라 눈이 감기면서 한동안 의식 활동이 쉬는 상태가 되다. |
| 잠 | 눈이 감긴 채 의식 활동이 쉬는 상태. |
| 알다 | 교육이나 경험, 사고 행위를 통하여 사물이나 상황에 대한 정보나 지식을 갖추다. |
| 앎 | 아는 일. |

### ■ 낱말을 다른 형태로 바꾸어 쓰기

| 꾸다 | ➡ | 꿈 |

| 추다 | ➡ | 춤 |

| 살다 | ➡ | 삶 |

---

• **활동 내용:** 상태나 움직임을 나타내는 낱말을 다른 형태로 바꾸어 써 보는 활동입니다.

| 꾸다 | 꿈을 보다. |
|---|---|
| 꿈 | 잠자는 동안에 깨어 있을 때와 마찬가지로 여러 가지 사물을 보고 듣는 정신 현상. |
| 추다 | 춤 동작을 보이다. |
| 춤 | 장단에 맞추거나 흥에 겨워 팔다리와 몸을 율동적으로 움직여 뛰노는 동작. |
| 살다 | 어떤 생활을 영위하다. |
| 삶 | 사는 일. |
| 기쁘다 | 욕구가 충족되어 마음이 흐뭇하고 흡족하다. |
| 기쁨 | 욕구가 충족되었을 때의 흐뭇하고 흡족한 마음이나 느낌. |

**확인 문제**

※ 낱말을 다른 형태로 바르게 바꾸어 쓴 것에 ○표를 하시오.

1. 기쁘다 → 기쁨　　（　　　）

2. 잠들다 → 잠듬　　（　　　）

정답 1. ○

# 교과서 문제 확인

## 교과서 276~277쪽 　　○ 표정이나 행동으로 인물의 마음 짐작하기

• 어떤 상황에서 ㉮~㉲와 같은 표정을 짓거나 행동을 하는지 알아보고 그때 어떤 마음이었을지 써 보세요.

| 그림 | 상황 | 인물의 마음 |
|---|---|---|
| ㉮ | 운동 경기에서 이겼을 때 | 날아갈 것 같은 마음 |
| ㉯ | ㉖ 징그러운 벌레를 봤을 때 | ㉖ 깜짝 놀라고 무서운 마음 |
| ㉰ | ㉖ 밤이 되어 잠잘 시간이 되었을 때 | ㉖ 피곤하고 지친 마음 |
| ㉱ | ㉖ 다른 사람에게 칭찬받을 때 | ㉖ 수줍고 부끄러운 마음 |
| ㉲ | ㉖ 친한 친구가 전학 갈 때 | ㉖ 외롭고 슬픈 마음 |

## 「수업 시간에」 　　○ 발표하는 것을 두려워하는 소민이가 발표하게 되었을 때 느끼는 여러 가지 마음을 실감 나게 표현한 만화

• 철민이가 "야, 어디부터냐?"라고 물은 까닭은 무엇일까요?
　㉖ 수업 시간에 교과서를 보지 않고 다른 곳을 보고 있었기 때문입니다. / 수업에 집중하지 않았기 때문입니다.

• 선생님은 소민이에게 어떤 말을 하셨나요? ㉖ 다음부터는 좀 더 크게 읽으라고 하셨습니다.

• 소민이와 비슷한 경험을 한 적이 있나요?
　㉖ 학급 임원 선거에서 의견을 발표할 때 긴장해서 목소리가 작아졌습니다. / 국어 수업에 발표하고 싶었는데 부끄러워서 하지
　　못했습니다.

• 다음 장면을 보고 인물의 마음을 짐작하는 방법을 알아보고 □ 안에 알맞은 말을 （보기）에서 골라 써 봅시다.

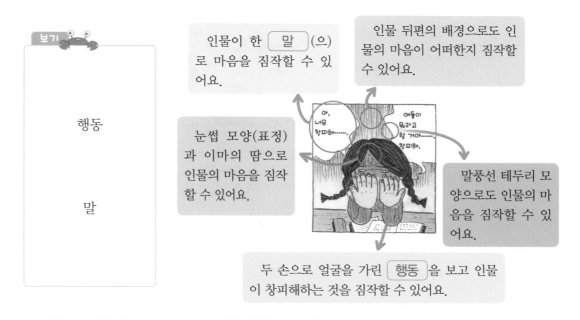

보기
행동
말

인물이 한 │ 말 │(으)
로 마음을 짐작할 수 있
어요.

인물 뒤편의 배경으로도 인
물의 마음이 어떠한지 짐작할
수 있어요.

눈썹 모양(표정)
과 이마의 땀으로
인물의 마음을 짐작
할 수 있어요.

말풍선 테두리 모
양으로도 인물의 마
음을 짐작할 수 있
어요.

두 손으로 얼굴을 가린 │ 행동 │을 보고 인물
이 창피해하는 것을 짐작할 수 있어요.

• 다음 장면을 보고 인물의 마음을 짐작해 봅시다. 그리고 그렇게 짐작한 까닭을 써 봅시다.

| | 철민 | 소민 |
|---|---|---|
| 장면 | 야, 어디부터냐? | 따당 땅땅 쿵닥 쿵닥 쿵닥 |
| 인물의 마음 | 예 당황한 것 같습니다. | 예 긴장한 것 같습니다. / 걱정하고 있는 것 같습니다. |
| 그렇게 짐작한 까닭 | 예 이마에 땀방울이 그려져 있기 때문입니다. / 입술과 눈이 그려진 모양을 보고 당황했음을 알 수 있었습니다. | 예 말풍선의 내용으로 짐작했습니다. / 얼굴 표정과 배경에 그려진 선을 보고 짐작할 수 있었습니다. |

교과서
292~293쪽

## 「두근두근 탐험대」    ○ 우연히 가게 된 '용의 나라'를 구하기 위한 아이들의 탐험을 재미있게 표현한 만화

• 산에 처음 도착했을 때 아이들은 어떻게 했나요?

  예 입고 있던 겨울옷을 벗었습니다. / 산꼭대기에 올라가 보기로 했습니다.

• 용은 아이들을 보고 어떻게 했나요?

  예 사람을 보고 반가워했습니다. / 오랜만에 보는 사람이라며 신기하다는 반응을 보였습니다.

• 인물의 표정과 행동을 보고 인물의 마음을 빈칸에 써 봅시다.

| | | | |
|---|---|---|---|
| 장면 | ...... | 재밌겠다! 타자, 타! 야! | 예 |
| 인물의 마음 | 예 깜짝 놀란 것 같습니다. / 신기한 광경을 보고 할 말을 잃은 것 같습니다. | 예 용에 올라타고 싶은 호기심 어린 마음이 느껴집니다. / 소희는 놀라며 머뭇거리는 표정 같습니다. | 예 아이들에게 용궁을 구경시켜 줄 마음에 들떠 있는 것 같습니다. / 눈썹이 흩날리는 모습으로 속도감을 느낄 수 있으며 시원해 보입니다. |

• 인물의 마음을 실감 나게 표현하려면 어떻게 해야 할까요?

  예 표정이나 행동을 조금 과장되게 표현해도 좋을 것 같아. / 어울리는 소리를 내면 좋겠어. / 상황에 어울리는 말투와 몸짓으로 표현해야 해.

# 단원 정리 학습

## 핵심 1  만화를 읽을 때 인물의 마음을 짐작하는 방법 알기

- 인물의 표정이나 행동을 살펴봅니다.
  - ㉮ 두 손으로 얼굴을 가리고 있는 행동을 보고 창피해하는 것을 짐작할 수 있어.
- 말풍선의 내용과 함께 그 모양도 살펴봅니다.
  - ㉮ 말풍선 테두리 모양이 울퉁불퉁하고 물결 모양인 것으로 보아 떨리고 긴장하고 있는 것을 짐작할 수 있어.
- 인물뿐만 아니라 만화의 배경 색이나 배경에 그려진 다양한 효과도 살펴봅니다.
  - ㉮ 인물 뒤편의 배경 효과에서 마음에도 비가 내리는 것 같고 우울한 기분인 것을 짐작할 수 있어.

## 핵심 2  만화를 읽고 인물의 마음을 표현하는 방법 알기

- 표정을 과장되게 흉내 내야 합니다.

  ㉮

| 인물의 마음 |
| --- |
| 신기한 광경을 보고 깜짝 놀라서 할 말을 잃은 마음 |

  ➡ 입이 떡 벌어진 표정으로 표현했어.

- 상황에 어울리는 소리를 내면 좋습니다.

  ㉮

| 인물의 마음 |
| --- |
| 반갑고 신난 마음 |

  ➡ '캬오-'라는 소리로 표현했어.

- 상황에 어울리는 말투와 몸짓으로 표현해야 합니다.

  ㉮

| 인물의 마음 |
| --- |
| 소희에게 장난을 치고 싶은 마음 |

  ➡ 장난스러운 말투와 몸짓으로 표현했어.

**01** 다음 그림에 알맞은 상황은 무엇이겠습니까?
( )

① 경기에서 이겼을 때
② 잠잘 시간이 되었을 때
③ 친한 친구를 만났을 때
④ 사람들에게 칭찬 받을 때
⑤ 징그러운 벌레를 봤을 때

**02** 다음 중 외롭고 슬픈 마음이라고 짐작되는 친구는 누구인지 ◯표를 하시오.

(1) 　　(2)

( )　　　　　( )

서술형
**03** 다음 장면에서 남자아이의 마음을 짐작할 수 있는 부분과 짐작한 마음을 쓰시오.

(1) 남자아이의 마음을 짐작할 수 있는 부분: ＿

＿＿＿＿＿＿＿＿＿＿＿＿＿＿＿＿＿＿

(2) 짐작한 마음: ＿＿＿＿＿＿＿＿＿＿＿

도움말 인물의 표정, 행동, 말풍선의 내용이나 모양, 배경 색이나 배경 효과 등을 통해서 짐작해 봅니다.

**[04~05]** 다음 만화를 읽고, 물음에 답하시오.

**04** 여자아이의 성격으로 알맞은 것을 두 가지 고르시오. ( , )

① 자신감이 부족하다.
② 무엇이든 적극적이다.
③ 부끄러움을 많이 탄다.
④ 가만있지 못하고 산만하다.
⑤ 무서운 것에도 용감하게 맞선다.

중요
**05** 장면 **2**를 읽고 인물의 마음을 다음과 같이 짐작한 까닭을 잘못 말한 친구의 이름을 쓰시오.

<인물의 마음>
• 긴장한 것 같습니다.
• 걱정하고 있는 것 같습니다.

은진: 얼굴의 표정과 배경에 그려진 선을 보고 짐작할 수 있어.
명준: 말풍선 테두리가 울퉁불퉁한 모양을 통해 마음을 짐작할 수 있어.

( )

**06** 다음 장면에서 인물의 마음을 짐작하는 방법으로 알맞지 <u>않은</u> 것은 무엇입니까? (　　　)

① 눈썹 모양과 이마의 땀을 살펴본다.
② 울퉁불퉁한 말풍선의 모양을 살펴본다.
③ 배경에 있는 검은색 세로선을 살펴본다.
④ 인물의 손과 얼굴 크기를 비교하며 살펴본다.
⑤ 두 손으로 얼굴을 가리고 있는 행동을 살펴본다.

[07~09] 다음 만화를 읽고, 물음에 답하시오.

**07** 장면 **1**에서 인물의 말로 알 수 있는 용의 마음을 짐작하여 쓰시오.

(　　　　　　　　　　　　　　　)

**중요**
**08** 장면 **2**에 대한 설명입니다. ㉮와 ㉯에 들어갈 알맞은 말을 보기 에서 찾아 쓰시오.

> **보기**
> 화난, 시원해, 답답해, 들떠 있는

> 용은 아이들에게 용궁을 구경시켜 줄 마음으로 ┌㉮┐ 것 같고, 눈썹이 흩날리는 모습에서 속도감을 느낄 수 있으며 ┌㉯┐ 보입니다.

(1) ㉮: (　　　　　) 　(2) ㉯: (　　　　　)

**09** 장면 **3**의 인물의 마음을 실감 나게 표현한 친구의 이름을 쓰시오.

> 주하: 장난스러운 표정을 실감 나게 흉내 냈어.
> 소연: 소희를 칭찬하는 듯한 목소리로 말했어.
> 지후: 소희를 무섭게 째려보며 거친 말투로 흉내 냈어.

(　　　　　　　　　　　)

**중요**
**10** 만화를 읽고 인물의 마음을 표현하는 방법으로 알맞은 것에 모두 ○표를 하시오.

(1) 표정을 과장되게 흉내 내야 한다. (　　　)
(2) 어떤 상황이든 큰 소리로 흉내 내는 것이 좋다. (　　　)
(3) 상황에 어울리는 말투와 몸짓으로 표현해야 한다. (　　　)

**만점왕 국어 4-1 수록 작품(어문) 목록**

| 단원 | 작품명 | 지은이 | 나온 곳 |
|---|---|---|---|
| 1단원 | 「꽃씨」 | 김완기 | 『100살 동시 내 친구』, 청개구리, 2008. |
| | 「등 굽은 나무」 | 김철순 | 『사과의 길』, ㈜문학동네, 2014. |
| | 「가훈 속에 담긴 뜻」(원제목: 「사방 백 리 안에 굶어 죽는 사람이 없게 하라」) | 조은정 | 『최씨 부자 이야기』, 여원미디어, 2008. |
| | 「의심」 | 현덕 | 『나비를 잡는 아버지』, ㈜효리원, 2015. |
| 2단원 | 「동물이 내는 소리」 | 문희숙 | 『맛있는 과학―6.소리와 파동―』, 주니어김영사, 2011. |
| | 「나무 그늘을 산 총각」 | 권규헌 | 『나무 그늘을 산 총각』, 춤추는 꼬리연, 2014. |
| 3단원 | 「돈을 만들어 내다―돈은 왜 생겼을까?―」, 「돈을 만들어 내다―돈의 재료―」 | 김성호 | 『경제의 핏줄, 화폐』, 미래아이, 2013. |
| | 「생태 마을 보봉」 | 김영숙 | 『무지개 도시를 만드는 초록 슈퍼맨』, 스콜라, 2015. |
| 4단원 | 「묵직한 수박 위로 나비가 훨훨!」 | 이광표 | 『조선 사람들의 소망이 담겨 있는 신사임당 갤러리』, 도서출판 그린북, 2016. |
| 5단원 | 「까마귀와 감나무」(원제목: 「황금 감나무」) | 김기태 엮음 | 『쩌우 까우 이야기』, 창작과비평사, 1991. |
| | 「아름다운 꼴찌」 | 이철환 | 『아름다운 꼴찌』, ㈜알에이치코리아, 2014. |
| | 「초록 고양이」 | 위기철 | 『초록 고양이』, ㈜사계절출판사, 2016. |
| 7단원 | 「최첨단 과학, 종이」 | 김해보, 정원선 | 『알고 보니 내 생활이 다 과학!』, ㈜예림당, 2013. |
| | 「동물 속에 인간이 보여요」 | 최재천 | 『생명, 알면 더 사랑하게 되지요』, 더큰아이, 2015. |
| 9단원 | 「훈민정음의 탄생」 | 이은서 | 『세종 대왕, 세계 최고의 문자를 발명하다』, 보물창고, 2014. |
| | 「한글이 위대한 이유」 | 박영순 | 『세계 속의 한글』, 박이정출판사, 2008. |
| | 「주시경」 | 이은정 | 『주시경』, ㈜비룡소, 2012. |
| 10단원 | 「수업 시간에」 (원제목: 「발표하는 게 무서워요」) | 박현진, 윤정주 | 『나 좀 내버려 둬』, 길벗어린이㈜, 2011. |
| | 「두근두근 탐험대」 | 김홍모 | 『두근두근 탐험대―1부 모험의 시작―』, ㈜도서출판 보리, 2008. |

초등 기본서

만점왕

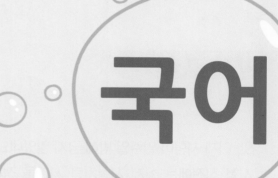
국어

4·1

book **2** 실전책

# BOOK 2 자기주도 활용 방법

## 시험 2주 전 공부

시험이 2주 남았네요. 이럴 땐 먼저 핵심을 복습해 보면 좋아요.

**만점왕 북2 실전책**을 펴 보면 각 단원별로 핵심 정리와 쪽지 시험이 있습니다. 정리된 핵심을 읽고 쪽지 시험을 풀어 보세요. 확인 문제가 어렵게 느껴지거나 자신 없는 부분이 있다면 북1 개념책을 찾아서 다시 읽어 보는 것도 도움이 돼요.

## 시험 1주 전 공부

앗, 이제 시험이 일주일 밖에 남지 않았네요.

시험 직전에는 실제 시험처럼 시간을 정해 두고 문제를 푸는 연습을 하는 게 좋아요. 그러면 시험을 볼 때에 떨리는 마음이 줄어드니까요.

이때에는 **만점왕 북2의 학교 시험 만점왕**을 풀어 보면 돼요. 시험 시간에 맞게 풀어 본 후 맞힌 개수를 세어 보면 자신의 실력을 알아볼 수 있답니다.

# BOOK 2 차례

# 독서력 향상 가이드

2015 개정 교육과정을 적용한 국어 교과서에는 초등학교 3학년부터 고등학교까지 특별 단원인 '독서 단원'이 새로 생겼습니다. '독서 단원'은 '매 학기 한 권, 교과서 밖의 책을 수업 시간에 끝까지 읽고, 다른 사람과 생각을 나누며, 자기 생각을 글로 쓸 수 있도록 하는 단원입니다. 이렇게 독서 교육의 중요성이 더욱 강조되고 있는 만큼, 만점왕 국어에서는 우리 학생들이 독서 습관을 기르고 효과적인 독서 방법을 익힐 수 있도록 '독서력 향상 가이드'를 제공합니다. 학생 스스로, 또 부모님이나 선생님과 함께 살펴보고 나의 독서 능력을 쑥쑥 키워 보세요. 또 실제로 독서할 때 활용할 '스스로 독서 활동지'가 EBS 초등 사이트(primary.ebs.co.kr)의 만점왕 국어 4-1 교재방＞교재 정답지에 있으니 여러 번 출력하여 자유롭게 사용해 보세요!

## 4-1 독서 단원 학습 목표 및 주요 활동

| 단원 학습 목표 | 세부 학습 목표 |
| --- | --- |
| 책을 꼼꼼히 읽고 중요한 내용이나 인물에 대해 말할 수 있다. | • 읽을 책을 정하고 내용을 예상할 수 있다.<br>• 국어사전을 활용하며 책을 읽을 수 있다.<br>• 책 내용을 간추리고 생각을 나눌 수 있다. |

> 4-1 독서 단원에서는 책을 꼼꼼히 읽고 중요한 내용이나 인물에 대해 말할 수 있는 능력을 길러 보자.

## 세부 단계

| 독서 준비 단계 | | 독서 단계 | | 독서 후 단계 |
| --- | --- | --- | --- | --- |
| 읽을 책 정하기<br>↓<br>책의 차례와 글을 훑어보고 내용 예상하기 | ➡ | 읽기 방법 정하기<br>↓<br>국어사전을 활용하며 책 읽기 | ➡ | 책 내용 간추리기<br>↓<br>생각 나누기 |

> 책을 읽을 때에도 단계가 있어. 보통은 독서감상문을 쓰는 '독서 후 단계'만 떠올리기 쉽지만 읽기 전에 미리 준비하는 '독서 준비 단계'도 있다는 것을 알아 두자.

**부모님, 기억해 주세요!**

3학년에서 배운 책 선정하기 전략을 잘 활용하면서 관심 있는 주제의 책을 수준에 맞게 선정할 수 있게 도와주세요. 또한 3학년에서 배운 국어사전 찾기 방법을 활용해 모르는 낱말의 뜻을 직접 찾아 가며 읽어 보게 함으로써 이해의 폭을 넓히도록 해 주세요.

# 독서 준비 단계 　○ 읽을 책을 정하고 내용 예상하기

## 읽을 책 정하기

### 경험 나누기

| 내가 읽을 책을 골랐던 방법 |
| --- |

| 글쓴이 | 제목 | 그림 | 책 광고 | 글자 크기 | 두께 | 권장 도서 | 종류(동화책, 시집, 과학책 등) | 추천 |
| --- | --- | --- | --- | --- | --- | --- | --- | --- |

나는 권장 도서를 골라 읽었더니 참 재미있었어.

자신이 읽을 책을 골랐던 방법을 친구들과 이야기 나누고, 그 방법으로 책을 골랐을 때 좋았던 점과 아쉬웠던 점을 말해 보자.

### 책 찾아보기

나는 자연에 대한 이야기를 좋아해서 이 표지가 맘에 들어.

| 책을 고르는 방법 | • 평소에 관심이 많았던 분야의 책인가요? |
| --- | --- |
| | • 어떤 내용을 담고 있는 책인가요? |
| | • 책을 펴서 읽은 부분이 잘 이해되나요? |
| | • 어느 한 쪽을 폈을 때 보인 낱말들을 이해하기 쉬운가요, 어려운가요? |

**부모님, 기억해 주세요!** 학생들에게 도서 선정의 선택을 준다 해도 책 선정 전략을 알지 못할 경우, 책을 선택하고 읽는 데 어려움을 겪을 수 있어요. 그래서 학생들이 알맞지 않은 책을 선정했을 경우 책을 읽으면서 어떤 어려움이 있을 수 있는지를 설명해 주세요. 그리고 학생들 본인에게 맞는 책은 어떤 기준에서 선정하면 좋은지를 안내해 주세요.

### 누구와 읽을지 정하기

책은 혼자서 읽기도 하지만 같은 책을 다른 사람과 함께 읽을 수도 있어. 짝과 읽고 싶은 책을 상의하여 골라 읽을 수 있고, 모둠 친구들과 의논해서 읽고 싶은 책을 골라 함께 읽을 수도 있어. 또한 학급 전체가 함께 같은 책을 읽을 수도 있어. 책을 혼자서 읽을지 아니면 누구와 읽을지 정해 보자.

## 읽을 책 결정하기

파란 표지의 책은 재미있어 보여서 혼자 읽어 볼래.

노란 표지의 책은 초록색 표지의 책보다 우리 모둠 친구들이 다 좋아하는 분야여서 함께 읽으면 좋겠어.

마음에 드는 책이 여러 권 있을 때에는 좀 더 자세히 살펴보고 내가 읽고 싶은 까닭을 생각하고 자신이 읽을 책을 결정해 봐. 그리고 다른 사람과 함께 책을 읽을 때에는 자신의 기준만으로 판단하는 것이 아니라 함께 책을 읽을 친구들의 관심이나 흥미를 고려하여 의견을 모아 읽을 책을 결정해 보렴.

## 책의 차례와 글을 훑어보고 내용 예상하기

책의 차례를 살펴보면 어떤 내용이 나올지 알 수 있고, 책을 훑어보면서 앞으로 나올 내용을 생각해 볼 수 있어. 글을 대충 훑어보고 눈에 띄는 단어나 문장에 대해 생각나는 것을 적어 보렴.

## 스스로 독서 활동지 훑어보고 눈에 띈 단어나 문장에 대해 생각나는 것 적기 ⑩

| 제목 | 『우리는 모두 친구』 | |
|---|---|---|
| 쪽 | 눈에 띄는 단어나 문장 | 단어나 문장에 대해 생각나는 것 |
| 42쪽 | 외국인과의 교류가 늘고 있는데 우리나라에서는 혈통을 중요하게 생각하는 경향이 강해서 다문화 가정에 대한 이해가 부족했어. | '다문화 가정'은 여러 문화를 가진 사람들이 한 가정을 이룬 것이라는 생각이 들었다. |

↳ primary.ebs.co.kr 교재방＞교재 정답지에서 출력!

## 독서 단계 ○ 책 읽기 방법을 정하고 국어사전을 활용하며 읽기

### 읽기 방법 정하기

| 선생님께서 읽어 주시는 내용 듣기 | 소리 내지 않고 혼자 읽기 |
|---|---|
| 다른 모둠과 번갈아 가며 읽기 | 친구와 번갈아 가며 읽기 |

누구와 읽는지에 따라서 읽기 방법이 달라질 수 있으며 한 가지가 아닌 두 가지 방법으로도 읽을 수 있어. 책의 내용을 이해하는 데에 도움이 되고 흥미를 가지고 책을 읽을 수 있는 방법을 정하여 보렴.

### 국어사전을 활용하며 책 읽기

읽다가 뜻을 모르는 낱말이 나오면 국어사전에서 정확한 뜻을 찾아 가며 읽을 수 있어. 모르는 낱말이 있는 앞뒤 문장의 뜻을 보고 적절한 뜻을 파악해 보렴.

### 스스로 독서 활동지 낱말의 뜻 파악하기 예

| 낱말 | 낱말이 쓰인 문장과 그 앞뒤 문장 | 낱말이 나오는 부분의 앞뒤 문장을 살펴보며 뜻 짐작하기 | 국어사전에서 뜻 찾기 |
|---|---|---|---|
| 인종차별 | "얼굴도 시커먼 게 어디서 말대답이야." 지훈이의 말에 욤바토니도 말했습니다. "더 이상의 인종차별에 대해 나도 가만있지 않을 거야. 너와 나는 단지 다를 뿐이야. | 피부색으로 인해서 놀림받는 것. | 인종적 편견 때문에 특정한 인종에게 사회적, 경제적, 법적 불평등을 강요하는 일. |

└ primary.ebs.co.kr 교재방 > 교재 정답지에서 출력!

새로 알게 된 낱말을 이용해 짧은 문장을 만들거나 말로 문장을 만들어 보는 활동을 하면 낱말의 뜻을 정확히 알 수 있어.

**스스로 독서 활동지** 새로 알게 된 낱말을 이용해서 짧은 문장 만들기 예

| 낱말 | 낱말의 뜻 | 짧은 문장 |
|---|---|---|
| 다문화 | 한 사회 안에 여러 민족이나 여러 국가의 문화가 혼재하는 것을 이르는 말. | 여러 나라의 학생들이 모이는 곳에서 우리는 쉽게 다문화에 대해 접해 볼 수 있습니다. |

ㄴ primary.ebs.co.kr 교재방＞교재 정답지에서 출력!

# 독서 후 단계

○ 책 내용을 간추리고 생각 나누기

## 책 내용 간추리기

설명하는 글은 책의 차례를 보고 중요한 내용을 생각해 본 뒤에 문단의 중심 내용을 모아 간추려 봐. 그리고 이야기 글은 인물이 한 일을 생각하며 사건의 흐름에 따라 간추려 보렴.

## 생각 나누기

'생각 나누기'에서는 여러 가지 활동을 할 수 있어. 이러한 활동을 통해서 책에 대한 기억을 긍정적으로 만들어 생각을 깊게 할 수 있지. 스스로 정한 책을 끝까지 읽은 자신을 뿌듯해하면서 각자 하고 싶은 것을 하나 골라 독후 활동을 해 보렴.

## 스스로 독서 활동지 │ 생각 그물 그리기 예

'생각 그물 그리기'는 책 내용에서 핵심적인 낱말을 생각 그물로 표현하여 중요한 내용을 정리하는 방법이야. 책의 중요한 내용을 한눈에 파악할 수 있게 생각 그물을 그려보렴.

| 책 제목 | 『우리는 모두 친구』 |
|---|---|

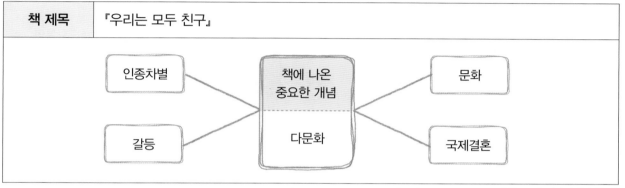

└ primary.ebs.co.kr 교재방 > 교재 정답지에서 출력!

## 스스로 독서 활동지 │ 이런 점이 좋아요, 이런 점을 고쳐요 예

책 속의 인물에 대해 칭찬하거나 고칠 점에 대해 이야기해 보렴.

| 책 제목 | 『우리는 모두 친구』 | 『우리는 모두 친구』 |
|---|---|---|
| 칭찬할 점이나 고칠 점을 말해 주고 싶은 인물 | 욤바토니 | 최지훈 |

### 상장

받는 사람: 욤바토니

위 사람은 어려운 상황에 빠져 있는 친구를 용기 내어 도와 주변 사람들에게 감동을 주었기 때문에 상장을 줍니다.

20○○년 ○○월 ○○일
4학년  ○○반 ○○○

### 주의

받는 사람: 최지훈

위 사람은 도움이 필요한 사람에게 놀림과 상처를 주어 다른 사람의 마음을 아프게 했기 때문에 주의를 줍니다.

20○○년 ○○월 ○○일
4학년  ○○반 ○○○

└ primary.ebs.co.kr 교재방 > 교재 정답지에서 출력!

## 정리하기  ○ 독서 활동 돌아보기 / 더 찾아 읽기 / 독서 습관 기르기

마무리할 때엔 체크 리스트에 색칠하면서
자신의 독서 활동을 돌아보렴.

### 스스로 독서 활동지  독서 활동 돌아보기

매우 잘함: ●●●, 잘함: ●●, 보통임: ●

| | |
|---|---|
| 자신에게 맞는 책을 정했나요? | ○ ○ ○ |
| 모르는 낱말을 찾아 가며 읽었나요? | ○ ○ ○ |
| 책을 읽고 생각이나 느낌을 잘 말했나요? | ○ ○ ○ |
| 정한 책을 꼼꼼히 읽었나요? | ○ ○ ○ |

자신이 읽은 책과 관련 있는 다른 책을 더 찾아 읽어 보렴.

### 스스로 독서 활동지  읽고 싶은 책 목록 작성하기 예

| 순서 | 책 제목 | 글쓴이 | 이 책을 고른 까닭 |
|---|---|---|---|
| 1 | 『세계 문화 탐방』 | 박주은 | 다문화에 대한 책을 읽고 나니 세계 문화를 다룬 책을 더 읽어 보고 싶었다. |
| 2 | 『아프리카에서』 | 김상호 | 『세계 문화 탐방』을 읽었더니 아프리카에 대해 더 알아보고 싶어졌다. |

↳ primary.ebs.co.kr 교재방＞교재 정답지에서 출력!

### 스스로 독서 활동지  독서 습관 기르기

매우 그렇다: ●●●, 그렇다: ●●, 보통이다: ●

| | |
|---|---|
| 여러 종류의 책을 읽는 것은 매우 즐거운 일이다. | ○ ○ ○ |
| 친구들과 서로 책을 바꾸어 읽는다. | ○ ○ ○ |
| 어떤 문제를 탐구하거나 해결하려면 책을 읽는 것이 좋다. | ○ ○ ○ |
| 머릿속으로 다음에 이어질 부분을 상상하며 읽는다. | ○ ○ ○ |

# 단원별
## 실전 학습

**1** 시를 읽고 생각이나 느낌 나누기

● 시를 읽고 생각이나 느낌이 다른 까닭 알기

• 시에서 일어나는 일을 다르게 생각하기 때문입니다.

• 사람마다 생각이 다르기 때문에 재미를 느낀 부분이 서로 달랐습니다.

예

– 시 「꽃씨」에서 봄비가 내려와 앉는다고 하니까 비가 사람같이 느껴져.
– 시 「꽃씨」에서 아이들이 손가락을 땅속에 쏙 집어넣는다고 하니까 내가 흙을 만지는 듯한 느낌이 들어.

● 시를 읽고 생각이나 느낌 나누기

• 시의 장면을 상상하며 읽어 보고, 시 속 인물의 느낌이 어떨지 이야기해 봅니다.

• 시에 대한 생각이나 느낌을 여러 가지 방법으로 표현해 봅니다.

예

**오행시 짓기**
등: 등 굽은 나무는
굽: 굽은 허리로 일하시는
은: 은빛 머리
나: 나의 할머니처럼
무: 무척 포근하다

**2** 이야기를 읽고 생각이나 느낌 나누기

● 일어난 일에 대한 생각이나 느낌이 다른 까닭 알기

• 각자 살아온 경험이나 체험이 다르기 때문입니다.

• 좋아하는 것 등이 서로 다르기 때문입니다.

● 이야기를 읽고 생각이나 느낌 나누기

| 일어난 일에 대한 인물의 마음을 생각합니다. | 이야기에 나오는 인물의 말이나 행동에 대한 생각이나 느낌을 나누어 봅니다. | 일어난 일에 대한 자신의 의견을 말해 봅니다. |

예

**노마가 기동이를 의심한 일에 대한 생각 나누기**

노마가 기동이를 의심하기는 했지만 안타까운 마음에 저지른 실수라고 생각합니다. 자기가
　　　　　　　　→ 의견　　　　　　　　　　　　　　　　　　　　　　　　　　　　　　→ 까닭
소중히 여기는 물건을 잃어버렸을 때에는 누구나 속상하기 때문입니다.

정답과 해설 **38**쪽

**01** 같은 그림이 다르게 보이는 까닭을 생각하여 알맞은 것에 ○표를 하시오.

> • 같은 것을 보고도 상황에 따라 ( 같게 , 다르게 ) 생각할 수 있기 때문이다.
> • 같은 그림이지만 ( 느낀 점 , 작가 )이/가 다를 수 있기 때문이다.

**[02~03]** 다음 시를 읽고, 물음에 답하시오.

> 몰래
> 겨울을 녹이면서
> 봄비가 내려와 앉으면
>
> 꽃씨는
> 땅속에 살짝 돌아누우며
> 눈을 뜹니다.

**02** 이 시에 표현된 계절은 언제인지 쓰시오.

( )

**03** 이 시를 읽고 친구들의 생각이나 느낌이 다른 까닭으로 알맞은 것에 ○표를 하시오.

(1) 시에서 일어나는 일을 다르게 생각했기 때문이다. ( )
(2) 사람마다 생각이 같기 때문에 재미를 느낀 부분이 서로 다르다. ( )

**[04~05]** 다음 시를 읽고, 물음에 답하시오.

> 텅 빈 운동장을
> 혼자 걸어 나오는데
> 운동장가에 있던 나무가
> 등을 구부리며
>
> 말타기놀이 하잔다
> 얼른 올라타라고
> 등을 내민다

**04** 나무는 무슨 놀이를 하자고 했는지 쓰시오.

( )

**05** 이 시를 읽고 생각이나 느낌을 표현하는 방법을 한 가지 쓰시오.

( )

**[06~08]** 다음 글을 읽고, 물음에 답하시오.

> 준은 다른 도령들과 함께 얌전히 꿇어앉아 "사방 백 리 안에 굶어 죽는 사람이 없게 하라."라는 가훈을 크게 썼습니다.
> 붓글씨를 쓴 뒤에 할아버지는 준과 다른 도령들에게 희한하게 생긴 뒤주를 보여 주었습니다.
> ㉠"이 뒤주는 가난한 사람들이나 지나가는 나그네가 쌀을 퍼 갈 수 있도록 만든 것이란다."

**06** 준이 사랑채에서 한 일은 무엇인지 쓰시오.

( )

**07** 준이네 가훈은 무엇인지 쓰시오.

( )

**08** ㉠의 할아버지의 말에 대한 자신의 생각을 쓰시오.

( )

**[09~10]** 다음 글을 읽고, 물음에 답하시오.

> 노마와 기동이는 영이를 찾아가기로 했습니다. 담 모퉁이를 돌아서 골목 밖으로 나갔습니다. 그리고 조그만 도랑 앞엘 왔습니다.
> 그런데 그 도랑물 속에 무엇이 햇빛에 번쩍하는 것이 있습니다. 유리구슬 같습니다. 정말 유리구슬입니다. 바로 노마가 잃어버린 그 구슬입니다. / "네 구슬 여기다 두고, 왜 남보고 집었다고 그러는 거야."

**09** 노마는 도랑물 속에서 잃어버린 구슬을 보았을 때 어떤 마음이 들었을지 쓰시오.

( )

**10** 다음 의견에 대한 알맞은 까닭을 쓰시오.

> 노마가 기동이를 의심하기는 했지만 안타까운 마음에 저지른 실수라고 생각합니다.

• 자기가 ( )을/를 잃어버렸을 때에는 누구나 속상하기 때문입니다.

**[01~02]** 다음 그림을 보고, 물음에 답하시오.

청록색의
모양을 보니…….

주황색의
모양을 보니…….

**01** 남자아이와 여자아이가 그림을 무엇으로 보았는지 보기 에서 찾아 기호를 쓰시오.

보기

㉮ 커다란 잔
㉯ 마주보는 사람

(1) 남자아이: (                    )
(2) 여자아이: (                    )

**02**(중요) 남자아이와 여자아이가 그림이 다르게 보이는 까닭으로 알맞은 것에 모두 ○표를 하시오.

(1) 그림은 같지만 작가가 다르기 때문이다.
(                    )

(2) 같은 그림이지만 느낀 점이 다를 수 있기 때문이다.
(                    )

(3) 같은 것을 보고도 상황에 따라 다르게 생각할 수 있기 때문이다.
(                    )

**[03~05]** 다음 시를 읽고, 물음에 답하시오.

몰래
겨울을 녹이면서
㉠봄비가 내려와 앉으면

꽃씨는
땅속에 살짝 돌아누우며
눈을 뜹니다.

봄을 기다리는 아이들은
쏘옥
손가락을 집어넣어 봅니다.

꽃씨는 저쪽에서
고개를 빼꼼
얄밉게 숨겨 두었던
파란 손을 내밉니다.

**03** ㉠에 대한 생각으로 알맞지 <u>않은</u> 것은 무엇입니까? (                    )

① 사람같이 표현하였다.
② 땅이 촉촉해지는 것 같다.
③ 봄비가 조금씩 내리는 것 같다.
④ 봄비가 조용히 내리는 것 같다.
⑤ 꽃잎이 조용히 내리는 것 같다.

**04** 꽃씨가 땅속에서 돌아누운 까닭은 무엇입니까?
(                    )

① 땅속이 추워서          ② 비가 차가워서
③ 싹을 틔우려고          ④ 겨울잠을 자려고
⑤ 아이들이 손가락을 집어넣어서

**05**(서술형) 이 시를 읽고 느낀 점을 쓰시오.

_____

_____

내가 올라타자
따그닥따그닥
달린다
학교 앞 문방구를 지나서
네거리를 지나서
우리 집을 지나서
달린다

달리고 또 달린다
차보다 빠르다
어, 어, 어,

구름 위를 달린다
비행기보다 빠르다
저 밑의 집들이
점점 작게 보인다

"성민아, 뭐 해?"

은찬이가 부르는 소리에
말은 그만
걸음을 뚝, 멈춘다

**06** 성민이가 상상으로 간 곳이 <u>아닌</u> 것을 두 가지 고르시오. (　　,　　)

① 운동장
② 달나라
③ 네거리
④ 성민이네 집
⑤ 학교 앞 문방구

**07** 말이 멈춘 까닭은 무엇인지 쓰시오.

(　　　　　　　　　　　　　　)

**08** 이 시를 읽고 느낀 점을 다음과 같이 표현하였다면, 표현 방법은 무엇인지 쓰시오.

등: 등 굽은 나무는
굽: 굽은 등 위에 올라타라고 했다.
은: 은은하게 부는 바람을 타고
나: 나무에 올라 달리니 좋다.
무: 무엇을 상상해도 다 갈 수 있어서 좋다.

(　　　　　　　　　　　　　　)

㈎ 준은 할아버지가 손님들과 이야기하는 틈을 타 붓글씨 쓰는 것을 내팽개치고 논으로 놀러 나갔습니다. 마을 아이들이 "흰죽 논, 흰죽 논." 하면서 논 사이를 뛰어다니고 있었습니다. 흉년에는 흰죽 한 끼 얻어먹고 논을 팔아넘긴다고 해서 흰죽 논이라는 말이 생겨났지요.

㉠"아이고! 최 부잣집 도련님 아니십니까? 이 근방에는 흰죽 논이 없습죠. 대감마님께서 올해같이 논이 헐값일 때는 논을 사지 않으신답니다. 이거 정말 감사할 노릇입죠."

농부는 하던 일을 멈추고 논에서 나와 준에게 이야기를 해 주었습니다.

㉡"한번은 이런 일도 있었습죠. 큰 흉년이 들어 굶어 죽는 사람이 허다했는데, 대감마님께서 곳간을 열고 굶고 있는 사람들에게 죽을 끓여 먹이라고 했습죠."

㈏ 준은 문득 작년 이맘때 일이 생각났습니다. 한 하인이 장사가 끝날 때쯤 생선 가게에 가서 헐값에 청어를 사 왔다가 할아버지에게 호되게 혼이 났습니다.

"물건을 살 때는 아침에 가서 제값을 주고 사 오라고 했거늘 어찌 끝날 때쯤 헐값을 주고 사 오느냐? ㉢헐값에 생선을 넘기는 생선 장수의 마음을 헤아릴 줄 모른단 말이냐?"

**09** '흰죽 논'이라는 말이 생겨난 까닭은 무엇인지 찾아 쓰시오.

(　　　　　　　　　　　　　　)

**10** (중요) ㉠~㉢ 중 다음 생각과 관계있는 인물의 말은 무엇인지 기호를 쓰시오.

생선 장수의 마음을 헤아리라는 말을 통해 함께 살아가는 법을 말씀하시는 것 같아.

(　　　　　　　　　　　　　　)

(개) 어쩌다가 노마는 유리구슬 한 개를 잃어버렸습니다. 아주 이쁘게 생긴 파란 구슬인데요, 어디서 어떻게 하다 잃었는지 아무리 생각해도 모르겠습니다.

(내) 그러다가 노마는 담 모퉁이에서 기동이를 만났습니다.

그리고 노마는 기동이 아래위를 보다가 입을 열어 물었습니다.

"너, 내 구슬 봤니?" / "무슨 구슬 말야?"

"파란 유리구슬 말야." / "난 못 봤다."

그러나 노마는 그 말을 정말로 듣지 않나 봅니다. 여전히 기동이 조끼 주머니를 보고, 두 손을 보고 합니다.

그러다가 노마는 입을 열어 또 물었습니다.

"너, 구슬 가진 것 좀 보자." / "그건 봐 뭣 해."

"보면 어때." / "봐 뭣 해."

하고 기동이는 조끼 주머니를 손으로 가립니다.

정말 기동이가 그 구슬을 얻어 제 것처럼 가졌나 봅니다. 아니면 선선하게 보이지 못할 게 뭡니까.

노마는 더욱 [ ㉠ ]이 났습니다.

**11** 노마에게 일어난 일은 무엇입니까? (     )

① 유리구슬을 갖고 싶었다.
② 유리구슬 한 개를 잃어버렸다.
③ 유리구슬을 기동이에게 뺏겼다.
④ 기동이와 유리구슬을 가지고 놀았다.
⑤ 기동이가 노마의 유리구슬을 가지고 갔다.

**12** 글 (개)에서 알 수 있는 노마의 마음을 알맞게 정리한 것은 무엇입니까? (     )

① 구슬을 찾아 기쁜 마음
② 기동이를 의심하는 마음
③ 기동이에게 미안한 마음
④ 기동이가 구슬을 내놓기를 바라는 마음
⑤ 잃어버린 구슬을 다시 가지고 싶은 마음

**13** 기동이를 생각하는 노마의 마음을 생각해 볼 때, ㉠에 들어갈 알맞은 낱말에 〇표를 하시오.

( 기운 , 의심 )

**14** 다음과 같은 상황에서 기동이가 되어 할 수 있는 말을 보기 에서 찾아 기호를 쓰시오.

노마: 너, 구슬 가진 것 좀 보자.
나(기동): _____

보기

㉮ 의심해서 미안해.
㉯ 여기 봐. 비슷하게 보여도 이 가운데에서 네 것은 없어.
㉰ 네 구슬 여기다 두고, 왜 남보고 집었다고 그러는 거야.

(          )

**15** 다음은 이 글을 읽은 세진이의 생각입니다. 세진이의 의견은 무엇인지 쓰시오.

노마가 친구를 의심한 것은 잘못입니다. 기동이 주머니에 구슬이 있지만 그 구슬이 노마의 것인지는 알 수 없기 때문입니다.

(          )

**1 들은 내용을 간추리는 방법 알기**

- 내용을 들으면서 빨리 씁니다.
- 중요한 내용만 골라서 짧게 씁니다.

**2 글의 내용을 간추리는 방법 알기**

- 중심 문장을 연결해 글 전체의 내용을 간추립니다.

| 문단의 중심 문장 찾기 | ➡ | 문장을 이어 주는 말 생각하기 | ➡ | 중심 문장을 연결해 전체 글의 내용을 간추리기 |

> (예) **「동물이 내는 소리」 간추리기**
>
> 동물들이 소리를 내는 방식은 다양합니다. 개나 닭은 사람과 같이 성대를 울려 소리를 내지만 다양한 소리를 내지는 못합니다. 매미는 발음근으로 소리를 냅니다. 물고기는 몸속에 있는 부레로 여러 가지 소리를 냅니다. 이렇게 동물들은 저마다 다른 방법으로 소리를 낼 수 있습니다.

- 이야기에서 일어난 중요한 사건을 중심으로 간추립니다.

| 시간과 장소의 변화에 따라 이야기 순서 정리하기 | ➡ | 시간과 장소, 사건의 흐름에 따라 전체 내용을 자연스럽게 간추리기 |

> (예) **「나무 그늘을 산 총각」 간추리기**
>
> 어느 더운 여름날 총각이 뜨거운 볕을 피해 나무 그늘에서 잠을 잤습니다. 그런데 욕심쟁이 영감은 나무 그늘이 자기 것이라고 주장하며 화를 냈습니다. 기가 막힌 총각은 욕심쟁이 부자를 혼내 주려고 나무 그늘을 샀습니다. 그날 오후, 욕심쟁이 영감의 집 쪽으로 나무 그늘이 옮겨 가자 총각은 영감의 집 마당으로 들어갔습니다. 남의 집에 함부로 들어오는 총각을 보고 영감은 화를 냈지만, 총각은 자기의 그늘이라면서 안방까지 들어갔습니다. …

- 글의 전개에 따라 내용을 간추립니다.

| 글의 종류에 따라 다르게 전개되는 내용을 덩어리로 바꾸기 | ➡ | 문단의 중심 문장 또는 중심 내용을 찾기 | ➡ | 내용 전개에 따른 분류를 활용해 자연스럽게 연결하기 |

> (예) **「에너지를 절약하자」 간추리기**
>
> 우리 생활을 편하고 넉넉하게 하려고 사용하는 석탄, 석유, 가스, 전기 같은 에너지 자원은 한없이 있는 것이 아니다. 다 쓰고 나면 더는 에너지 자원을 구할 수 없게 된다. 따라서 우리는 에너지를 절약해야 한다. 에너지 절약을 실천하는 방법은 쓰지 않는 꽂개 뽑아 놓기, 빈방에 켜 놓은 전깃불 끄기, 에너지 효율이 높은 가전제품 쓰기, 전기가 적게 드는 조명 기구 사용하기 등이다. 에너지 절약은 말로 하는 것이 아니라 생활 속에서 바로 실천해야 한다.

**01** 들은 내용을 쉽고 정확하게 정리하는 방법을 알맞게 말한 친구의 이름을 쓰시오.

> 은주: 중요한 낱말만 골라서 짧게 썼어.
> 호은: 들으면서 모든 내용을 빨리 썼어.

( )

**[02~04]** 다음 글을 읽고, 물음에 답하시오.

> ㉠동물들이 소리를 내는 방식은 다양합니다. ㉡성대를 이용하여 소리를 내는 동물도 있고 다른 부위를 이용하는 동물도 있습니다.
> ㉢개나 닭은 사람과 같이 성대를 울려 소리를 내지만 다양한 소리를 내지는 못합니다. ㉣왜냐하면 성대나 입과 혀의 생김새가 사람과 다르기 때문입니다. ㉤그래서 몇 가지 소리만 낼 수 있습니다. 동물들은 대개 서로를 부르거나 위협하기 위해서 소리를 냅니다.

**02** 개나 닭이 소리를 내는 방식은 무엇인지 쓰시오.

( )

**03** 개나 닭의 소리가 사람처럼 다양하지 못한 까닭은 무엇인지 쓰시오.

( )

**04** ㉠~㉤ 중에서 중심 문장을 두 가지 골라 기호를 쓰시오.

( , )

**[05~07]** 다음 글을 읽고, 물음에 답하시오.

> 마침내 나무 그늘은 부자 영감의 집 마당까지 길어졌지요.
> '슬슬 시작해 볼까?'
> 총각은 성큼성큼 부자 영감의 집 안으로 들어갔어요.
> "아니, 남의 집엔 왜 들어오는 게냐?"
> 부자 영감은 담뱃대를 휘둘렀어요. 총각은 나무 그늘에 서서 말했어요.

**05** 이 이야기가 일어난 장소는 어디인지 쓰시오.

( )

**06** 다음은 이 이야기의 내용을 간추린 것입니다. 빈칸에 알맞은 말을 써넣으시오.

> (1) ⬚⬚⬚⬚⬚은/는 부자 영감의 집 안으로 (2) ⬚⬚⬚⬚⬚.

**07** 이 글을 간추리는 방법으로 알맞은 것에 ○표를 하시오.

(1) 문단의 중심 문장을 연결한다. ( )
(2) 일어난 중요한 사건을 연결한다. ( )

**[08~10]** 다음 글을 읽고, 물음에 답하시오.

> 석탄, 석유, 가스, 전기 같은 에너지 자원은 한없이 있는 것이 아니다. 다 쓰고 나면 더는 에너지 자원을 구할 수 없게 된다. 특히 석유는 우리나라에서는 나지 않아 외국에서 수입해 오고 있다. 이처럼 중요한 에너지를 어떻게 절약해야 할까?
> 에너지를 절약하는 것은 그리 어렵지 않다. 관심을 가지고 내가 할 수 있는 작은 일부터 실천하면 된다.

**08** 이 글에서 제시한 문제점은 무엇인지 쓰시오.

( )

**09** 글쓴이의 생각은 무엇인지 쓰시오.

( )

**10** 이 글의 전개 방식으로 알맞은 것에 ○표를 하시오.

(1) 문제점과 해결 방안 제시 ( )
(2) 시간과 장소의 변화 제시 ( )

# 학교 시험 만점왕

2. 내용을 간추려요

**[01~02] 다음 글을 읽고, 물음에 답하시오.**

안녕하십니까? [ ㉠ ] 정보입니다. 저는 지금 봄꽃이 가득한 공원에 나와 있습니다. 날씨가 따뜻해지면서 공원에는 나들이를 나온 시민들이 많아졌습니다. 활짝 핀 벚꽃이 성큼 찾아온 봄을 느끼게 해 줍니다. 오늘 하루는 전국적으로 맑은 날씨가 되겠습니다. 서울, 춘천은 19도, 강릉, 청주, 전주 등은 20도까지 낮 기온이 올라가겠습니다. 일요일에도 산책하기 좋은 날씨가 되겠습니다. 서울, 춘천은 20도, 청주와 진주 등은 21도의 따뜻한 날씨가 예상됩니다.

**01** 이 글의 내용으로 보아 ㉠에 들어갈 알맞은 말은 무엇인지 쓰시오.

( )

**02** 가족 나들이를 위해 이 내용을 들을 때 생각할 점을 알맞게 선으로 이으시오.

(1) 일요일에 춘천으로 나들이 가도 좋은 날씨인지 확인하며 들어야겠어. · · ① 듣는 목적을 생각한다.

(2) 작년 이맘때는 봄 날씨인데도 추웠던 것 같아. · · ② 들은 내용을 어떻게 할지 생각한다.

(3) 나에게 필요한 내용을 써 놔야겠어. · · ③ 아는 내용이나 경험을 떠올린다.

**[03~05] 다음 글을 읽고, 물음에 답하시오.**

㈎ 동물들이 소리를 내는 방식은 다양합니다. 성대를 이용하여 소리를 내는 동물도 있고 다른 부위를 이용하는 동물도 있습니다.

㈏ 매미는 발음근으로 소리를 냅니다. 매미는 수컷만 소리를 낼 수 있고, 암컷은 소리를 내지 못합니다. 매미의 배에 있는 발음막, 발음근, 공기주머니는 매미가 소리를 내게 도와줍니다.

㈐ 물고기는 몸속에 있는 부레로 여러 가지 소리를 냅니다. 부레 안쪽 근육을 수축하거나 부레의 얇은 막을 진동시켜 소리를 낼 수 있습니다. 물고기가 조용하다고 느끼는 이유는 우리가 들을 수 없는 높낮이로 소리를 내기 때문입니다.

㈑ 이와 같이 동물들은 성대나 발음근, 부레를 이용해 소리를 냅니다. 그 밖에도 날개를 비비거나 꼬리를 흔들어 소리를 내는 동물들도 있습니다. 이렇게 동물들은 자신만의 방법으로 소리를 낼 수 있습니다.

**03** 부레로 소리를 내는 동물은 무엇입니까? ( )

① 개      ② 닭
③ 매미      ④ 고양이
⑤ 물고기

**04** 글 ㈏의 중심 문장을 찾아 쓰시오.

( )

**05** 이 글을 '처음 – 가운데 – 끝'으로 나누어 간추리려고 합니다. ㈎~㈑를 나누어 해당하는 부분에 알맞게 기호를 쓰시오.

| (1) 처음 | (2) 가운데 | (3) 끝 |
|---|---|---|
| | | |

(가) 어느 더운 여름날이었어요.

"어휴, 덥다. 그늘에서 잠깐 쉬어 갈까?"

총각이 뜨거운 볕을 피해 나무 그늘로 들어섰어요.

"드르렁, 드르렁 푸!"

나무 그늘에는 부자가 코를 골며 자고 있었지요. 잠깐 쉬어 가려던 총각도 그만 잠이 들고 말았어요.

얼마 뒤, 욕심쟁이 부자가 깨어났어요. 부자는 총각을 보자 버럭버럭 소리를 질렀어요.

"너 이놈, 허락도 없이 남의 나무 그늘에서 잠을 자다니!"

(나) '이런 욕심쟁이 영감, 어디 한번 당해 봐라!'

총각은 욕심쟁이 ⊙부자를 혼내 주기로 했어요.

"영감님, 저한테 이 나무 그늘을 파는 건 어때요?"

부자는 귀가 솔깃했어요.

'아니, 이런 멍청한 녀석을 봤나?'

부자는 억지로 웃음을 참으며 말했어요.

"흠, 자네가 원한다면 할 수 없지. 대신 나중에 무르자고 하면 절대로 안 되네!"

부자는 못 이기는 척 나무 그늘을 팔았답니다.

(다) 마침내 나무 그늘은 부자 영감의 집 마당까지 길어졌지요.

'슬슬 시작해 볼까?'

총각은 성큼성큼 부자 영감의 집 안으로 들어갔어요.

"아니, 남의 집엔 왜 들어오는 게냐?"

부자 영감은 담뱃대를 휘둘렀어요. 총각은 나무 그늘에 서서 말했어요.

"하하하, 영감님, 여기는 제 그늘인걸요."

마당까지 들어온 그늘을 보고 부자 영감은 아무 말도 할 수 없었지요.

총각은 부자의 마당에서 뒹굴뒹굴 신이 났어요.

"역시 비싼 나무 그늘이라 시원하군!"

마당을 빼앗긴 부자는 그늘을 피해 다니며 부글부글 속을 끓였지요. 시간이 지날수록 나무 그늘은 점점 더 길어져 안방까지 들어갔어요.

총각은 그늘을 따라 안방으로 들어갔어요.

**06** 총각이 욕심쟁이 영감에게 산 것은 무엇인지 쓰시오.

(                          )

**07** ⊙의 내용으로 알맞은 것을 찾아 ○표를 하시오.

(1) 욕심쟁이 영감의 집 앞에 나무를 많이 심는 일 (     )

(2) 나무 그늘에 집을 짓고 살아서 욕심쟁이 영감의 집을 가리는 일 (     )

(3) 그늘을 따라 욕심쟁이 영감의 집으로 들어가서 부자 영감을 괴롭히는 일 (     )

**08** 이 이야기의 교훈은 무엇입니까? (      )

① 은혜를 갚자.

② 가족을 돌보자.

③ 미래를 대비하자.

④ 어른을 공경하자.

⑤ 욕심을 부리지 말자.

**09** 중요 이 이야기의 시간과 장소의 변화를 정리하여 쓰시오.

| (가), (나) | (다) |
|---|---|
| • 시간: (1) | • 시간: 그날 오후 |
| • 장소: 욕심쟁이 영감의 집 앞 느티나무 그늘 | • 장소: (2) |

**10** 서술형 이야기의 흐름에 따라 이 글을 간추리려고 합니다. 순서에 맞게 사건을 쓰시오.

총각이 뜨거운 볕을 피해 나무 그늘에서 잠을 잤습니다. 욕심쟁이 영감은 (1) _____

_____

기가 막힌 총각은 (2) _____

_____

욕심쟁이 영감의 집 안으로 나무 그늘이 옮겨 가자 총각은 (3) _____

_____

**[11~15] 다음 글을 읽고, 물음에 답하시오.**

㉮ 우리는 생활을 편하고 넉넉하게 하려고 많은 에너지 자원을 사용하고 있다. 음식을 만들거나 집을 따뜻하게 하거나 불을 밝히려고 가스나 전기를 쓴다. 또 자동차를 타고 다니려면 석유가 필요하며 공장에서 생활에 필요한 물건을 만들 때에도 전기를 많이 사용한다.

㉯ 석탄, 석유, 가스, 전기 같은 에너지 자원은 한없이 있는 것이 아니다. 다 쓰고 나면 더는 에너지 자원을 구할 수 없게 된다. 특히 석유는 우리나라에서는 나지 않아 외국에서 수입해 오고 있다. 이처럼 중요한 에너지를 어떻게 절약해야 할까?

㉰ 다음은, 에너지 사용을 줄이는 것이다. 가전제품은 에너지 효율이 높은 것을 쓰고, 조명 기구는 전기가 적게 드는 제품을 사용한다. 한여름에는 냉방기를 적게 쓰고 겨울에도 난방 기구를 덜 쓰도록 노력해야 한다.

 지금까지 에너지 절약 방법을 알아보았다. 에너지 절약은 말로 하는 것이 아니다. 생활 속에서 바로 실천해야 한다.

**11** 우리가 많은 에너지 자원을 사용하는 까닭은 무엇인지 쓰시오.

(                    )

**12** 에너지를 절약해야 하는 까닭은 무엇입니까?
(    )

① 새로운 에너지 자원이 많아서
② 에너지 자원이 우리나라에 많아서
③ 에너지 자원이 계속해서 생산되어서
④ 에너지 자원을 외국에 수출하기 위해서
⑤ 에너지 자원이 한없이 있는 것이 아니어서

**13** 이 글에서 제시한 문제점에 대한 해결 방안은 무엇입니까? (    )

① 에너지를 수출한다.
② 에너지를 수입한다.
③ 에너지 사용을 줄인다.
④ 에너지를 자주 사용한다.
⑤ 에너지를 사용하지 않는다.

**14** 이 글의 전개 방식으로 알맞은 것은 무엇입니까?
(    )

① 원인과 결과
② 비교와 대조
③ 주제와 설명
④ 시간, 장소, 인물, 배경
⑤ 문제점, 해결 방안, 실천 방법

**★중요★ 15** 이 글의 내용을 간추려 쓸 때 ㉮~㉰에 들어갈 알맞은 말을 쓰시오.

 우리 생활을 편하고 넉넉하게 하려고 사용하는 석탄, 석유, 가스, 전기 같은 에너지 자원은 [ ㉮ ] 있는 것이 아니다. 다 쓰고 나면 더는 에너지 자원을 구할 수 없게 된다. 따라서 우리는 [ ㉯ ]을/를 절약해야 한다. 에너지 사용을 줄이는 방법은 전기가 적게 드는 조명 기구 사용하기, 냉방기를 적게 쓰고 난방 기구 덜 쓰기 등이 있다. 에너지 절약은 생활 속에서 바로 [ ㉰ ]해야 한다.

(1) ㉮: (            )
(2) ㉯: (            )
(3) ㉰: (            )

**1 적절한 표정 몸짓, 말투로 말하기**

● 듣는 사람에게 맞게 사용합니다.

　㉔ 친구의 성공을 축하해 줄 때

| 말 | 표정 | 몸짓 |
|---|---|---|
| 오, 민영택! 센데! | ㉔ 친구의 성공을 반기는 표정 | ㉔ 엄지손가락을 위로 올림. |

● 표정, 몸짓, 말투가 서로 어울리게 사용합니다.

　㉔ 있었던 일을 설명할 때

> • 자신 있는 표정을 짓습니다.
> • 두 손을 활용하여 설명합니다.
> • 정확하게 말합니다.

● 사용하려는 목적을 생각합니다.

　㉔ 상대를 설득할 때

> • 따뜻한 표정으로 상대를 바라봅니다.
> • 손을 적절하게 사용합니다.
> • 부드러운 말투를 사용합니다.

**2 듣는 사람을 고려해 상황에 맞게 말하기**

● 듣는 사람과 듣는 상황을 고려해 말합니다.

| 동생에게 말할 때 | 친구에게 말할 때 | 여러 사람 앞에서 말할 때 |
|---|---|---|
| 이해하기 쉬운 말로 말함. | 관심 있어 하는 내용을 흥미롭게 말해 줌. | 높임말을 사용함. |

**3 읽는 사람을 고려해 생각이나 느낌 쓰기**

● 읽는 사람의 처지를 생각합니다.

　→ 읽는 사람이 되어 궁금한 점이 무엇일지 떠올려 쓸 내용을 정합니다.

● 읽는 사람의 상황을 떠올립니다.

　㉔ 「생태 마을 보봉」을 읽고 누구에게 어떻게 쓰면 좋을지 생각해 보기

| 읽을 사람 | 글의 내용 | 읽는 사람을 위해 고려할 점 |
|---|---|---|
| 학급 신문을 읽는 친구들 | 우리나라의 생태 마을을 조사한 내용 | • 친구들이 관심을 가질 만한 내용 쓰기<br>• 사진 자료도 활용하기 |

● 읽는 사람의 나이를 고려해 어휘를 고릅니다.

　→ 기분이 상하지 않도록 예의를 지켜서 씁니다.

정답과 해설 **40**쪽

**01** 자신의 생각을 분명하게 전달할 수 있는 몸짓으로 말하고 있는 것에 ○표를 하시오.

> 제가 다녀온 박물관에 대해 말씀 드리겠습니다.

> 제가 다녀온 박물관에 대해 말씀 드리겠습니다.

(1) (　　　　　)　　(2) (　　　　　)

**02** 다음에서 알맞은 말에 ○표를 하시오.

> 회의를 진행할 때는 ( 밝은 , 굳은 ) 표정으로 말한다.

**[03~04]** 다음 글을 읽고, 물음에 답하시오.

> 석우: 자, 멀리 찼지? 자, 네 차례야.
> 영택: ㉠잘 못할 것 같은데……
> 석우: 에이, 해 봐. ㉡오, 민영택! 센데!

**03** ㉠의 말투는 어떠할지 쓰시오.

(　　　　　　　　　　　　)

**04** ㉡을 말할 때의 알맞은 몸짓을 쓰시오.

(　　　　　　　　　　　　)

**[05~07]** 다음 글을 읽고, 물음에 답하시오.

> ㈎ 육천 년 전, 드디어 사람들은 저마다 남는 물건을 바꾸기 시작했어요. 물물교환이 시작된 거예요.
> ㈏ 그래서 인류는 물건의 가격을 매길 수 있는 제삼의 물건을 생각해 냈어요. 바로 돈이었지요. 기록에 전해지는 최초의 돈은 중국인들이 사용한 조개껍데기예요.

**05** 돈이 없었을 때 사람들이 남는 물건으로 원하는 물건을 구한 방법을 이 글에서 찾아 쓰시오.

(　　　　　　　　　　　　)

**06** 최초의 돈은 무엇이었는지 쓰시오.

(　　　　　　　　　　　　)

**07** 이 글의 내용을 동생에게 설명해 주려고 할 때, 알맞은 방법에 ○표를 하시오.

(1) 이해하기 쉬운 말로 말한다. (　　　　)
(2) 관심 있어 하는 내용을 흥미롭게 말해 준다.
(　　　　)

**[08~09]** 다음 글을 읽고, 물음에 답하시오.

> 여러 가지 활용 방안을 놓고 회의를 한 결과, 주민들은 이곳을 생태 마을로 만들기로 합의하였습니다. 마을 사람들은 이곳을 어떻게 생태 마을로 만들까 고민했습니다. 오랫동안 토론한 끝에 다음과 같은 실천 조항들을 만들었습니다.

**08** 다음은 이 글의 내용을 요약한 것입니다. 빈칸에 알맞은 말을 쓰시오.

> 보봉 주민들은 마을을 [　　　] 마을로 만들기로 합의하고 실천 조항을 만들었습니다.

**09** 이 글을 읽고 전하고 싶은 생각을 글로 쓸 때 고려할 점은 무엇인지 빈칸에 알맞은 말을 쓰시오.

> [　　　]의 처지를 생각한다.

**10** 자신이 겪은 일을 실감 나게 말하기 위해 고려할 것을 세 가지 쓰시오.

(　　　,　　　,　　　)

# 학교 시험 만점왕

**[01~02]** 다음 그림을 보고, 물음에 답하시오.

**01** 그림 **1**~**4** 중 자신의 생각을 분명하게 전달할 수 있는 표정과 몸짓을 하고 있는 그림의 번호를 두 가지 쓰시오.

( )

**02** 이 그림을 통해 알 수 있는 점은 무엇입니까?

( )

① 공공장소에서는 질서를 지켜야 한다.
② 상황에 알맞은 표정과 몸짓이 필요하다.
③ 친구에게 바르고 고운 말을 사용해야 한다.
④ 학급 회의 중에는 친구와 이야기하지 않는다.
⑤ 여러 사람 앞에서 말할 때에는 높임말을 사용하지 않는다.

**03** 다음 그림에서 말하는 사람이 주의해야 할 점에 ○표를 하시오.

(1) 예의를 지켜 자연스럽게 말한다. ( )
(2) 기분이 좋다는 것을 크게 표현한다. ( )

**[04~05]** 다음 장면의 대화를 읽고, 물음에 답하시오.

[장면 내용] 어느 등교하는 길에 석우는 길에 있는 음료수 깡통을 발로 차며, 영택이에게도 차 보라고 말한다. 다리가 불편한 영택이는 못할 것 같다고 말했지만, 석우가 음료수 깡통을 가져다주며 한 번 차 보라고 용기를 주어 목발을 짚고 음료수 깡통을 발로 차는 일을 해 낸다. 석우와 영택이는 환하게 웃으며 학교에 간다.

석우: 자, 멀리 찼지? 자, 네 차례야.
영택: ㉠잘 못할 것 같은데…….
석우: 에이, 해 봐. ㉡오, 민영택! 센데!

**04** ㉠을 말하는 표정, 몸짓, 말투로 알맞은 것은 무엇입니까? ( )

① 밝은 표정
② 자신 없는 표정
③ 장난스러운 말투
④ 고개를 끄덕이는 몸짓
⑤ 엄지손가락을 위로 올리는 몸짓

**05** ㉡을 말하는 표정과 몸짓은 어떠할지 쓰시오.

| (1) 표정 | |
|---|---|
| (2) 몸짓 | |

**06** 있었던 일을 설명할 때에 알맞은 표정, 몸짓, 말투가 <u>아닌</u> 것은 무엇입니까? (　　)

① 정확하게 말한다.
② 손을 적절하게 사용한다.
③ 자신 있는 표정을 짓는다.
④ 장난이 섞인 말투로 말한다.
⑤ 듣는 사람을 바라보며 말한다.

[07~08] 다음 글은 「돈을 만들어 내다 – 돈은 왜 생겼을까? –」를 읽고 말할 내용을 정리한 것입니다. 글을 읽고, 물음에 답하시오.

(가) 동생에게 말할 때

　사람들이 돈을 만든 까닭을 알고 있니? 물건과 물건을 바꾸어 쓰던 사람들이 불편해져서 물건의 가격을 매길 수 있는 돈을 만들어 낸 거야. 처음 돈은 조개껍데기였대.

(나) 친구에게 말할 때

　사람들이 돈을 만든 까닭을 알고 있니? 물물교환을 할 때 사람들은 서로 원하는 것도 다르고 각자가 생각하는 물건의 가치도 달라서 불편했어. 그래서 사람들은 물건의 가격을 매길 수 있는 새로운 물건을 생각해 낸 거지. 그게 바로 돈이야. 최초의 돈은 중국인들이 사용한 조개껍데기래.

(다) 여러 사람 앞에서 말할 때

　사람들이 왜 돈을 만들게 되었는지 알고 계신가요? 물물교환을 할 때 사람들은 서로 원하는 것도 다르고 각자가 생각하는 물건의 가치도 달라서 불편했다고 합니다. 그래서 사람들은 물건의 가격을 매길 수 있는 새로운 물건을 생각해 낸 것이죠. 그것이 바로 돈이랍니다. 최초의 돈은 중국인들이 사용한 조개껍데기입니다.

**07** 글 (가)~(다)는 공통적으로 어떤 내용을 말할 내용으로 정리한 것입니까? (　　)

① 돈의 재료　　　② 돈을 만든 까닭
③ 물물교환의 역사　④ 물물교환의 장소
⑤ 돈의 모양과 종류

**08** 듣는 사람에 따라 말하는 내용이 어떻게 다른지 알맞은 것을 찾아 선으로 이으시오.

(1) 동생　・　　・① 높임말을 사용함.

(2) 친구　・　　・② 이해하기 쉬운 말로 말함.

(3) 여러 사람　・　　・③ 관심 있어 하는 내용을 흥미롭게 말함.

[09~10] 다음 글을 읽고, 물음에 답하시오.

　그럼 지폐는 무엇으로 만들까요?
　당연히 종이라고 생각하겠지만, 지폐는 솜으로 만들어요. 방적 공장에서 옷감의 재료로 사용하고 남은 찌꺼기 솜인 낙면이 그 재료이지요. 이 솜으로 만든 지폐는 습기에도 강하고 정교하게 인쇄 작업을 할 수 있으며 위조를 방지할 수 있다는 장점이 있어요. 그래서 오늘날 대부분의 국가들은 솜으로 지폐를 만들어요.
　그렇지만 특이하게 플라스틱으로 지폐를 만드는 나라도 있어요. 호주와 뉴질랜드는 플라스틱의 일종인 폴리머라는 재료로 지폐를 만들어요.

**09** 이 글의 내용으로 알맞은 것은 무엇입니까?
(　　)

① 지폐는 종이로 만들어진다.
② 지폐는 습기에 약한 특성이 있다.
③ 찌꺼기 솜인 낙면으로 동전을 만든다.
④ 솜으로 만든 지폐는 위조를 방지할 수 있다.
⑤ 여러 국가에서 플라스틱으로 지폐를 만든다.

**10** 다음은 이 글을 읽고 동생에게 말하기 위하여 정리한 것입니다. 빈칸에 알맞은 말을 쓰시오.

지폐는 □□□으로 만들어서 습기에도 강하고 정교하게 만들면서 위조도 막아 준대.

[11~14] 다음 글을 읽고, 물음에 답하시오.

　　보봉은 독일에 있는 생태 마을로, 태양 에너지, 녹색 교통, 주민 자치 등 환경 정책이 두루 잘 실현되고 있는 곳입니다. 보봉은 1992년까지 군대가 있던 곳이었습니다. 군대가 철수하고 난 뒤 마을 사람들은 이 지역을 어떻게 활용할지에 대해 고민하게 되었습니다. 여러 가지 활용 방안을 놓고 회의를 한 결과, 주민들은 이곳을 생태 마을로 만들기로 합의하였습니다. 마을 사람들은 이곳을 어떻게 생태 마을로 만들까 고민했습니다. 오랫동안 토론한 끝에 다음과 같은 실천 조항들을 만들었습니다.
　　"태양광을 우리 마을의 주 에너지원으로 합시다."
　　"자동차 사용을 줄이고 물을 아낄 수 있는 곳으로 만듭시다."
　　"콘크리트를 쓰지 않는 곳으로 만듭시다."
　　이런 노력으로 보봉은 생태 마을이 되었습니다.

**11** 보봉 마을 주민들은 마을을 어떤 마을로 만들기로 결정하였는지 쓰시오.

( 　　　　　　　　　　 )

**12** 이 글의 내용으로 보아, 보봉 마을 주민들이 했을 노력으로 알맞은 것은 무엇입니까? ( 　 )

① 발전소를 지어 전기를 많이 생산하기
② 콘크리트를 사용하여 깨끗한 건물 짓기
③ 공장을 많이 지어 주민들의 일자리 늘리기
④ 자동차 사용을 줄여 공해가 없는 마을 만들기
⑤ 개인 주차장을 늘려 자동차를 편리하게 사용하기

**13** 이 글을 읽고 전하고 싶은 생각이나 느낌을 쓰려고 할 때, 알맞은 내용이 아닌 것은 무엇입니까?
( 　 )

① 마을을 바꾸려면 주민의 실천이 중요하다.
② 교통을 편리하게 하기 위해서 도로를 많이 만들었으면 좋겠다.
③ 우리나라도 자연환경을 보호하기 위해 많이 노력하면 좋겠다.
④ 가정에서 환경 보호를 위해 실천할 점을 정하여 실천하였으면 좋겠다.
⑤ 보봉 마을 주민들처럼 개인의 불편함보다는 마을 전체의 이익을 생각했으면 좋겠다.

**14** <sub>중요</sub> 이 글을 읽고 다음과 같은 내용으로 글을 쓸 때 고려할 점을 두 가지 고르시오. ( 　 , 　 )

　　마을 어른들에게 환경 보호를 실천하는 마을을 만들자는 제안을 하고 싶다.

① 마을 어른들에게 예의를 지켜서 쓴다.
② 보봉 마을이 생태 마을이 된 과정을 길고 자세하게 설명한다.
③ 보봉 마을에 직접 가서 마을의 모습이 어떠한지 직접 보라고 제안한다.
④ 보봉 마을의 예를 제시하면서 실생활에서 지킬 수 있는 방법을 제안한다.
⑤ 마을 어른들의 상황과 상관없이 제안하고 싶은 내용을 강조하는 글을 쓴다.

**15** 겪은 일을 실감 나게 말하는 방법으로 알맞은 것에 모두 ○표를 하시오.

(1) 겪었던 일을 과장해서 들려준다. ( 　 )
(2) 듣는 사람이 궁금해할 내용을 친절하게 말해 준다. ( 　 )
(3) 듣는 사람이 누구인지에 따라 다른 표현을 사용한다. ( 　 )

 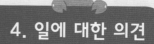

**1 사실과 의견의 차이점 알기**

● 사실과 의견에 대해 알아봅니다.

| 사실 | 실제로 있었던 일 | 의견 | 대상이나 일에 대한 생각 |
|---|---|---|---|

예 사실과 의견 구별하기

| | |
|---|---|
| 박물관에는 우리 조상의 생활 모습을 담은 그림들이 전시되어 있었다. | 사실 |
| 그림에 나타난 조상의 생활 모습은 오늘날과는 많이 다르다는 생각이 들었다. | 의견 |

● 사실과 의견의 특성을 알아봅니다.

• 사실에는 한 일, 본 일, 들은 일 등이 나타나 있습니다.

• 의견에는 느낌이나 생각 등이 나타나 있습니다.

예 「독도를 다녀와서」를 읽고 사실과 의견 구별하기

| 글 | 사실/의견 | 구별 근거 |
|---|---|---|
| 지난 방학 때 나는 가족과 함께 독도를 다녀왔다. | 사실 | 한 일 |
| 우리는 울릉도에 가서 다시 독도로 가는 배를 탔다. | 사실 | 한 일 |
| 독도에는 괭이갈매기뿐만 아니라 슴새, 바다제비 같은 새도 산다고 한다. | 사실 | 들은 일 |
| 독도에서 동해를 바라보니 가슴이 탁 트이는 것 같았다. | 의견 | 느낌 |
| 아름답고 생명력 넘치는 독도가 우리 땅이라는 것이 아주 자랑스러웠다. | 의견 | 생각 |

**2 사실에 대한 의견을 말하거나 쓰기**

● 글에서 사실과 의견을 구별하고, 사실에 대한 자신의 의견을 말해 봅니다.

예 「묵직한 수박 위로 나비가 훨훨!」에서 자신이 알게 된 사실과 그에 대한 의견 쓰기

| 자신이 알게 된 사실 | 조선 시대와 지금의 수박 껍질 모습이 다르다. / 쥐들이 수박을 좋아한다. |
|---|---|
| 그에 대한 의견 | 참 흥미롭다. / 새롭게 알게 되어 기쁘다. / 신기하다. |

● 겪은 일에 대한 사실과 의견이 잘 드러나게 글을 써 봅니다.

**3 학급의 일에 대한 사실과 자신의 의견이 잘 드러나게 기사문 쓰기**

● 학급 신문에 기사로 쓸 만한 일을 찾아봅니다.

● 찾은 일 가운데에서 학급 신문의 기사로 쓸 내용과 쓸 사람을 정해 봅니다.

● 정한 대로 기사 내용을 조사해 학급 신문의 기사로 써 봅니다.

● 친구들이 쓴 기사를 모아 학급 신문을 편집해 봅니다.

**01** 실제로 있었던 일을 (　　　　　)(이)라고 합니다.

**02** 대상이나 일에 대한 생각을 (　　　　　)(이)라고 합니다.

**03** 다음 중 대상이나 일에 대한 생각을 말한 친구의 이름을 쓰시오.

> 정우: 박물관에 단원 김홍도의 그림이 있었어.
> 석원: 응, 맞아. 그 가운데에서 나는 씨름하는 장면을 그린 그림이 가장 마음에 들었어. 사람들의 모습과 표정이 실감 났거든.

(　　　　　　　)

**04** 다음 글이 사실인지, 의견인지 구별하여 쓰시오.

> 나는 누나와 설거지를 했다.

(　　　　　　　)

**[05~06]** 다음 글을 읽고, 물음에 답하시오.

> ㉠지난 방학 때 나는 가족과 함께 독도를 다녀왔다. ㉡평소에 독도에 관심이 많아 독도에 대한 책도 읽고 사진도 여러 장 찾아보았다. ㉢그런데 마침 아버지께서 독도를 다녀오자고 하셨다. ㉣책이나 인터넷에서만 보던 독도를 직접 가 보는 것이 좋겠다고 생각했다.

**05** 글쓴이가 다녀온 곳은 어디인지 쓰시오.

(　　　　　　　)

**06** ㉠~㉣ 중 의견은 어느 것인지 기호를 쓰시오.

(　　　　　　　)

**07** 다음 글이 사실인지 의견인지 쓰고, 그렇게 구별한 근거를 보기 에서 찾아 쓰시오.

> **보기**
> | 한 일 | 본 일 | 들은 일 | 느낌 | 생각 |

| 글 | (1) 사실 / 의견 | (2) 구별 근거 |
|---|---|---|
| 독도에는 괭이갈매기 뿐만 아니라 슴새, 바다제비 같은 새도 살고 있다고 한다. | | |

**[08~09]** 다음 글을 읽고, 물음에 답하시오.

> 이제 아래쪽으로 시선을 옮겨 수박을 자세히 들여다보죠. 수박의 껍질이 요즘 보는 수박과 다르지요? 조선 시대 사람들이 먹었던 수박은 아마도 표면이 이러했던 모양입니다. 같은 땅에서 나온 수박인데도 시대가 흐르면서 그 모습이 바뀌었다는 사실이 참 흥미롭습니다.

**08** 이 글은 (「초충도」, 신사임당 )에 관한 글입니다.

**09** 글쓴이는 다음과 같은 사실에 대한 어떤 의견을 가지고 있는지 쓰시오.

> 조선 시대 사람들이 먹었던 수박의 껍질이 요즘 보는 수박의 모습과 다르다.

(　　　　　　　)

**10** 다음은 겪은 일을 글로 쓰기 위해 정리한 것입니다. 사실과 의견으로 구별하여 쓰시오.

| | |
|---|---|
| (1) | 지난주 수요일에 에너지 박물관으로 현장 체험학습을 다녀왔다. |
| (2) | 나부터 소중한 에너지를 아껴야겠다고 생각했다. |

## 학교 시험 만점왕

**[01~02]** 다음 대화를 보고, 물음에 답하시오.

박물관에 단원 김홍도의 그림이 있었어.

응, 맞아. 그 가운데에서 나는 씨름하는 장면을 그린 그림이 가장 마음에 들었어. 사람들의 모습과 표정이 실감 났거든.

정우        석원

**01** 정우와 석원이가 박물관에서 본 것은 무엇인지 쓰시오.

(              )

**02** 정우와 석원이가 한 말에 대한 설명으로 알맞은 것을 두 가지 고르시오. (    ,    )

① 정우는 그림을 보지 않고 말하였다.
② 정우는 그림에 대한 의견을 말하였다.
③ 정우는 실제로 있었던 일을 말하였다.
④ 석원이는 실제로 있었던 일을 말하였다.
⑤ 석원이는 대상이나 일에 대한 생각을 말하였다.

**03** 다음 중 사실은 어느 것입니까? (      )

① 여행은 즐겁다.
② 공공 예절을 지켜야 한다.
③ 생일 선물로 꽃을 받았다.
④ 오늘은 일기를 쓰기 싫었다.
⑤ 동물을 아끼고 보호해야 한다.

**[04~05]** 다음 글을 읽고, 물음에 답하시오.

> ㉠지난 방학 때 나는 가족과 함께 독도를 다녀왔다. 평소에 독도에 관심이 많아 독도에 대한 책도 읽고 사진도 여러 장 찾아보았다. 그런데 마침 아버지께서 독도를 다녀오자고 하셨다. 책이나 인터넷에서만 보던 독도를 직접 가 보는 것이 좋겠다고 생각했다.
> ㉡우리는 울릉도에 가서 다시 독도로 가는 배를 탔다. 배는 항구를 떠나 독도로 향했다. 배에 탄 지 한참을 지나 독도에 도착했다. ㉢배에서 내려 독도에 발을 내딛는 순간 이상하게 가슴이 떨렸다. 수많은 괭이갈매기가 우리를 반겨 주었다.

**04** ㉠이 사실인 까닭은 무엇입니까? (      )

① 글쓴이의 평소 생각이기 때문에
② 아버지가 하신 말씀이기 때문에
③ 아버지로부터 들은 말이기 때문에
④ 글쓴이가 실제로 했던 일이기 때문에
⑤ 독도에 대한 글쓴이의 의견이 담겨 있기 때문에

**05** <sup>중요</sup> ㉡과 ㉢을 사실과 의견으로 구별하여 쓰시오.

(1) ㉡: (            )
(2) ㉢: (            )

**[06~08] 다음 글을 읽고, 물음에 답하시오.**

「초충도」는 여덟 폭으로 이루어진 병풍 작품입니다. 이 그림들은 섬세한 필체와 부드럽고 세련된 색감이 돋보이지요. 전체적으로 구도가 비슷합니다. 화면의 중앙에 핵심이 되는 식물을 두고, 그 주변에 각종 벌레와 곤충을 배치했어요. 그림의 화면은 정사각형에 가깝고 식물과 곤충이 화면을 비교적 꽉 채우고 있습니다. 이 중 '수박과 들쥐' 그림을 자세히 살펴볼까요?

㉠화면 가운데 아래쪽에 큼지막한 수박 두 개가 있습니다. ㉡참으로 당당해 보이는 수박 덩어리이지요. 수박 덩굴줄기가 왼쪽에서 오른쪽으로 휘어져 뻗어 있고, 뻗어 나간 줄기 위에 나비 두 마리가 예쁘고 우아하게 날갯짓을 하고 있네요. 큰 수박 오른쪽에는 패랭이꽃 한 그루가 조용히 피어 있습니다.

수박 옆으로 뻗어 올라간 줄기를 볼까요? ㉢왼쪽 수박에서 위쪽으로 화면 한복판을 가로질러 둥근 곡선을 그리며 뻗어 올라간 줄기가 매우 인상적입니다. ㉣줄기에 작은 수박 하나가 더 매달려 있군요. 수박 밑부분은 검게 표시해 땅임을 알 수 있게 해 주고 있네요.

수박 줄기 위로는 예쁜 나비 두 마리가 아름답게 날갯짓을 하고 있어요. 붉은 나비와 호랑나비인데, 모두 사실적으로 묘사되어 있군요. 나비의 색깔이 서로 대비를 이루어 인상적입니다.

**06** 「초충도」에 대한 설명으로 알맞지 <u>않은</u> 것은 어느 것입니까? ( )

① 전체적으로 구도가 비슷하다.
② 그림의 화면은 긴 직사각형이다.
③ 여덟 폭으로 이루어진 병풍 작품이다.
④ 식물 주변에 각종 벌레와 곤충이 있다.
⑤ 화면의 중앙에 핵심이 되는 식물이 있다.

**07** 중요 ㉠~㉣을 사실과 의견으로 구별하여 기호를 쓰시오.

(1) 사실: ( )
(2) 의견: ( )

**08** 이 글을 읽고 의견을 말한 친구의 이름을 쓰시오.

세준: '수박과 들쥐' 그림의 아래쪽에 수박 두 개가 자리잡고 있어.
정우: 「초충도」를 그린 신사임당의 재능이 뛰어나다는 생각이 들었어.

( )

**09** 서술형 자신이 겪은 일을 떠올려 한 가지를 쓰고, 그에 대한 자신의 의견을 쓰시오.

| (1) 겪은 일 | |
|---|---|
| (2) 의견 | |

**10** 우리 학급의 일에 대한 의견이 드러나게 기사를 쓰는 방법으로 알맞지 <u>않은</u> 것은 어느 것입니까? ( )

① 친구들과 함께 고민해야 할 문제를 쓴다.
② 친구들에게 꼭 알려야 하는 소식인지 생각해 본다.
③ 어떤 일이 있었는지 사실을 정확하게 조사해서 쓴다.
④ 선생님, 친구, 부모님이 한 말을 기록할 수도 있다.
⑤ 기사문의 주제는 학급 공동의 일보다는 개인의 경험을 쓴다.

**1** 이야기를 읽고 사건의 흐름을 파악하는 방법 알기

● 이야기에 나타난 인물, 장소, 일어난 일을 찾습니다.

　⑩「까마귀와 감나무」에서 인물에게 일어난 일 정리하기

동생

| 장소 | 일어난 일 |
|---|---|
| 옛날 어느 마을 | 감나무가 있는 집 한 채만 받았다. |
| 동생의 집 | 까마귀가 감을 다 먹어 버렸다. |
| 금으로 가득한 산 | 금을 가져와 부자가 되었다. |

형

| 장소 | 일어난 일 |
|---|---|
| 옛날 어느 마을 | 감나무가 있는 집 한 채만 동생에게 주고 나머지를 모두 자신이 차지했다. |
| 동생의 집 | 동생에게 감나무를 빌렸다. |
| 금으로 가득한 산 | 욕심을 너무 많이 부려 금도 못 가져오고, 집에도 오지 못했다. |

● 이야기에서 일어난 중요한 일을 찾습니다.

● 일이 일어난 차례를 살핍니다.

**2** 이야기의 흐름을 정리하는 방법 알기

● 일어난 일을 차례대로 정리합니다.

● 일어난 일을 처음, 가운데, 끝의 흐름으로 정리합니다.

　⑩「아름다운 꼴찌」를 이야기의 흐름에 따라 일어난 일 정리하기

| 처음 | 가운데 | 끝 |
|---|---|---|
| 마라톤 대회에 참가하기 위해 수현이는 달리기 연습을 한다. | • 수현이는 마라톤에 참가해 완주하겠다고 다짐한다.<br>• 힘들어서 달리기를 포기하려고 했을 때, 자신의 뒤에서 꼴찌로 달리는 친구가 있다는 것을 알게 된 수현이는 힘을 얻어 결승점까지 달린다.<br>• 수현이는 끝까지 달린 사실을 부모님께 자랑한다. | 수현이 뒤에서 달렸던 사람이 아빠였다는 것을 알게 된다. |

**3** 이어질 내용을 상상하여 쓰는 방법 알기

● 사건의 흐름에 맞게 이어질 내용을 상상합니다.

● 이야기의 처음, 가운데, 끝을 생각하고 씁니다.

● 사건들 사이에 원인과 결과 관계가 있어야 합니다.

　⑩「초록 고양이」의 흐름에 맞게 이어질 내용 상상하기

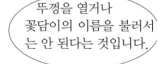

 엄마가 꽃담이를 찾기 위해 지켜야 할 조건은 무엇인가요?

 뚜껑을 열거나 꽃담이의 이름을 불러서는 안 된다는 것입니다.

 엄마는 어떤 방법으로 꽃담이를 찾을 수 있을까요?

 항아리를 깨뜨릴 것 같습니다. 아니면 꽃담이처럼 항아리의 냄새를 맡을 것 같습니다.

**[01~03]** 다음 글을 읽고, 물음에 답하시오.

> 옛날에 두 아들을 둔 아버지가 많은 재산을 남겨 두고 세상을 떠났습니다. 형은 동생에게 감나무가 있는 허름한 집 한 채만 주었습니다. 그리고 나머지는 모두 자기가 차지했습니다. 그러나 마음씨 착한 동생은 아무 말 없이 감나무가 있는 집만 받았습니다.

**01** 이 이야기가 일어난 장소에 ○표를 하시오.

( 옛날 어느 마을 , 허름한 형의 집 )

**02** 다음에서 일어난 일과 관계있는 인물을 쓰시오.

> 감나무가 있는 집 한 채만 받았다.

( )

**03** 사건의 흐름을 파악하는 방법에 알맞게 빈칸에 들어갈 말을  에서 찾아 쓰시오.

> **보기**
>
> 일, 차례, 인물

(1) 이야기에 나타난 (　　　), 장소, 일어난 일을 찾는다.

(2) 일이 일어난 (　　　)을/를 살핀다.

**[04~05]** 다음 글을 읽고, 물음에 답하시오.

> "당신도 몸이 약한데, 수현이 뒤에서 함께 뛰다니 ……. 너무 무리한 것 같아요. 병원에 안 가도 되겠어요?"
> 수현이는 그제야 알았습니다. 자신 뒤에서 꼴찌로 달렸던 사람은 바로 아빠였던 것입니다.

**04** 수현이의 뒤에서 꼴찌로 달렸던 사람은 누구인지 쓰시오.

( )

**05** 이 글을 통하여 글쓴이가 나타내려고 하는 생각에 ○표를 하시오.

( 아버지의 사랑 , 친구와의 우정 )

**06** 이야기에서 나타내려고 하는 생각을 무엇이라고 하는지 쓰시오. ( )

**07** 이야기의 흐름을 정리하는 방법을 생각하며 빈칸에 알맞은 말을 쓰시오.

> 일어난 일을 (　　　), 가운데, (　　　)의 흐름으로 정리한다.

**[08~10]** 다음 글을 읽고, 물음에 답하시오.

> ㈎ 엄마가 말했어요. / "우리 꽃담이를 돌려줘!"
> 초록 고양이가 수염을 쓰다듬으며 말했어요.
> "쉽게 돌려줄 수는 없어요. 딸을 찾고 싶으면 나를 찾아와요."
> ㈏ "항아리는 모두 40개예요. 저 가운데 하나에 꽃담이가 들어 있어요. 어느 항아리에 들어 있는지 찾아보세요. 뚜껑을 열어 봐서도 안 되고, 딸 이름을 불러서도 안 돼요."

**08** 꽃담이를 데려간 인물은 누구인지 쓰시오.

( )

**09** 엄마가 꽃담이를 찾기 위해 지켜야 할 조건은 무엇인지 쓰시오.

( )

**10** 이 이야기의 사건의 흐름에 따라 이어질 내용을 알맞게 상상한 내용에 ○표를 하시오.

(1) 엄마는 항아리를 깨뜨려 꽃담이를 찾았다.

( )

(2) 엄마는 꽃담이의 이름을 불러서 꽃담이를 찾았다.

( )

# 학교 시험 만점왕

## 5. 내가 만든 이야기

**[01~03]** 다음 글을 읽고, 물음에 답하시오.

㈎ 옛날에 두 아들을 둔 아버지가 많은 재산을 남겨 두고 세상을 떠났습니다. 형은 동생에게 감나무가 있는 허름한 집 한 채만 주었습니다. 그리고 나머지는 모두 자기가 차지했습니다. 그러나 마음씨 착한 동생은 아무 말 없이 감나무가 있는 집만 받았습니다.

㈏ 어느 가을날, 까마귀가 떼 지어 날아와 감을 다 먹어 버렸습니다. 이 모습을 본 동생은 까마귀들에게 말했습니다.

"내 재산이라고는 이 감나무 하나뿐이야. 너희가 감을 모두 먹었으니, 나는 어떻게 살아가야 하니?"

까마귀 한 마리가 대답했습니다. / "당신은 마음이 착하고 욕심이 없군요. 감을 따 먹은 대신 금을 드릴 게요. 저희가 모레 금이 있는 커다란 산으로 데리고 갈 테니 조그만 주머니를 만들어 두세요."

㈐ "여기가 바로 우리가 찾던 곳이에요. 금은 얼마든지 가져도 좋습니다."

동생은 눈이 부신 금덩이들 한가운데에 서 있는 것을 알고 깜짝 놀랐습니다. 그는 주변에 흩어져 있는 금을 주머니에 주워 담았습니다.

**01** 까마귀는 감을 다 먹은 대신 동생에게 무엇을 주겠다고 하였는지 쓰시오.

( )

**02** 동생에게 다음과 같은 일이 일어난 장소를 쓰시오.

> 까마귀가 감을 다 먹어 버렸다.

( )

**03** 글쓴이가 전하고 싶은 생각을 알맞게 말한 친구의 이름을 쓰시오.

> 현수: 동생은 욕심이 없고 착해서 복을 받았어.
> 윤혁: 형과 동생이 우애가 있으니 집안이 행복해 보여.

( )

**[04~05]** 다음 글을 읽고, 물음에 답하시오.

㈎ '헉, 헉! 숨이 차서 더는 못 달리겠어.'

수현이는 너무 힘든 나머지 도중에 포기해야겠다고 생각하고는 몇 걸음 천천히 걸었습니다.

그때 등 뒤에서 사람들의 환호 소리가 들렸습니다.

"와, 조금만 더 힘내요!"

그것은 수현이와 100미터 이상 떨어진 거리에서 쓰러질 듯 달려오는 한 친구에게 보내는 격려의 소리였습니다.

㈏ 집으로 돌아온 수현이는 아빠, 엄마에게 마라톤에서 완주한 일을 몇 번이고 자랑했습니다.

"내 뒤에서 달려오던 친구가 없었다면 나도 중간에 포기하고 말았을 거예요."

아빠와 엄마는 그런 수현이가 무척 대견했습니다.

그날 밤, 모두가 잠든 시각이었습니다. 안방 문틈 사이로 아빠의 낮은 신음 소리가 들렸습니다. 그리고 가느다란 엄마의 목소리도 들렸습니다.

"당신도 몸이 약한데, 수현이 뒤에서 함께 뛰다니…… 너무 무리한 것 같아요. 병원에 안 가도 되겠어요?"

수현이는 그제야 알았습니다. 자신 뒤에서 꼴찌로 달렸던 사람은 바로 아빠였던 것입니다.

**04** 수현이가 마라톤 경기를 중간에 포기하지 않은 까닭은 무엇입니까? ( )

① 먼저 간 친구들의 응원 때문에
② 앞에서 응원하시는 부모님 때문에
③ 평소에 열심히 연습을 했기 때문에
④ 완주를 하겠다는 부모님과의 약속 때문에
⑤ 뒤에 달리는 친구가 있는 것에 힘을 얻어서

**05** 글 ㈏를 읽고 이야기의 주제를 생각하여 쓰시오.

_____

_____

**06** 이야기의 흐름에 대하여 알맞게 설명한 것을 두 가지 고르시오. ( , )

① 이야기는 늘 같은 장소에서 벌어진다.
② 끝 부분에서는 새로운 일들이 생긴다.
③ 이야기의 흐름은 일어난 일들의 연결로 이루어진다.
④ 이야기의 전체 흐름은 이야기의 첫 부분을 보면 알 수 있다.
⑤ 이야기의 흐름을 파악하기 위해서는 중요한 일을 찾아본다.

**[07~10] 다음 글을 읽고, 물음에 답하시오.**

⑦ "쉽게 돌려줄 수는 없어. 엄마를 찾고 싶으면 나를 따라와."
초록 고양이가 빨간 우산을 빙글빙글 돌렸어요.
커다란 동굴 안에 하얀 항아리들이 잔뜩 놓여 있었어요.
"항아리는 모두 40개야. 이 가운데 하나에 너희 엄마가 있어. 어느 항아리에 있는지 찾아봐. 항아리를 두드려 봐도 안 되고, 엄마를 불러서도 안 돼."
⑭ 꽃담이는 킁킁 냄새를 맡았어요.
"바로 이 항아리야!"
그 항아리에서 고소하고 달콤하고 향긋한 냄새가 났거든요. 바로 엄마 냄새였지요.
꽃담이가 너무 쉽게 찾으니까 초록 고양이가 심통이 났나 봐요. / "쳇! 좋아. 엄마를 데려가!"
⑭ "우리 꽃담이를 돌려줘!"
초록 고양이가 수염을 쓰다듬으며 말했어요.
"쉽게 돌려줄 수는 없어요. 딸을 찾고 싶으면 나를 찾아와요."
초록 고양이가 노란 장화 신은 발을 탁탁 굴렀어요.
커다란 동굴 안에 하얀 항아리들이 잔뜩 놓여 있었어요.
"항아리는 모두 40개예요. 저 가운데 하나에 꽃담이가 들어 있어요. 어느 항아리에 들어 있는지 찾아보세요. 뚜껑을 열어 봐서도 안 되고, 딸 이름을 불러서도 안 돼요." / 초록 고양이는 또 낄낄낄 웃었어요.
"기회는 딱 한 번뿐이에요. 만일 틀린 항아리를 고르면, 딸을 영영 못 찾게 될 거예요."

**07** 초록 고양이는 엄마를 어디에 숨겨 놓았습니까? ( )

① 꽃담이의 집 욕실 안에
② 숲속 마을의 커다란 마당에
③ 꽃담이의 집 마당 항아리 안에
④ 커다란 동굴 속 하얀 항아리 안에
⑤ 커다란 동굴 속 검은 항아리 안에

**08** 꽃담이는 엄마를 어떻게 찾았는지 쓰시오.
( )

**09** 이 이야기의 원인과 결과를 생각하여 사건의 흐름을 정리하려고 합니다. 일이 일어난 차례대로 번호를 쓰시오.

(1) 꽃담이는 엄마가 있는 항아리를 찾았다.
( )

(2) 심통이 난 초록 고양이는 꽃담이를 항아리에 숨기고 엄마에게 찾으라고 했다. ( )

(3) 엄마를 데려간 초록 고양이는 꽃담이에게 엄마를 찾고 싶으면 자신을 따라오라고 했다.
( )

(4) 초록 고양이는 항아리 40개 가운데에서 엄마가 들어가 있는 항아리를 한 번에 찾으라고 했다. ( )

**10** 이 이야기의 흐름에 알맞게 이어질 내용을 상상한 것으로 알맞지 <u>않은</u> 것을 찾아 기호를 쓰시오.

⑦ 엄마도 꽃담이처럼 꽃담이의 냄새를 맡고 찾을 것이다.
⑭ 엄마는 꽃담이를 찾을 때까지 항아리를 깨뜨릴 것 같다.
⑭ 엄마가 항아리 뚜껑을 계속 열어 보고 꽃담이를 찾아볼 것이다.

( )

**1 회의의 절차와 참여자의 역할 알기**

● 회의의 절차를 알아봅니다.

| 개회 | 회의의 시작을 알림. |
|---|---|
| 주제 선정 | 회의 주제를 정함. 예 학교생활을 안전하게 하자. |
| 주제 토의 | 선정된 주제에 맞는 의견을 제시함. |
| 표결 | 찬성과 반대 의견을 헤아려 다수결로 결정함. |
| 결과 발표 | 결정된 의견을 발표함. |
| 폐회 | 회의의 마침을 알림. |

● 참여자의 역할을 알아봅니다.

| 사회자 | • 회의 절차를 안내함.<br>• 말할 기회를 골고루 줌. |
|---|---|
| 회의 참여자 | • 의견을 발표함.<br>• 다른 사람의 의견을 주의 깊게 들음. |
| 기록자 | • 회의가 열린 날짜와 시간, 장소를 기록함.<br>• 회의 내용을 기록함. |

**2 회의 주제에 맞게 말할 내용 쓰기**

● 회의 주제를 정하는 방법을 알아봅니다.

• 해결해야 할 문제점을 찾고, 우리가 해결할 수 있는 문제인지 생각합니다.

• 공통의 관심사인지, 실천할 수 있는 해결 방법이 있는지 떠올립니다.

● 말할 내용을 정하는 방법을 알아봅니다.

• 주제를 실천할 수 있는 여러 가지 의견을 떠올려 봅니다.

• 의견을 뒷받침할 수 있는 근거를 찾아보고, 근거가 적절한 의견을 선택합니다.

• 의견이 여러 사람에게 의미 있는 것인지 따져 봅니다.

• 의견과 근거로 말할 내용을 정리합니다.

**3 회의에서 참여자들이 지켜야 할 규칙 알기**

| 사회자 | • 말할 기회를 골고루 줌. | • 회의 절차를 안내함. |
|---|---|---|
| 회의 참여자 | • 친구가 의견을 말할 때 끼어들지 않음.<br>• 사회자의 허락을 얻고 말함.<br>• 알맞은 크기의 목소리로 말함. | • 다른 사람의 의견을 존중함.<br>• 자신의 의견만 옳다고 주장하지 않음. |
| 기록자 | • 중요한 내용을 요약해서 기록함. | • 회의 날짜와 시간, 장소를 기록함. |

정답과 해설 43쪽

**01** 회의를 하는 까닭은 문제에 대한 (　　　　　) 을/를 찾기 위해서입니다.

[02~04] 다음 글을 읽고, 물음에 답하시오.

(가)  사회자
　이번 주 학급 회의 주제를 무엇으로 하면 좋을지 말씀해 주십시오.
　김영이 친구가 의견을 발표해 주십시오.

회의 참여자 1
　요즘 교실이 많이 지저분합니다. 그래서 "깨끗한 교실을 만들자."를 주제로 제안합니다.

(나)  회의 참여자 2
　지난주에 복도에서 뛰다가 다친 친구를 봤습니다. 저는 "학교생활을 안전하게 하자."를 주제로 제안합니다.

 사회자
　이제 주제로 할지 표결을 하겠습니다. 참석자의 반이 넘는 수가 찬성하는 것으로 정하겠습니다.
　두 주제 가운데 첫 번째 주제에 찬성하시는 분은 손을 들어 주십시오. 두 번째 주제에 찬성하시는 분은 손을 들어 주십시오.
　27명 가운데 18명이 두 번째 주제를 선택했습니다. 이번 주 학급 회의 주제는 "학교생활을 안전하게 하자."입니다.

ⓒ | (칠판이나 회의록에 내용을 기록한다.)

**02** 이 장면은 학급 회의의 절차 중 무엇에 해당되는지 쓰시오.
（　　　　　　　　）

**03** 이 회의에서 결정된 주제는 무엇인지 쓰시오.
（　　　　　　　　）

**04** ㉠에 들어갈 회의 참여자는 누구인지 쓰시오.
（　　　　　　　　）

**05** 회의의 절차 중 선정된 주제에 알맞은 의견을 제시하는 절차는 (　　　　　　)입니다.

**06** 다음은 회의의 절차를 순서대로 쓴 것입니다. 빈칸에 들어갈 순서로, 찬성과 반대 의견을 헤아려 다수결로 결정하는 절차는 무엇인지 쓰시오.

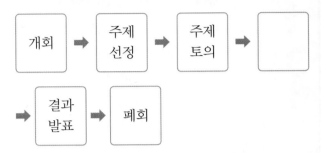

**07** 다음은 회의 참여자 중 사회자의 역할을 나타낸 것입니다. 빈칸에 알맞은 말을 쓰시오.

• 회의 절차를 안내한다.
• ［　　　　　　　　］준다.

**08** 다음 중 학급 회의 주제로 알맞은 것에 ○표를 하시오.
(1) 아침에 일찍 일어나자. 　　　　　（　　　）
(2) 점심때 밥 먹는 순서를 어떻게 정할까?
（　　　）

**09** 회의 주제에 대한 의견을 말하는 방법입니다. 빈칸에 알맞은 말을 쓰시오.

　의견을 뒷받침할 수 있는 ［　　　　　　］을/를 찾아본다.

**10** 다음 회의 참여자 중 규칙을 지키지 않은 친구는 누구인지 쓰시오.

| 세미 | 친구들끼리 서로 별명을 부르지…… . |
|---|---|
| 혜란 | (중간에 말을 가로채며) 별명을 부르는 것은 서로 친하기 때문입니다. 저는 함께 어울려 노는 것이…… . |
| 세미 | 제 의견을 끝까지 들어 주시기 바랍니다. |

（　　　　　　　　）

# 학교 시험 만점왕

**[01~03]** 다음 그림을 보고, 물음에 답하시오.

〈가족회의〉

〈마을 회의〉

**01** 이 그림의 공통점은 무엇입니까? (      )

① 여러 사람 앞에서 발표하는 상황이다.
② 가족이 모여 여행을 떠나는 상황이다.
③ 유명한 사람과 면담을 하고 있는 상황이다.
④ 모둠 친구들과 조사 학습을 하는 상황이다.
⑤ 어떤 것을 결정하기 위해 의논하는 상황이다.

**02** 이 그림과 같은 경험을 말한 친구의 이름을 쓰시오.

> 지형: 할머니 칠순 잔치를 어떻게 할지 의논하는 것을 보았어.
> 승연: 친구와 과학관에 다녀왔는데 여러 가지 신기한 것이 많았어.

(               )

**03** 이 그림과 같은 일을 하는 까닭은 무엇입니까?
(      )

① 재미있는 이야기를 듣기 위해서
② 자신이 겪은 일을 기록하기 위해서
③ 문제에 대한 해결 방안을 찾기 위해서
④ 협동하여 하나의 작품을 만들기 위해서
⑤ 여러 사람이 함께한 일을 발표하기 위해서

**[04~06]** 다음 글을 읽고, 물음에 답하시오.

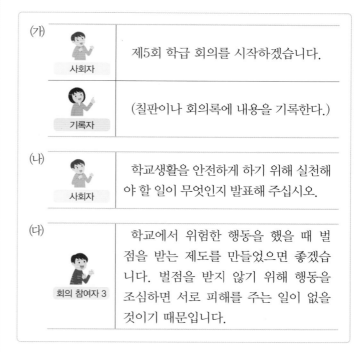

(가) **사회자**: 제5회 학급 회의를 시작하겠습니다.

**기록자**: (칠판이나 회의록에 내용을 기록한다.)

(나) **사회자**: 학교생활을 안전하게 하기 위해 실천해야 할 일이 무엇인지 발표해 주십시오.

(다) **회의 참여자 3**: 학교에서 위험한 행동을 했을 때 벌점을 받는 제도를 만들었으면 좋겠습니다. 벌점을 받지 않기 위해 행동을 조심하면 서로 피해를 주는 일이 없을 것이기 때문입니다.

**04** (가)와 같이 회의 시작을 알리는 회의의 절차를 무엇이라고 하는지 쓰시오.

(               )

**05** (다)에서 주제에 대한 의견으로 제시한 것을 찾아 ○표를 하시오.

(1) 안전한 학교생활을 하자. (      )
(2) 친구들에게 피해를 주지 말자. (      )
(3) 위험한 행동을 했을 때 벌점을 받는 제도를 만들자. (      )

**06** (중요) 이 회의 장면에서 알 수 있는 점이 <u>아닌</u> 것은 어느 것입니까? (      )

① 사회자는 회의를 진행한다.
② 사회자는 회의 절차를 안내한다.
③ 기록자는 회의 내용을 기록한다.
④ 회의 참여자는 의견을 제시한다.
⑤ 기록자는 회의의 시작을 알려 준다.

**07** 다음 장면을 보고, 빈칸에 회의 주제를 정하는 방법으로 알맞은 말을 쓰시오.

① 회의 주제는 어떻게 정하지? / 친구들이 관심을 보일 만한 것을 찾아봐야 해.

② 예를 들면 어떤 것이 있을까? / "아침에 일찍 일어나자."는 어때?

③ 그건 친구들이 공통으로 관심을 보일 만한 것이 아니라고 생각해. / 그래? 그럼 전체가 관심을 보일 만한 좋은 주제가 없을까?

④ 그럼 "점심밥을 먹을 때 누가 먼저 먹으면 좋을까?"는 어때? / 그래, 그것을 주제로 정해서 회의해 보자.

➡ [                    ]인지 확인합니다.

(                    )

**중요**
**08** 다음 주제에 대한 의견으로 알맞지 <u>않은</u> 것을 두 가지 고르시오. (        ,        )

> 친구들과 사이좋게 지내자.

① 오해가 생기면 대화로 풀자.
② 친구에게 기분 좋은 말을 하자.
③ 교실과 복도에서 뛰어다니지 말자.
④ 친구에게 바르고 고운 말을 사용하자.
⑤ 다툰 친구가 있으면 화해할 때까지 집에 가지 말자.

**[09~10]** 다음 글을 읽고, 물음에 답하시오.

| 가 | 사회자 | "친구들과 사이좋게 지냅시다."라는 주제에 맞게 의견을 발표해 주시기 바랍니다. |
| | 회의 참여자 1 | (갑자기 벌떡 일어나며) 친구들끼리 고운 말을 썼으면 좋겠습니다. |
| | 사회자 | (당황하며) 사회자의 허락을 얻고 말씀해 주시기 바랍니다. |

| 나 | 회의 참여자 2 | 친구들끼리 서로 별명을 부르지 않았으면 합니다. 별명을 들으면 기분이 나쁠 때가 많기 때문입니다. |
| | 사회자 | 또 다른 의견이 있습니까? (여러 친구가 손을 들지만 다시 회의 참여자 2를 가리키며) 네, 김현수 친구, 발표해 주십시오. |

**09** **가**에 나타난 문제점은 무엇입니까? (        )
① 사회자가 높임말을 사용하지 않았다.
② 사회자가 회의 절차를 안내하지 않았다.
③ 기록자가 중요한 내용을 기록하지 않았다.
④ 회의 참여자가 사회자의 허락을 얻지 않고 말하였다.
⑤ 회의 참여자가 자신의 의견만 옳다고 주장하고 있다.

**서술형**
**10** **나**에서 사회자가 잘못한 점은 무엇인지 쓰고, 사회자가 지켜야 할 회의 규칙을 알려 주는 글을 쓰시오.

_____

_____

_____

### 1 글에서 낱말의 뜻 짐작하기

● 국어사전에서 낱말의 뜻을 찾는 방법

　• 국어사전에서 낱말이 실리는 순서대로 찾습니다.

　• 형태가 바뀌는 낱말은 형태가 바뀌는 부분과 형태가 바뀌지 않는 부분으로 나누어, 형태가 바뀌지 않는 부분에 '-다'를 붙여 기본형을 만들어 찾습니다.

예)

| 낱말 | 형태가 바뀌지 않는 부분 | 기본형 |
|---|---|---|
| 뽑는다, 뽑아서, 뽑으니, 뽑겠다 | 뽑 | 뽑다 |
| 달아나서, 달아나니, 달아나는, 달아나고 | 달아나 | 달아나다 |

● 글에서 낱말의 뜻을 짐작하는 방법

　• 문맥의 앞뒤 내용을 살펴보고 상황에 맞는 뜻을 짐작해 봅니다.

　• 낱말을 쪼개어 뜻을 짐작해 봅니다.

예)

| 낱말 | 짐작한 뜻 | 그렇게 짐작한 까닭 |
|---|---|---|
| 감응 | 받아들이고, 응답하는 것 | 감지할 때 '감'과 응답할 때 '응'이 들어가는 낱말이어서 |

　• 모양이 비슷한 다른 낱말의 뜻으로 뜻을 유추해 봅니다.

　• 다른 낱말을 넣어 뜻이 통하는지 살펴봅니다.

### 2 사전에서 뜻을 찾아 낱말의 관계 알아보기

● 뜻이 반대인 낱말이 있습니다.

　예) 넓다 ↔ 좁다, 크다 ↔ 작다

● 한 낱말이 다른 낱말을 포함하는 관계에 있는 낱말이 있습니다.

예)

### 3 여러 가지 사전에서 낱말의 뜻 찾기

● 사전의 종류: 국어사전, 인터넷 사전, 띄어쓰기 사전, 속담 사전 등

● 스마트폰으로 인터넷 사전을 이용합니다.

● 컴퓨터에 저장된 사전을 이용합니다.

● 도서관에서 국어사전을 빌려 와 이용합니다.

정답과 해설 **44**쪽

**[01~02]** 다음을 보고, 물음에 답하시오.

> 벽지 창호지 묶어서 갱지 찢으면

**01** 국어사전에 제일 먼저 실리는 낱말은 무엇인지 쓰시오.

( )

**02** 형태가 바뀌는 낱말을 모두 찾아 그 기본형을 쓰시오.

( )

**[03~05]** 다음 글을 읽고, 물음에 답하시오.

> 최근, 컴퓨터는 사용이 일반화되어 ㉠생활필수품이 되었습니다. 처음 컴퓨터가 보급되기 시작할 때 많은 사람이 종이 사용이 점점 ㉡줄어들 것이라고 예상했습니다. 컴퓨터의 모니터가 종이를 대신할 것으로 여겼던 것이지요. 그러나 그 예상과는 반대로 종이 소비량은 오히려 점점 더 ㉢늘고 있습니다. 왜냐하면 모니터로 보는 것보다 종이에 인쇄하여 보는 것이 익숙하기 때문입니다. 또한 종이책은 전자책과는 다른 특유의 질감에서 오는 매력이 있기 때문이죠.

**03** ㉠의 뜻을 짐작하여 쓰시오.

( )

**04** 최근의 종이 사용량에 대한 설명으로 알맞은 것에 ○표를 하시오.

(1) 점점 줄어든다. ( )
(2) 점점 더 늘어난다. ( )

**05** ㉡과 ㉢은 어떤 관계에 있는 낱말인지 쓰시오.

( )

**06** 다음 낱말을 포함하는 낱말을 쓰시오.

> 장롱, 책상, 탁자

( )

**07** 글을 읽다가 모르는 속담이 나왔을 때 찾아보면 좋은 사전은 무엇인지 쓰시오.

( )

**[08~10]** 다음 글을 읽고, 물음에 답하시오.

> 그 뒤 1997년에 미국의 화성 탐사선 마스 글로벌 서베이어는 화성의 궤도에 진입해 화성 표면의 상세한 모습을 사진으로 찍어 지구로 보내 주었다. 이 사진에는 높이 솟은 고원 지대도 있고, 길게 뻗어 있는 좁은 협곡도 있었다. 또 거대한 운석이 충돌해 만들어진 분지 지형도 있었으며, 태양계 행성 가운데 가장 거대한 화산 지형도 있었다. 같은 해 마스 패스파인더는 화성 표면에 착륙해 강줄기처럼 보이는 부분에서 화성 암석을 조사했다. 그 결과 화성에서 강물의 침식과 퇴적 작용이 있었음을 확인했다. 이러한 증거들은 아주 오래전에 화성 표면에 물이 흘렀음을 말해 준다.

**08** 앞뒤 문맥으로 보아, '험하고 좁은 골짜기'를 뜻하는 낱말을 찾아 쓰시오.

( )

**09** 오래전에 화성 표면에 물이 흘렀음을 알 수 있게 해 주는 것은 무엇인지 쓰시오.

화성 ( )

**10** 이 글에서 뜻을 잘 모르는 낱말을 어떤 방법으로 찾아볼 것인지 쓰시오.

( )

**01** 다음 파란색으로 쓴 낱말의 기본형으로 알맞지 <u>않은</u> 것은 무엇입니까? (　　　)

> 나는 한지 공예를 좋아합니다. 한지를 작은 모양으로 잘라서 색깔을 맞추어 붙여 아름다운 그릇을 만듭니다. 내가 만든 작품을 보고 있으면 기분이 좋습니다.

① 좋아합니다 – 좋아하다
② 작은 – 작다
③ 잘라서 – 자르다
④ 붙여 – 붙는다
⑤ 보고 – 보다

**[02~04]** 다음 글을 읽고, 물음에 답하시오.

> 주변에서 볼 수 있는 첨단 종이로는 온도에 따라 색깔이 변하는 온도 ㉠감응 종이, 과일의 신선도는 유지하고 벌레나 세균은 생기지 않도록 하는 포장지가 있습니다. 신용 카드 영수증처럼 앞 장에 글씨를 쓰면 뒷장까지 글씨가 적히도록 하는 종이도 있습니다. 이런 특수 기능 종이들은 이미 우리 주위에서도 많이 사용되고 있답니다.
> 더욱 놀라운 것은, 전자 신호를 이용해 ㉡원격으로 스스로 인쇄를 하고, 지면의 인쇄 내용을 완전히 바꿀 수 있는 '전자 종이'가 등장했다는 것입니다. 느낌은 종이와 같은데 컴퓨터 모니터처럼 언제든지 새로운 신호를 보내면 완전히 다른 내용으로 인쇄할 수도 있고, 멀리서 무선 신호로 내용을 바꿀 수 있습니다.

**02** 무엇에 대해 설명하고 있습니까? (　　　)

① 첨단 종이
② 첨단 로봇
③ 첨단 옷감
④ 첨단 우주선
⑤ 다양한 포장지

**03** 전자 종이의 특징에 해당하지 <u>않는</u> 것을 두 가지 고르시오. (　　,　　)

① 느낌은 종이와 같다.
② 원격으로 스스로 인쇄한다.
③ 온도에 따라 색깔이 변한다.
④ 지면의 인쇄 내용을 완전히 바꿀 수 있다.
⑤ 앞장에 글씨를 쓰면 뒷장까지 적혀 나온다.

**04** <sup>중요</sup> 다음은 어떤 방법으로 ㉠의 뜻을 짐작한 것인지 알맞은 것에 ○표를 하시오.

> 감지할 때 '감'과 응답할 때 '응'이 들어가니까 '받아들이고 응답하는 것.'을 뜻하지 않을까?

(1) 낱말을 쪼개어 뜻 짐작하기　　　(　　　)
(2) 앞뒤의 문장이나 낱말을 살펴보기 (　　　)
(3) 다른 낱말을 넣어 뜻이 통하는지 살펴보기
　　　　　　　　　　　　　　　(　　　)

**05** ㉡의 낱말 뜻을 바르게 짐작하지 <u>못한</u> 친구의 이름을 쓰시오.

> 명훈: 스스로 인쇄를 한다고 했으니까 사람이 직접 인쇄하는 것을 말하나 봐.
> 윤정: 뒷부분에 멀리서 무선 신호를 보낸다고 했으니까 거리가 떨어져 있는 것을 말하나 봐.
> 지형: 전자 신호를 이용한다고 했으니까 손으로 눌러서 하는 것이 아니라 다른 방법으로 인쇄하는 건가 봐.

(　　　　　　　　　)

**06** 다음 낱말과 뜻이 반대인 낱말은 어느 것입니까?
( )

> 선명하다

① 밝다        ② 또렷하다
③ 침침하다    ④ 명확하다
⑤ 확실하다

**07** 다음 낱말들을 포함하는 낱말을 쓰시오.

**[08~10]** 다음 글을 읽고, 물음에 답하시오.

㉮ 화성에 물이 있는지는 과학자들은 물론 일반인들도 관심이 많다. 물이 있다는 것은 화성인 또는 외계인까지는 아니더라도 ㉠생명체가 있을 수 있다는 것을 뜻하기 때문이다. 2004년에 미국의 쌍둥이 화성 로봇 탐사선인 스피릿 로버와 오퍼튜니티 로버가 서로 화성 반대편에 착륙했다. 이들 탐사선은 물의 영향을 받은 암석을 발견했다. 이 암석들은 물속과 물 밖의 환경이 번갈아 바뀌는 곳에서 만들어진 것이다. 이것은 화성 표면에서 오랜 시간에 걸쳐 물이 있다가 증발하는 과정이 반복되었다는 것을 알려 준다.

㉯ 미국은 2030년까지 사람들이 화성을 여행할 수 있도록 준비를 하고 있다. 큐리오시티는 이 연구 과제의 준비 단계로서 화성에서 사람들이 사는 데 필요한 정보를 모으고 있다. 미국은 현재 화성 여행을 위해 마스 2020 로버를 준비하고 있으며, 이 탐사선은 화성에서 사람들이 살아가는 데 필요한 산소와 자원을 조사할 예정이다.

**08** 무엇에 대해 설명하는 글입니까? ( )

① 화성 탐사에 실패한 우주선 이야기
② 미래 화성 탐사를 위해 우리가 해야 할 노력
③ 과거의 달 탐사 내용과 미래의 달 탐사 계획
④ 과거에 이루어진 화성 탐사 내용과 미래의 화성 탐사 계획
⑤ 과거 화성에 살았던 생물에 대한 조사와 인간이 화성에 살 수 있는지 여부

**<sup>중요</sup>09** 이 글에서 뜻을 잘 모르는 낱말을 찾아볼 사전으로 알맞은 것에 모두 ○표를 하시오.

(1) 국어사전                    ( )
(2) 속담 사전                    ( )
(3) 인터넷 사전                 ( )

**10** ㉠에 포함되는 낱말이 아닌 것은 무엇입니까?
( )

① 식물
② 동물
③ 암석
④ 화성인
⑤ 외계인

**[11~14] 다음 글을 읽고, 물음에 답하시오.**

⑦ 지구의 주인은 인간이 아니고, 인간만이 특별한 생명체도 아니랍니다. 왜 그런지 볼까요?

인간은 ㉠엄연히 동물에 속하지요. 그것도 새끼를 일정 기간 몸속에서 키워 내보낸 뒤 젖을 먹여 키우는 ㉡포유동물이에요. 새끼를 갖고 키우는 방식에서 인간은 돼지나 개, 고양이와 다를 바 없어요. 그뿐인가요? 인간의 조상이 지구에 처음으로 나타난 때가 지금으로부터 20~25만 년 전이에요. 지구의 나이가 46억 년, 생명이 처음 생겨나 오늘에 이르기까지 40억 년쯤 되었으니 인간은 지구에서 아주 짧은 시간을 살아온 셈이에요. 그에 비하면 바퀴벌레, 까치, 돼지는 인간보다 훨씬 오랫동안 지구촌 주민으로 살아왔어요.

㉯ 흔히 인간에게만 있다고 잘못 생각하는 게 또 있어요. 바로 아름답고 훌륭한 감정이에요. 우리는 다른 사람의 아픔과 슬픔을 내 일처럼 여기는 따뜻한 마음을 높이 쳐주고 본받고 싶어 하지요. 또 나만 생각하는 이기심을 넘어서 남을 돌볼 줄 아는 마음을 동물과 인간을 가르는 기준으로 삼기도 해요. 하지만 동물의 세계에서도 그처럼 아름다운 마음을 볼 수 있답니다.

고래는 몸이 불편한 동료를 결코 나 몰라라 하지 않아요. 다친 동료가 있으면 여러 마리가 둘러싸고 거의 들어 올리듯 떠받치며 보살핍니다. 고래는 물에서 살지만 물 위로 몸을 내밀어 허파로 숨을 쉬어야 하는 포유동물이에요. 그래서 다친 동료가 있으면 기운을 차릴 때까지 숨을 쉴 수 있도록 이런 식으로 도와준답니다. 고래는 그물에 걸린 친구를 구하기 위해 그물을 물어뜯는가 하면, 다친 동료와 고래잡이배 사이에 용감하게 뛰어들어 사냥을 방해하기도 합니다. 때로는 무언가로 괴로워하는 친구 곁에 그냥 오랫동안 함께 있어 주기도 하고요. 이야기만 들어도 마음이 ㉢훈훈해지지요?

**11** 이 글을 통해 깨달을 수 있는 사실이 아닌 것을 두 가지 고르시오. ( , )

① 인간은 동물과 다를 바 없다.
② 동물도 인간처럼 남을 돌볼 줄 안다.
③ 동물은 아름답고 훌륭한 감정이 없다.
④ 인간은 동물보다 훨씬 뛰어난 존재이다.
⑤ 인간은 지구에서 아주 짧은 시간을 살았다.

서술형
**12** 다음은 ㉠을 국어사전에서 찾은 뜻입니다. ㉠을 넣어 짧은 문장을 만들어 쓰시오.

> 엄연히: 어떠한 사실이나 현상이 부인할 수 없을 만큼 뚜렷하게.

_____

_____

**13** ㉡에 포함되는 낱말이 아닌 것은 무엇입니까?
( )

① 인간          ② 고래
③ 돼지          ④ 고양이
⑤ 바퀴벌레

**14** ㉢과 뜻이 비슷한 낱말은 어느 것입니까? ( )

① 슬퍼지지요
② 가라앉지요
③ 따뜻해지지요
④ 차가워지지요
⑤ 이상해지지요

**15** 글을 읽으며 모르는 낱말의 뜻을 사전에서 찾는 방법을 바르게 말하지 못한 친구의 이름을 쓰시오.

> 가연: 낱말의 뜻을 찾기 전 모르는 낱말의 뜻을 짐작해 보는 게 좋아.
> 재영: 그런 다음 사전에서 찾은 뜻과 내가 짐작한 뜻을 비교해 봐야지.
> 준우: 사전에 나온 뜻 중 가장 처음에 나오는 뜻이 그 낱말의 뜻에 해당 돼.

( )

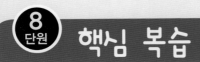
**1 제안하는 글을 쓰는 방법 알기**

● 제안하는 글에는 문제 상황, 제안하는 내용, 제안하는 까닭이 드러나 있습니다.

● 제안하는 글을 쓰면 문제 상황과 해결 방법을 알릴 수 있고, 더 좋은 쪽으로 일을 해결할 수 있습니다.

● 제안하는 글은 글을 읽을 사람이 누구인지, 자신이 하는 제안을 사람들이 실천할 수 있는지 생각해야 합니다.

● 제안하는 글을 쓰는 과정

**2 제안하는 글을 쓸 때 주의할 점 알기**

● 어떤 문제 상황인지 파악하고 자세히 씁니다.

● 문제를 해결하기 위한 자신의 의견을 제안합니다.

● 제안에 대한 적절한 까닭을 씁니다.

● 제안하는 내용이 잘 드러나게 알맞은 제목을 붙입니다.

**3 문장의 짜임 알기**

● 문장은 생각을 담을 수 있는 말의 단위입니다.

● 문장은 '누가+어찌하다', '누가+어떠하다', '무엇이+어찌하다', '무엇이+어떠하다'와 같은 짜임으로 나눌 수 있습니다.

예 누가 + 어찌하다 ➡ 영수가 축구를 합니다.

누가 + 어떠하다 ➡ 여자아이가 아주 큽니다.

무엇이 + 어찌하다 ➡ 버스가 달리고 있습니다.

무엇이 + 어떠하다 ➡ 날씨가 따뜻해졌습니다.

정답과 해설 **45**쪽

**01** 다음 빈칸에 들어갈 말을 쓰시오.

> 제안하는 글에는 [_____], 제안하는 내용, 제안하는 까닭이 드러나 있습니다.

( )

**02** 제안하는 글을 써야 하는 상황으로 알맞은 것에 ○표를 하시오.

(1) 우리 가족을 소개할 때 ( )
(2) 학급 친구에게 부탁하고 싶은 일이 있을 때 ( )

**03** 다음은 제안하는 글에서 어떤 내용을 쓰기에 알맞은 표현인지 쓰시오.

> 왜냐하면 ~하기 때문이다.

( )

**04** 다음 문장의 짜임으로 알맞은 것에 ○표를 하시오.

> 아이들이 공을 찹니다.

(1) 누가 + 어찌하다 ( )
(2) 누가 + 어떠하다 ( )

**05** 다음 문장을 '(누가/무엇이)+(어찌하다/어떠하다)'로 나누어 쓰시오.

> 우리 반 친구들이 도서관에서 책을 읽습니다.

(1) [_____] (2) [_____]

[06~07] 다음 글을 읽고, 물음에 답하시오.

> 물은 사람이 살아가는 데 매우 중요합니다. 우리는 어디에서든지 물을 쉽게 구할 수 있습니다. 그러나 동영상에 나오는 아이는 깨끗한 물을 구하지 못해 어려움을 겪고 있습니다. 많은 아이가 더러운 물을 마셔 생명이 위험할 수 있습니다.
>
> 깨끗한 물을 마시지 못하는 아이들을 위해 [ ㉠ ]에 참여합시다. [ ㉠ ]에 참여하면 아프리카 아이들이 깨끗한 물을 마시고 사용할 수 있습니다.

**06** 아프리카 어린이들이 겪고 있는 어려움을 쓰시오.
( )

**07** ㉠에 공통으로 들어갈 말에 ○표를 하시오.

(1) 아침 운동 ( ) (2) 기부 운동 ( )

**08** 제안하는 글을 쓰는 과정에 맞게 기호를 쓰시오.

> ㉮ 제안하는 글 쓰기
> ㉯ 문제 상황 확인하기
> ㉰ 제안하는 내용 정하기
> ㉱ 제안하는 까닭 파악하기

( ) → ( ) → ( ) → ( )

**09** 다음 빈칸에 알맞은 말을 쓰시오.

> 제안하는 글을 쓸 때에는 제안하는 글을 읽을 사람이 누구인지 생각해야 하며, 자신이 하는 제안을 사람들이 [_____]할 수 있는지 생각해야 합니다.

**10** 다음 문제 상황에 알맞은 제안에 ○표를 하시오.

> 남기는 음식이 많아 낭비가 심합니다.

(1) 쓰레기 분리수거를 잘 합시다. ( )
(2) 음식물 쓰레기 줄이기 운동에 동참합시다.
( )

**01** 다음 중 '누가+어찌하다'의 짜임으로 되어 있는 문장은 어느 것입니까? ( )

① 국이 짜다.
② 하늘이 푸르다.
③ 해적들이 많다.
④ 날씨가 따뜻해졌다.
⑤ 사람들이 춤을 춘다.

**02** 다음 문장의 짜임으로 알맞은 것에 ○표를 하시오.

이층 버스의 색깔은 빨갛습니다.

(1) 누가+어찌하다 ( )
(2) 누가+어떠하다 ( )
(3) 무엇이+어찌하다 ( )
(4) 무엇이+어떠하다 ( )

**03** 다음 중 제안하는 글의 특징으로 알맞지 <u>않은</u> 것은 무엇입니까? ( )

① 제안하는 내용과 그 까닭을 쓴다.
② 더 좋은 쪽으로 일을 해결할 수 있다.
③ 주변의 문제를 해결하고 싶을 때 쓴다.
④ 친구에게 고마운 마음을 전하고 싶을 때 쓴다.
⑤ 문제점과 해결 방법을 여러 사람에게 알릴 수 있다.

**04** 다음 ㉮~㉺를 읽고, 제안하는 글에 들어가는 내용 중 무엇에 해당하는지 알맞게 기호를 쓰시오.

㉮ 점심시간에 음식을 남기는 친구들이 많습니다.
㉯ 운동을 하면 건강을 지킬 수 있기 때문입니다.
㉰ 꽃밭에 쓰레기를 버리지 않았으면 좋겠습니다.
㉱ 아프리카 어린이들을 위해 기부 운동에 참여합시다.
㉲ 깨끗한 물을 구하지 못해 어려움을 겪고 있는 어린이들이 있습니다.

(1) 문제 상황: ( )
(2) 제안하는 내용: ( )
(3) 제안하는 까닭: ( )

**05** 제안하는 내용을 쓸 때의 알맞은 표현은 어느 것입니까? ( )

① ~했으면 좋겠습니다.
② ~이 심각해지고 있습니다.
③ 가장 큰 문제점은 ~입니다.
④ 왜냐하면 ~하기 때문입니다.
⑤ 만약 ~하면 ~할 수 있습니다.

[06~08] 다음 글을 읽고, 물음에 답하시오.

교장 선생님께
　안녕하세요? 저는 4학년 1반 지연웅이라고 합니다.
　요즘 우리 학교 학생들이 급식 시간에 음식을 남기는 경우가 많습니다. 음식을 남기는 것은 자원 낭비이고, 환경 오염도 됩니다. 그래서 남기는 음식을 줄이기 위해 매주 수요일은 다 먹는 날로 정하면 좋겠습니다. 일주일에 한 번, 수요일만 남기지 않는 것이니까 많이 어렵지 않고, 하루라도 음식물 쓰레기가 줄어드는 효과가 있을 것입니다.
　교장 선생님, 수요일에는 음식을 남기지 않고 다 먹는 날로 정해 주시기 바랍니다.
지연웅 올림

**06** 이 글에 대한 내용으로 알맞은 것은 어느 것입니까?
( 　 )

① 교장 선생님이 쓴 글이다.
② 수요일은 음식을 남기는 날이다.
③ 음식을 다 먹으면 자원이 낭비된다.
④ 친구들은 음식을 남기지 않고 잘 먹는다.
⑤ 음식을 다 먹으면 음식물 쓰레기가 줄어든다.

**07** 다음 중 연웅이가 제안하는 내용은 어느 것입니까?
( 　 )

① 남기는 음식이 많아 낭비가 심합니다.
② 교장 선생님, 인사를 잘 받아 주십시오.
③ 하루라도 음식물 쓰레기가 줄어드는 효과가 있습니다.
④ 점심시간에 음식을 남기는 친구가 많습니다.
⑤ 매주 수요일은 음식을 다 먹는 날로 정해 주세요.

서술형
**08** 연웅이처럼 제안하는 글을 쓸 때 생각해야 할 점이 무엇인지 쓰시오.

_____

_____

**09** 다음 그림을 보고 제안할 내용으로 알맞은 것에 ○표를 하시오.

(1) 요즘 어린이 교통사고가 많이 발생하고 있습니다. ( 　 )
(2) 어린이의 안전과 생명을 지킬 수 있기 때문입니다. ( 　 )
(3) 학교 앞길에서는 자동차의 속도를 줄였으면 좋겠습니다. ( 　 )

**10** 다음 빈칸에 들어갈 알맞은 말을 쓰시오.

　제안하는 글을 다 쓰고 나서 제안하는 내용이 잘 드러나게 알맞은 [　　　　　]을/를 붙입니다.

( 　　　　　 )

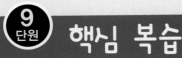
## 1 세종 대왕이 한글을 만들게 된 배경과 과정 알기

> • 글을 읽지 못해 억울한 일을 당하는 백성이 많음.
> • 우리말에 알맞은 글자가 필요하다고 생각함.

> • 말소리에 대한 책을 구해 읽으며 문자 연구함.
> • 신하들의 반대를 피해 새 문자 만드는 일을 비밀에 부침.

> • 눈이 나빠져도 문자 연구를 계속함.
> • 훈민정음 28자를 완성함.

> • 한글로 책을 읽거나 편지를 쓰는 사람이 늘어남.
> • 억울한 일을 당하는 사람이 줄어듦.

## 2 한글의 특성 알기

● 독창적이고 과학적입니다.
→ 모음자는 하늘, 땅, 사람을 본떠 만들었고, 자음자는 발음 기관의 모양을 본떠 만들었음.

● 쉽고 빨리 배울 수 있습니다.
→ 세계 언어학자들이 쉽고 빨리 배울 수 있는 한글을 알파벳의 꿈이라고 표현함.

● 적은 수의 문자로 많은 소리를 적을 수 있는 음소 문자입니다.
→ 자음자와 모음자의 스물 넉자의 문자로 많은 음절을 적을 수 있음.

● 컴퓨터, 휴대 전화 등 기계화에 적합한 문자입니다.
→ 누구나 쉽고 빠르게 글자를 입력할 수 있음.

## 3 한글을 소중히 여기는 마음 가지기

● 한글을 소중히 여긴 대표적인 인물인 '주시경'에 대해 알아봅니다.

주시경 연표

| 때 | 있었던 일 |
|---|---|
| 1876년 | 태어남. |
| 1894년 | 배재학당에 입학함. |
| 1906년 | 『대한 국어 문법』이라는 책을 펴냄. |

주시경의 업적

• 한글을 연구함.
• 우리말 문법 사전을 씀.
• 한글을 강의함.

## 4 한글 바르게 사용하기

● 한글에 관심을 가집니다.

● 바르고 정확하게 한글을 사용하려고 노력합니다.

● 외국어나 외국 문자로 된 말을 우리말로 고쳐 봅니다.

정답과 해설 **46**쪽

**[01~03] 다음 글을 읽고, 물음에 답하시오.**

"글은 말과 같아야 한다. 글로는 '天(천)'이라고 하고, 말로는 '하늘'이라고 하면 안 된다. 쉽고 단순한 문자이지만, 그 안에 담긴 의미는 세상 어떤 것보다 깊어야 한다. 이 우주 만물에는 하늘과 땅이 있고 그 가운데 사람이 있다. 이 원리를 바탕으로 문자를 만들면 어떨까? 또 사람이 말소리를 내는 기관을 본떠 문자를 만드는 것도 좋을 것이다."

오랜 시간을 묵묵히 연구한 끝에 세종은 '훈민정음' 28자를 완성했습니다. / 그 뒤, 훈민정음은 백성들 사이에 퍼져 나갔습니다. 이제는 글을 읽지 못해 억울한 일을 당하는 사람이 줄었습니다.

**01** 세종 대왕은 글이 (          )과/와 같아야 한다고 생각하였습니다.

**02** 훈민정음을 만든 원리로 알맞은 것에 ○표를 하시오.

(1) 하늘, 땅, 사람의 모양을 본떴다. (     )
(2) 소리와 글자의 뜻을 다르게 생각했다.
(          )

**03** 훈민정음을 익힌 백성의 삶은 어떻게 변했는지 쓰시오.

(                    )

**[04~06] 다음 글을 읽고, 물음에 답하시오.**

둘째, 한글은 적은 수의 문자로 많은 소리를 적을 수 있는 음소 문자이다. 한글은 자음자와 모음자 스물넉 자의 문자로 많은 음절을 적을 수 있다. 한글은 사람의 입에서 나오는 대부분의 소리를 효과적으로 적을 수 있는 문자이다.

**04** 한글은 자음자와 모음자를 포함하여 몇 개인지 쓰시오.

(          )

**05** 한글이 효과적으로 적을 수 있는 것에 ○표를 하시오.

| 뜻          소리 |
| --- |

**06** 이 글에서 설명하는 한글의 우수성은 무엇인지 쓰시오.

(                    )

**[07~08] 다음 글을 읽고, 물음에 답하시오.**

1906년 주시경은 『대한 국어 문법』이라는 책을 펴냈어요. 이 책에는 한글과 우리말을 바르게 사용하기 위한 규칙인 문법이 실려 있었어요. 그 후로 주시경은 사람들에게 한글을 연구하는 학자로 널리 알려졌어요. 여기저기에서 한글을 가르쳐 달라고 주시경에게 부탁을 해 왔어요. 이 무렵은 다른 나라들이 서로 우리나라를 차지하려고 다투던 시기였어요. 우리나라는 힘이 없었지요. 주시경은 이런 어려운 때일수록 우리글이 힘이 될 거라고 생각하며 한글을 가르쳐 달라는 곳이 있으면 어디든지 달려갔어요.

**07** 1906년에 주시경이 한 일은 무엇인지 쓰시오.

(                    )

**08** 주시경이 한글을 가르쳐 달라는 곳이 있으면 어디든지 달려간 까닭은 무엇인지 쓰시오.

(                    )

**09** 다음 중 한글로 된 간판에 ○표를 하시오.

| 맛있는 밥집 | 名品 의류 | Lovely Flower |
| --- | --- | --- |

**10** 다음 중 한글로 된 간판의 좋은 점에 ○표를 하시오.

(1) 사람들의 눈에 잘 띄지 않을 수 있다.
(          )

(2) 우리말에 대한 소중함을 느낄 수 있다.
(          )

**[01~02] 다음 글을 읽고, 물음에 답하시오.**

　세종은 대낮에도 깜깜한 어둠 속에 있는 것 같은 날들이 하루하루 늘어 갔지만, 식사를 하거나 휴식을 취할 때조차 늘 문자를 생각했습니다.

　"글은 말과 같아야 한다. 글로는 '天(천)'이라고 하고, 말로는 '하늘'이라고 하면 안 된다. 쉽고 단순한 문자이지만, 그 안에 담긴 의미는 세상 어떤 것보다 깊어야 한다. 이 우주 만물에는 하늘과 땅이 있고 그 가운데 사람이 있다. 이 원리를 바탕으로 문자를 만들면 어떨까? 또 사람이 말소리를 내는 기관을 본떠 문자를 만드는 것도 좋을 것이다."

　오랜 시간을 묵묵히 연구한 끝에 세종은 '훈민정음' 28자를 완성했습니다.

　그 뒤, 훈민정음은 백성들 사이에 퍼져 나갔습니다. 이제는 글을 읽지 못해 억울한 일을 당하는 사람이 줄었습니다. 한자를 배울 기회조차 적었던 여자들도 훈민정음을 익혀 책을 읽거나 편지를 썼습니다. 훈민정음은 그야말로 세종이 백성들에게 준 가장 큰 선물이었습니다.

**01** 세종 대왕이 오랜 시간을 우리글을 연구한 결과 만든 것은 무엇인지 쓰시오.

( 　　　　　　　　　 )

**02** 세종 대왕이 우리글을 만든 과정을 순서대로 기호로 쓰시오.

> ㉮ 우리글을 완성했다.
> ㉯ 억울한 일을 당하는 사람이 줄어들었다.
> ㉰ 세종은 눈이 나빠져도 문자 연구를 계속했다.
> ㉱ 글을 읽지 못해 억울한 일을 당하는 백성이 많았다.

㉱ → ( 　　　 ) → ( 　　　 ) → ( 　　　 )

**[03~05] 다음 글을 읽고, 물음에 답하시오.**

　셋째, 한글은 쉽고 빨리 배울 수 있는 문자이다. 영어 알파벳이 스물여섯 자이지만, 소문자, 대문자, 인쇄체, 필기체를 알아야 하니 100개가 넘고, 중국어에서 사용하는 한자는 한자 수만 5만 자가 넘으며, 일본의 가나 문자 역시 모든 문자를 따로 익혀야 한다. 반면에 한글은 일정한 원리에 따라 만들어졌기 때문에, 기본이 되는 자음자 다섯 개, 모음자 세 개만 익히면 다른 글자도 쉽게 익힐 수 있어 문자를 배우는 데 드는 시간이 놀랄 만큼 절약된다.

　예를 들어, 한글의 자음자는 'ㄱ, ㄴ, ㅁ, ㅅ, ㅇ' 등과 같이 기본 문자를 바탕으로 새로운 문자를 만들어 그것들이 서로 연관 있는 소리임을 미루어 짐작할 수 있다. 기본 자음자에 획을 더 그으면 거센소릿자가 되고 겹쳐 쓰면 된소릿자가 된다. 한글의 모음자는 소리의 변화가 없이 한 글자가 한 소리만 가진다. 한글의 '아'는 언제나 [아]로만 발음되지만, 영어의 'a'는 낱말에 따라 여러 가지로 발음되기 때문에 영어는 발음법을 배우는 데 상당한 노력을 기울여야 한다. 이렇게 한글이 배우기 쉽고 과학적인 까닭에 세계 언어학자들은 한글을 '알파벳의 꿈'이라고 표현한다.

**03** (중요) 한글을 쉽게 배울 수 있는 까닭으로 알맞은 것에 ○표를 하시오.

(1) 일정한 원리에 따라 만들어져서 　( 　　 )
(2) 한 모음자에 여러 소리를 가져서 　( 　　 )
(3) 새로운 문자를 겹쳐 쓰지 않아서 　( 　　 )

**04** 다음과 같이 만든 글자를 무엇이라고 하는지 이 글에서 찾아 쓰시오.

| ㄱ | ➡ | ㄲ |

( 　　　　　　　　　 )

**05** 이와 같은 특징과 관련하여 세계 언어학자들은 한글을 무엇이라고 표현하는지 쓰시오.

( 　　　　　　　　　 )

**[06~08] 다음 글을 읽고, 물음에 답하시오.**

⑦ 1876년 12월 22일 황해도 봉산에서 태어난 주시경은 과거 시험을 잘 보기 위해서 하루도 공부를 게을리하지 않았어요.

⑭ 1894년 열아홉 살이 된 주시경은 배재학당에 입학해 지리, 수학, 영어 등 여러 가지를 공부하며 한글 연구에 필요한 지식을 다져 나갔어요. 주시경은 집안 형편이 어려워 수업이 끝나면 인쇄소에서 일하며 생활에 필요한 돈을 마련해야 했지요. 집에 돌아오면 몹시 피곤했지만 주시경은 한글을 연구했어요.

당시 우리나라에는 사람들이 두루 볼 만한 우리말 문법책이 없었어요. 많은 사람이 한문만을 글로 여기고 우리글에는 관심을 가지지 않았기 때문이지요. 주시경은 사람들이 쉽게 알아볼 수 있는 우리말 문법책을 만들기로 마음먹었어요. 도움이 될 만한 자료가 있다는 얘기를 들으면 먼 길도 마다하지 않고 찾아갔어요. 빌려 봐야 하는 자료는 일일이 베껴서 모았지요.

1906년 주시경은 『대한 국어 문법』이라는 책을 펴냈어요. 이 책에는 한글과 우리말을 바르게 사용하기 위한 규칙인 문법이 실려 있었어요. 그 후로 주시경은 사람들에게 한글을 연구하는 학자로 널리 알려졌어요. 여기저기에서 한글을 가르쳐 달라고 주시경에게 부탁을 해 왔어요. 이 무렵은 다른 나라들이 서로 우리나라를 차지하려고 다투던 시기였어요. 우리나라는 힘이 없었지요. 주시경은 이런 어려운 때일수록 우리글이 힘이 될 거라고 생각하며 한글을 가르쳐 달라는 곳이 있으면 어디든지 달려갔어요. 주시경은 한글을 가르치며 늘 우리글을 아끼고 사랑하는 것이 나라를 사랑하는 길이라는 것을 강조했어요.

**06 당시 우리나라 사람들이 두루 볼 만한 우리말 문법책이 없었던 까닭은 무엇입니까? ( )**

① 사람들이 우리말을 몰라서
② 일본 사람들이 우리말 문법책을 없애서
③ 우리말 문법책은 학자들만 보고 있어서
④ 많은 사람이 우리글보다 영어에만 더 관심을 가져서
⑤ 많은 사람이 한문만을 글로 여기고 우리글에는 관심이 없어서

**07 주시경의 삶을 연표로 나타내려고 합니다. 때와 있었던 일을 알맞게 선으로 이으시오.**

(1) 1876년 · · ① 배재학당에 입학함.

(2) 1894년 · · ② 황해도 봉산에서 태어남.

(3) 1906년 · · ③ 『대한 국어 문법』이라는 책을 씀.

**08 주시경의 업적으로 알맞지 않은 것을 두 가지 고르시오. ( , )**

① 한글을 연구함.
② 한글을 가르침.
③ 배재학당을 세움.
④ 국어 문법책을 씀.
⑤ 외국어 교육을 함.

**09 다음 중 부르기 쉽고 기억하기 쉬운 우리말로 된 간판 이름을 두 가지 고르시오. ( , )**

① 맛있는 밥집   ② 名品 의류

③ 우리 문방구   ④ Happy 빵집

⑤ Lovely Flower

**10 한글을 바르게 사용하기 위해 우리가 할 수 있는 일을 생각하여 쓰시오.**

_____

_____

_____

**1 만화를 읽을 때 인물의 마음을 짐작하는 방법 알기**

● 인물의 표정이나 행동을 살펴봅니다.
　　예 두 손으로 얼굴을 가리고 있는 행동을 보고 창피해하는 것을 짐작할
　　　수 있어.
● 말풍선의 내용과 함께 그 모양도 살펴봅니다.
　　예 말풍선 테두리 모양이 울퉁불퉁하고 물결 모양인 것으로 보아 떨리고
　　　긴장하고 있는 것을 짐작할 수 있어.
● 인물뿐만 아니라 만화의 배경 색이나 배경에 그려진 다양한 효과도 살펴
　봅니다.
　　예 인물 뒤편의 배경 효과에서 마음에도 비가 내리는 것 같고 우울한 기분인 것을 짐작할 수 있어.

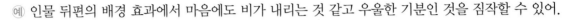

**2 만화를 읽고 인물의 마음을 표현하는 방법 알기**

● 표정을 과장되게 흉내 내야 합니다.

예

| 인물의 마음 |
| --- |
| 신기한 광경을 보고 깜짝 놀라서 할 말을 잃은 마음 |

➡ 입이 떡 벌어진 표정으로 표현했어.

● 상황에 어울리는 소리를 내면 좋습니다.

예

| 인물의 마음 |
| --- |
| 반갑고 신난 마음 |

➡ '캬오ー'라는 소리로 표현했어.

● 상황에 어울리는 말투와 몸짓으로 표현해야 합니다.

예

| 인물의 마음 |
| --- |
| 소희에게 장난을 치고 싶은 마음 |

➡ 장난스러운 말투와 몸짓으로 표현했어.

**01** 다음 그림에 알맞은 마음을 쓰시오.

(　　　　　　　　)

**[02~04]** 다음 만화를 읽고, 물음에 답하시오.

**02** 행동을 통해 알 수 있는 인물의 마음을 쓰시오.

(　　　　　　　　)

**03** 만화를 읽을 때 인물의 마음을 짐작하는 방법입니다. 알맞은 말에 ○표를 하시오.

> 울퉁불퉁한 물결 모양의 (배경, 말풍선)을 통해 떨리고 긴장하고 있는 인물의 마음을 짐작할 수 있다.

**04** 만화의 배경에 검은색 세로선을 그려 넣은 까닭을 쓰시오.

(　　　　　　　　)

**05** 만화를 읽을 때 인물의 마음을 짐작할 수 있는 방법과 <u>관계없는</u> 것에 ○표를 하시오.

(1) 만화를 그린 재료　　　　　　　(　　)

(2) 인물의 표정이나 행동　　　　　(　　)

**[06~09]** 다음 만화를 읽고, 물음에 답하시오.

**06** 아이들이 타고 있는 것은 무엇인지 쓰시오.

(　　　　　　　　)

**07** 장면 **1**에서 속도감을 느낄 수 있고 시원해 보이는 까닭으로 알맞은 것에 밑줄을 그으시오.

> (용의 눈썹이 흩날리는 모습, 용의 비늘이 반짝 빛나는 모습)으로 속도감을 느낄 수 있으며 시원해 보인다.

**08** 장면 **2**에서 인물의 말과 행동을 통해 알 수 있는 남자아이의 마음을 쓰시오.

(　　　　　　　　)

**09** 장면 **3**의 상황에 어울리는 소희의 표정을 쓰시오.

(　　　　　　　　)

**10** 만화를 읽고 인물의 마음을 표현하는 방법입니다. 알맞은 것에 ○표를 하시오.

(1) 표정의 변화가 나타나지 않도록 한다.

(　　)

(2) 상황에 어울리는 말투와 몸짓으로 표현한다.

(　　)

# 학교 시험 만점왕

## 10. 인물의 마음을 알아봐요

**01** 그림에 알맞은 여자아이의 마음으로 알맞은 것은 무엇입니까? ( )

① 외롭고 슬픈 마음
② 의욕이 넘치는 마음
③ 날아갈 것 같은 마음
④ 갑작스러워 당황한 마음
⑤ 깜짝 놀라고 무서운 마음

[02~04] 다음 만화를 읽고, 물음에 답하시오.

**02** 여자아이의 마음으로 알맞은 것은 무엇입니까?
( )

① 기쁘고 설레는 마음
② 용감하고 도전적인 마음
③ 긴장하고 걱정하는 마음
④ 자신감 있고 평안한 마음
⑤ 깜짝 놀라고 즐거워하는 마음

**03** 만화에서 여자아이의 마음을 짐작할 수 있는 부분을 두 가지 고르시오. ( , )

① 이마에 그려진 땀방울
② "콩닥"이라고 적힌 말풍선
③ 선생님의 말풍선이 많은 것
④ 여자아이의 머리 모양과 옷 색깔
⑤ 여자아이의 배경에 그려진 사물함

**04** 여자아이와 비슷한 경험을 한 친구의 이름을 쓰시오.

> 혜진: 학급 임원 선거에서 의견을 발표할 때 긴장해서 목소리가 작아졌던 적이 있어.
> 영호: 국어 수업 시간에 발표하고 싶어서 손을 들고 씩씩하게 발표를 했던 적이 있어.

( )

**05** <sub>중요</sub> 다음은 만화를 읽을 때 인물의 마음을 짐작할 수 있는 방법을 정리한 것입니다. ㉮~㉺에 들어갈 알맞은 내용이 아닌 것은 무엇입니까? ( )

> 만화를 읽을 때 인물의 마음을 짐작할 수 있는 방법으로 인물의 ( ㉮ )이나 ( ㉯ )을/를 살펴보고 말풍선의 내용과 함께 그 ( ㉰ )도 살펴봐야 한다. 그리고 인물뿐만 아니라 만화의 ( ㉱ )이나 배경에 그려진 ( ㉲ )로 인물의 마음을 짐작할 수 있다.

① ㉮: 표정
② ㉯: 행동
③ ㉰: 모양
④ ㉱: 분량
⑤ ㉲: 다양한 효과

**[06~07]** 다음 만화를 읽고, 물음에 답하시오.

**[08~09]** 다음 만화를 읽고, 물음에 답하시오.

**06** 장면 **1**과 **2**에서 산에 처음 도착했을 때 아이들이 한 행동을 두 가지 고르시오. ( , )

① 새롭게 배를 만들기로 했다.
② 산 밑으로 내려가기로 했다.
③ 입고 있던 겨울옷을 벗었다.
④ 산 위로 올라가 보자고 했다.
⑤ 잃어버린 가방을 찾기로 했다.

**07** 장면 **4**에서 인물의 표정과 행동에 나타난 인물의 마음으로 알맞은 것은 무엇입니까? ( )

① 자랑을 하려고 들떠 있는 마음
② 아무도 없어서 외롭고 쓸쓸한 마음
③ 반복되는 모험에 지치고 당황하는 마음
④ 신기한 광경을 보고 할 말을 잃은 마음
⑤ 날카로운 것에 찔려 어쩔 줄 몰라 하는 마음

**08** 장면 **1**에서 용은 아이들을 보고 어떻게 행동했는지 쓰시오.

서술형
( )

**09** 장면 **5**에서 인물의 표정과 행동을 보고 알 수 있는 인물의 마음을 각각 쓰시오.

(1) 남자아이: ( )
중요
(2) 여자아이: ( )

**10** 만화를 읽고 인물의 마음을 실감 나게 표현하는 방법을 바르게 말한 친구의 이름을 쓰시오.

> 지윤: 표정을 과장되게 흉내 내야 해.
> 선우: 상황과 상관없이 내가 하고 싶은 말투와 몸짓으로 표현해도 돼.

( )

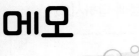

아직 기초가 부족해서 차근차근 공부하고 싶어요.

조금 어려운 내용에 도전해보고 싶어요.

영어의 모든 것! 체계적인 영어공부를 원해요.

조금 어려운 내용에 도전해보고 싶어요.

## 학습 고민이 있나요?

초등온에는 친구들의 고민에 맞는 다양한 강좌가 준비되어 있답니다.

학교 진도에 맞춰 공부하고 싶어요.

# 초등 ON 이란?

EBS가 직접 제작하고 분야별 전문 교육업체가 개발한 다양한 콘텐츠를 바탕으로,

## 대표강좌

초등 목표달성을 위한 <초등온> 서비스를 제공합니다.

예습, 복습, 숙제까지 해결되는

교과서 완전 학습서

만점왕

BOOK 3
해설책
국어 4-1

초등 기본서

만점왕

국어

4·1

book 3 해설책

# 차례

**1** 단원
# 생각과 느낌을 나누어요

### 교과서 내용 학습
8~16쪽

01 (1) – ② (2) – ① 02 ④, ⑤ 03 (2) ○ 04 (1) 용감하다 (2) 겁 없이 위험한 행동만 한다. 05 예 공원에서 즐겁게 나들이하는 사람들을 보니까 행복했다. 06 ① 07 ② 08 쏘옥 09 ③ 10 (1) ○ 11 (운동장가에 있던) 나무 12 ① 13 ④ 14 예 내가 성민이가 된다면 말을 타고 백두산까지 가 보고 싶다. 15 ⑤ 16 ④ 17 현지 18 ④ 19 예 준은 할아버지에게 서운한 마음을 핑계로 하라는 글공부 대신 놀러간 것 같아. 20 흉년에는 흰죽 한 끼 얻어먹고 논을 팔아넘긴다. 21 ⑤ 22 ② 23 준수 24 예 윗대 대감마님과 전쟁터에서 함께 싸우고, 끝까지 그 곁을 떠나지 않았던 하인들의 제사 25 ① 26 ④ 27 쌀이 만 석 이상 곳간에 쌓이면 농부들이 최 부잣집의 논밭을 사용하고 내는 돈을 조금만 받기 때문이었지요. 28 ③, ⑤ 29 예 다른 사람의 불행을 그냥 넘기지 말고 도와주라는 뜻이다. / 되도록 먼 곳의 사람들도 도와주라는 뜻이다. 30 ④ 31 ㉯ 32 (3) ○ 33 (1) △ (2) ○ 34 ①, ③ 35 예 의심해서 미안해. 36 (1) 노마가 친구를 의심한 것은 잘못입니다. (2) 노마가 기동이를 의심하기는 했지만 안타까운 마음에 저지른 실수라고 생각합니다.

01 남자아이는 청록색 부분을 마주 보는 사람으로 보고 있고, 여자아이는 주황색 부분을 커다란 잔으로 보고 있습니다.

> 같은 그림을 보고 있지만, 남자아이는 청록색 부분을 보고 있고, 여자아이는 주황색 부분을 보고 있네.

02 같은 것을 보고도 상황에 따라 다르게 생각할 수 있고, 같은 그림이지만 느낀 점이 다를 수 있습니다.

03 친구들은 같은 일에 대해 생각이 달랐던 경험을 이야기하고 있습니다.

04 ㉠에서 '나'는 영화 주인공이 용감하다고 생각했는데, 친구는 그 주인공이 겁 없이 위험한 행동만 한다고 생각했다고 하였습니다.

05

조르주 피에라 쇠라, 「그랑드 자트섬의 일요일 오후」

이 그림을 보고 가장 눈에 띄는 부분을 중심으로 자신의 생각을 까닭과 함께 씁니다.

**채점 기준**

그림을 보고 드는 생각을 까닭과 함께 썼으면 정답으로 인정합니다.

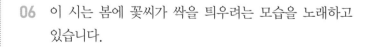
> 이 그림의 무대인 그랑드 자트섬은 프랑스 파리 근교에 있는 센강 위의 섬이야. 그 당시 이곳은 파리 사람들이 뱃놀이를 즐기던 유원지였어.

06 이 시는 봄에 꽃씨가 싹을 틔우려는 모습을 노래하고 있습니다.

07 3연에서 봄을 기다리는 아이들이 땅속에 손가락을 집어넣어 본다고 하였습니다.

08 3연의 '쏘옥'은 아이들이 땅속에 손가락을 집어넣어 보는 모습을 흉내 내는 말입니다.

**09** ⊙은 꽃씨가 싹을 틔워 나온 '새싹'을 뜻합니다.

**10** 시를 읽고 시 속에 일어나는 일을 서로 다르게 생각했고, 재미를 느낀 부분이 달랐기 때문에 생각이나 느낌이 서로 다를 수 있습니다.

**11** 성민이는 텅 빈 운동장가에 있던 나무가 말타기놀이를 하자고 해서 올라탔습니다.

**12** 성민이는 나무를 말이라고 생각하고 따그닥따그닥 달렸습니다.

**13** 시의 내용을 파악하는 것은 생각이나 느낌을 나누기 전의 활동입니다.

**시를 읽고 생각이나 느낌을 표현하는 방법** 예
- 오행시 짓기
- 몸으로 표현하기
- 그림으로 표현하기
- 인물이 되어 말하기
- 편지 쓰기

**14** 말을 타고 가 보고 싶은 곳을 써 봅니다.

말을 타고 가는 것을 상상하여 썼으면 정답으로 인정합니다.

**15** 최 부잣집 도령들은 아침마다 사랑채에서 붓글씨로 가훈을 쓴다고 하였습니다.

**가훈이란**
- 한 집안의 교훈을 적은 글입니다.
- 어른들이 자손들에게 꼭 지켜야 할 것을 알려 주는 글입니다.
예 행복은 언제나 마음속에 있는 것 / 웃으면 복이 와요

**16** 준은 가훈을 쓰지 않고 종이에 낙서를 하다가 들켜서 종이를 아낄 줄 모르고 함부로 쓴다고 할아버지에게 야단을 맞았습니다.

**17** 같은 인물의 말을 읽고도 사람마다 처한 환경이나 경험이 다르기 때문에 생각이 서로 다를 수 있습니다.

**18** 준은 할아버지가 자신이 먹어 보지 못한 음식을 손님들에게만 주어서 야속하게 생각했습니다.

**19** 준은 할아버지에게 서운한 마음을 가지고 있었으므로 서운한 마음 때문에 논으로 놀러 나간 것입니다.

준의 서운한 마음이 나타나 있고, 그에 대한 자신의 생각을 알맞게 썼으면 정답으로 인정합니다.

**20** 흉년에는 흰죽 한 끼를 얻어먹고 논을 팔아넘긴다고 해서 흰죽 논이라는 말이 생겼다고 하였습니다.

**21** 농부는 준에게 최 부잣집 대감마님은 논이 흰죽 한 끼의 헐값일 때는 논을 사지 않기 때문에, 이 근방에는 흰죽 논이라는 말이 없다고 하였습니다.

**22** 장사가 끝날 때쯤에 생선 가게에 가서 헐값에 생선을 사 온 하인은 헐값에 넘기는 생선 장수의 마음을 헤아리지 않았다고 할아버지에게 혼이 났습니다.

**23** 하인은 생선을 헐값으로 사 와서 생선 장수의 마음을 헤아리지 못했다고 혼이 났으므로, 그 일에 담긴 의미를 알맞게 이해하고 자신의 생각을 말해야 합니다.

**24** 처음에는 윗대 대감마님 제사를 지냈고, 그 후에 드린 또 다른 제사는 윗대 대감마님과 전쟁터에서 함께 싸운 하인들의 제사입니다.

**25** 준은 죽은 하인들에게 절하는 것은 좀 이상했지만, 주인을 위해 목숨을 아끼지 않았던 하인들의 제사를 지내는 것은 훌륭한 일이라고 생각하였습니다.

**26** 할아버지는 가난한 사람들이나 지나가는 나그네가 쌀을 퍼 갈 수 있도록 만든 뒤주를 도령들에게 보여 주었습니다.

**27** 할아버지는 쌀이 만 석 이상 곳간에 쌓이면 농부들에게 논밭을 사용하고 내는 돈을 조금만 받기 때문에 마을 사람들이 할아버지가 땅을 사면 좋아했습니다.

**28** 준은 할아버지가 다른 사람들에게 베풀고, 잘 살도록 도와주며, 아랫사람들에게도 나누어 주는 모습을 보고 자랑스러워했습니다.

**29** 최 부잣집의 가훈은 혼자만 잘 살지 말고 이웃과 나누고 베풀라는 의미입니다.

'이웃과 나눈다, 돕는다, 베푼다' 등의 의미가 들어 있으면 정답으로 인정합니다.

**30** 노마는 구슬을 잃어버린 것을 알고 구슬을 찾으러 돌아다녔습니다.

**31** 잃어버린 구슬을 찾아다니는 노마는 잃어버린 구슬을 다시 가지고 싶은 마음일 것입니다.

**32** 노마는 기동이가 못 봤다고 말한 것을 믿지 않았기 때문에 여전히 기동이의 조끼 주머니를 본 것입니다.

**33** ㉡은 노마가 기동이를 의심하면서 구슬을 보자고 말한 것이므로, 친구를 의심하는 노마의 행동에 대한 자신의 생각을 말해야 합니다.

**34** 노마는 잃어버린 구슬을 찾았을 때 구슬을 찾아 기쁜 마음이 들었지만, 기동이를 의심해서 미안한 마음도 들었을 것입니다.

**35** 의심을 하였던 기동이에게 미안한 마음을 말할 수 있습니다.

의심을 해서 미안하다는 내용이 들어가면 정답으로 인정합니다.

**36** 세진이는 노마가 친구를 의심한 것은 잘못이라는 의견을 말하였고, 우정이는 노마가 기동이를 의심하기는 했지만 안타까운 마음에 저지른 실수라고 생각한다고 말했습니다.

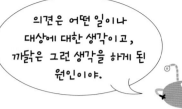

단원 확인 평가     21~23쪽

**01** 형진   **02** ③   **03** ②   **04** (1) ○ (2) △ (3) ○   **05** 예 시에서 일어나는 일을 다르게 생각했기 때문이다. / 사람마다 생각이 다르기 때문에 재미를 느낀 부분이 서로 달랐다.   **06** 말   **07** ⑤   **08** (3) ○   **09** ③   **10** 예 생선 장수의 마음을 헤아리라는 말을 통해 함께 살아가는 법을 말씀하시는 것 같다.   **11** 사방 백 리 안에 굶어 죽는 사람이 없게 하라.   **12** 현민   **13** ②   **14** (2) ○   **15** (1) – ② (2) – ①

**01** 라현이는 같은 일에 대한 생각이 같았던 경험을 말하였고, 형진이는 같은 일에 대한 생각이 달랐던 경험을 말하였습니다.

**같은 일에 대한 생각이 다른 까닭**
• 같은 일이어도 상황에 따라 다르게 생각할 수 있기 때문입니다.
• 같은 일이어도 경험이나 체험에 따라 느낀 점이 다르기 때문입니다.

**02** 겨울을 녹이는 봄비가 내려와 앉으면 꽃씨가 눈을 뜬다고 하였습니다.

**03** 이 시를 읽으면 꽃씨가 봄을 맞이하여 움터서 새싹이 나오는 모습을 떠올릴 수 있습니다.

**04** 이 시는 꽃씨가 눈을 뜨고 손을 내민다고 표현하였지, 아이들이 자라는 것처럼 표현하지는 않았습니다.

시 「꽃씨」에서 봄비가 내려와 앉는다고 하니까 비가 사람같이 느껴져.

시 「꽃씨」에서 아이들이 손가락을 땅속에 쏙 집어넣는다고 하니까 내가 흙을 만지는 듯한 느낌이 들어.

**05** 시에 대한 생각이나 느낌이 서로 다른 까닭은 시에서 일어나는 일을 다르게 생각하고, 생각이 다르기 때문에 재미를 느낀 부분도 다릅니다.

> **채점 기준**
> '시에서 일어나는 일을 다르게 생각한다, 또는 시를 읽고 재미를 느끼는 부분이 달랐다.' 등의 내용을 썼으면 정답으로 인정합니다.

**06** 시에서 말하는 이(성민이)는 운동장가에 있는 나무를 말이라고 생각하고 있습니다.

**07** 운동장에서 혼자 나무를 올라타며 놀았던 경험을 노래한 시입니다.

혼자 선 나무가 같이 말타기놀이 하자고 이야기한 것을 상상했어.

나무에 올라타니 신나게 말을 타는 느낌이었을 것 같아.

구름 위를 달리는 상상을 하며 재미있었을 것 같아.

달나라까지 갈 수 있었는데 많이 아쉬울 것 같아.

**08** 하인이 헐값에 청어를 사 왔는데 생선 장수의 마음을 헤아릴 줄 모른다고 할아버지에게 호되게 혼이 났습니다.

**09** 최 부잣집에서 물건 값을 제대로 쳐주자 장사치들은 최 부잣집에 좋은 물건들을 가지고 와서 팔고 싶어하였습니다.

**10** 생선 장수의 마음을 헤아리라는 할아버지의 말에 대한 자신의 생각이나 느낌을 써 봅니다.

> **채점 기준**
> 생선 장수의 마음을 헤아리라는 할아버지 말에 대하여 어떤 의미인지, 또는 어떻게 느끼는지를 구체적으로 썼으면 정답으로 인정합니다.

**11** 준은 도령들과 함께 "사방 백 리 안에 굶어 죽는 사람이 없게 하라."라는 가훈을 썼습니다.

최 부잣집의 가훈에는 다른 사람의 불행을 그냥 넘기지 말고 도와주라는 뜻과 되도록 먼 곳의 사람들도 도와주라는 뜻이 담겨 있어.

**12** 뒤주에 있는 쌀을 가난한 사람이나 지나가는 나그네가 퍼 갈 수 있게 해 준다는 말에 대한 생각이나 느낌을 말한 친구는 '현민'입니다.

**13** 노마는 기동이를 의심하는 마음으로 영이를 찾아가게 되었으므로, 영이가 구슬을 주었는지 확인하고 싶은 마음이 있었으며, 기동이의 말이 틀리기를 바라고 있었을 것입니다.

**14** 노마는 기동이를 의심하고 있다가 자신의 구슬을 도랑물 속에서 발견하게 되어, 기동이를 의심한 것이 미안해서 기동이가 을러메는데도 할 말이 없었습니다.

**15** 의견은 어떤 일에 대한 생각이고, 까닭은 그런 생각을 하게 된 원인이나 조건입니다.

# 내용을 간추려요

## 교과서 내용 **학습**

26~32쪽

**01** (1) ㉮ (2) ㉯ (3) ㉰  **02** 19도  **03** (1) ○  **04** (1) ○ (2) ○  **05** ⑤  **06** (3) ○  **07** (1) 개, 닭 (2) 매미  **08** ⑩ 개나 닭은 사람과 같이 성대를 울려 소리를 내지만 다양한 소리를 내지는 못합니다.  **09** ⑤  **10** ⑤  **11** (1) △ (2) △ (3) ○  **12** ❹ 물고기는 몸속에 있는 부레로 여러 가지 소리를 냅니다.  ❺ 이렇게 동물들은 자신만의 방법으로 소리를 낼 수 있습니다.  **13** 나무 그늘  **14** ⑤  **15** ⑤  **16** ⑩ 욕심쟁이 영감의 집 앞 느티나무 그늘  **17** (2) ○  **18** ⑤  **19** 글 ❹ - ㉠ - ㉮  **20** ⑩ 돈을 돌려주기 싫은 마음  **21** ①  **22** (큰) 쉼터  **23** ⑩ 다음 날 이후 총각이 동네 사람들을 그늘로 부르자 욕심쟁이 영감은 마을을 떠남.(총각은 기와집과 나무 그늘을 큰 쉼터로 만들었고, 쉼터는 누구나 마음 놓고 쉬어 가는 곳이 되었음.)  **24** (1) ○  **25** ③, ⑤  **26** ①  **27** (2) ○

**01** (1)은 나들이를 가도 좋은 날씨인지 확인하는 것이므로 듣는 목적을 생각한 것이고, (2)는 작년의 경험을 떠올린 것입니다. 그리고 (3)은 필요한 내용을 쓰면서 들은 내용을 어떻게 할지 생각한 것입니다.

**02** 춘천의 오늘 낮 기온은 19도라고 하였습니다.

**03** ㉮는 일기 예보에서 알려 준 중요한 날씨 정보를 쓴 것입니다.

**04** 들은 내용을 쉽고 정확하게 정리하려면 중요한 내용만 골라서 짧게 써야 하며, 읽으면서 쓸 때보다 빨리 써야 합니다.

### 더 알아보기

**들은 내용을 정리할 때 메모하면 좋은 점**
• 중요한 내용을 빠짐없이 기억할 수 있습니다.
• 나중에 기억하기 쉽습니다.

**05** 개나 닭은 성대나 입과 혀의 생김새가 사람과 달라서 다양한 소리를 내지는 못한다고 하였습니다.

**06** 동물들은 대개 서로를 부르거나 위협하기 위해서 소리를 낸다고 하였습니다.

**07** 개와 닭은 성대를 울려 소리를 내지만, 매미는 발음근으로 소리를 냅니다.

**08** ❷문단에서 개나 닭이 성대를 울려서 소리를 내지만 다양한 소리를 내지 못한다는 문장이 가장 중요한 내용입니다.

### 채점 기준

❷문단의 중심 문장을 찾아 그대로 썼으면 정답으로 인정합니다.

**09** 매미는 배에 있는 발음근과 발음막이 소리를 낼 수 있게 도와줍니다.

**10** 물고기는 우리가 들을 수 없는 높낮이로 소리를 내서 우리는 물고기의 소리를 들을 수 없습니다.

**11** 중심 문장은 문단에 한 개만 있습니다. ❺문단의 중심 문장은 마지막 문장이며, 앞의 두 문장은 뒷받침 문장입니다.

**12** ❹문단은 중심 문장이 첫 문장이고, ❺문단은 끝 문장입니다. 중심 문장을 연결해서 글을 간추려 씁니다.

### 채점 기준

❹문단과 ❺문단의 중심 문장을 바탕으로 쓴 경우 정답으로 인정합니다.

**13** 욕심쟁이 영감은 자기의 허락도 없이 나무 그늘에서 자는 총각을 보고 버럭버럭 소리를 질렀습니다.

**14** 욕심쟁이 영감은 집 앞의 느티나무는 자신의 할아버지의 할아버지가 심은 나무이므로 그늘까지도 자기 것이라고 우기고 있습니다.

**15** 총각은 나무의 주인이 그늘의 주인이라고 우기는 욕심쟁이 영감을 혼내 주고 싶어서 나무 그늘을 산 것입니다.

**16** 총각이 욕심쟁이 영감에게 나무 그늘을 사겠다고 말한 일이 일어난 장소는 욕심쟁이 영감의 집 앞 느티나무 그늘입니다.

**17** 시간이 지나자 나무 그늘은 욕심쟁이 영감의 집 안으로 들어갔습니다.

**18** 총각은 욕심쟁이 영감에게 산 그늘이 욕심쟁이 영감의 집 마당까지 길어지자 그늘을 따라서 욕심쟁이 영감의 집 안으로 들어갔습니다.

**19** 4 의 앞 내용은 어느 더운 여름날 욕심쟁이 영감의 집 앞 느티나무 그늘에서 총각이 욕심쟁이 영감에게 나무 그늘을 산 것이고 4 의 내용은 그날 오후 욕심쟁이 영감의 집 마당과 안방에 그늘이 들어가자 따라 들어간 것입니다.

**20** 욕심쟁이 영감은 총각이 그늘을 따라 안방으로 들어왔지만 돈을 돌려주기 싫어서 식구들을 달래며 참고 있습니다.

**21** 저녁이 되었을 때 그늘이 사라지자 총각은 자신의 집으로 돌아갔습니다.

**22** 총각은 욕심쟁이 영감의 기와집과 나무 그늘을 쉼터로 만들어 누구나 마음 놓고 쉬어 가게 하였습니다.

**23** 다음 날 이후 총각이 동네 사람들을 그늘이 있는 욕심쟁이 영감의 집으로 부르자 욕심쟁이 영감이 마을을 떠났고, 총각은 기와집과 나무 그늘을 큰 쉼터로 만들었으며, 쉼터는 누구나 마음 놓고 쉬어 가는 곳이 되었습니다.

### 채점 기준
'다음 날 이후'라는 시간적 배경과 욕심쟁이 영감이 마을을 떠났고 총각이 기와집과 나무 그늘을 쉼터로 만들었다는 사건이 들어가면 정답으로 인정합니다.

### 더 알아보기
**이야기의 흐름에 따라 「나무 그늘을 산 총각」의 내용 간추리기** 예
　어느 더운 여름날, 총각이 뜨거운 볕을 피해 나무 그늘에서 잠을 잤습니다. 그런데 욕심쟁이 영감은 나무 그늘이 자기 것이라고 주장하며 화를 냈습니다. 기가 막힌 총각은 욕심쟁이 영감을 혼내 주려고 나무 그늘을 샀습니다.
　그날 오후, 욕심쟁이 영감의 집 쪽으로 나무 그늘이 옮겨 가자 총각은 영감의 집 마당으로 들어갔습니다. 남의 집에 함부로 들어오는 총각을 보고 욕심쟁이 영감은 화를 냈지만 총각

은 자기의 그늘이라면서 안방까지 들어갔습니다.
　그날 저녁, 그늘이 사라지자 욕심쟁이 영감의 생각대로 총각은 집으로 돌아갔습니다.
　그런데 다음 날부터 총각은 매일매일 부잣집을 드나들었습니다. 욕심쟁이 영감은 스무 냥에 다시 그늘을 팔라고 했지만 총각은 팔지 않고 동네 사람들을 나무 그늘로 불렀습니다. 결국 욕심쟁이 영감은 마을을 떠나고 말았습니다. 총각은 기와집과 나무 그늘을 큰 쉼터로 만들어 누구나 쉬어 갈 수 있게 했습니다.

**24** 이 글에서는 에너지 자원이 한없이 있는 것이 아니라는 문제점을 제시하고 있습니다.

**25** 글쓴이는 에너지를 절약하는 방법으로 에너지를 불필요하게 사용하지 않는 것과 에너지 사용을 줄이는 것을 제시하였습니다.

**26** 글쓴이는 이 글을 통하여 에너지 절약을 주장하고 있습니다.

**27** 이 글은 에너지 절약을 주장하는 글로, 중요한 내용을 찾아 문제점과 해결 방안을 생각하여 내용을 간추릴 수 있습니다.

---

### 서술형 수행 평가 돋보기

**1** 예 에너지를 절약하자.

**2** (1) 예 자원은 한없이 있는 것이 아니어서 다 쓰고 나면 더는 에너지 자원을 구할 수 없게 된다. (2) 예 에너지를 불필요하게 사용하지 않는다. (3) 가전제품은 에너지 효율이 높은 것을 쓰고, 조명 기구는 전기가 적게 드는 제품을 사용한다. / 한여름에는 냉방기를 적게 쓰고 겨울에도 난방 기구를 덜 쓰도록 노력한다.

**3** 예 우리는 에너지를 절약해야 한다. 에너지 절약을 실천하는 방법은 쓰지 않는 꽂개 뽑아 놓기, 빈방에 켜 놓은 전깃불 끄기, 에너지 효율이 높은 가전제품 쓰기, 전기가 적게 드는 조명 기구 사용하기 등이다.

**1** 글쓴이가 이 글을 통해 말하고자 하는 것은 에너지를 절약하자는 것입니다.

**2** 이 글은 문제점과 해결 방안, 그에 따른 실천 방법으로 글이 전개되어 있습니다. (1)은 자원이 한없이 있는 것이 아니라는 문제점, (2)는 불필요한 에너지를 줄이자는 해결 방안, (3)은 에너지 사용을 줄이는 것에 대한 실천 방법을 내용으로 정리해 봅니다.

**3** 문제점과 해결 방안, 실천 방법을 정리하여 글의 전체 내용을 간추립니다. 문제점은 제시되어 있고, 문제점 뒤에 '따라서'라는 이어 주는 말이 있으므로 글쓴이의 의견을 나타내는 말이 나와야 합니다. 그리고 에너지 절약 방법을 구체적으로 정리해야 합니다.

주장하는 글을 알맞은 내용으로 간추리는 방법을 생각해 봐.

**01** 19도 **02** (2) ○ **03** ④ **04** ㉠, ㉣ **05** 예 동물들이 소리를 내는 방식은 다양합니다. 개나 닭은 사람과 같이 성대를 울려 소리를 내지만 다양한 소리를 내지는 못합니다. 물고기는 몸속에 있는 부레로 여러 가지 소리를 냅니다. 이렇게 동물들은 자신만의 방법으로 소리를 낼 수 있습니다. **06** 예 나무 그늘이 자기 것이라고 우기는 욕심쟁이 영감을 혼내 주려고 **07** ② **08** ㉯ → ㉮ **09** (1) 예 총각이 욕심쟁이 영감에게 나무 그늘을 삼. (2) 예 총각은 그늘을 따라 욕심쟁이 영감의 집 안으로 들어감. **10** 준수 **11** ①, ③ **12** ②, ③, ④ **13** (1) ○ **14** ①, ⑤ **15** (1) ㉣ (2) ㉳ (3) ㉮ (4) ㉲

**01** 오늘 서울, 춘천은 19도까지 낮 기온이 올라가겠다고 하였습니다.

**02** ㉮는 일기 예보를 들으면서 필요한 준비물을 쓴 부분입니다.

**03** 물고기는 부레를 이용하여 소리를 냅니다.

**04** ㉠과 ㉲은 중심 문장이고, ㉡, ㉢, ㉣은 뒷받침 문장입니다.

**05** 각 문단의 중심 문장을 찾아 연결하는 방법으로 이 글을 간추립니다.

**06** 총각은 나무 그늘이 자기 것이라고 우기는 욕심쟁이 영감을 혼내 주기 위해서 나무 그늘을 샀습니다.

**07** 나무 그늘이 욕심쟁이 영감의 집 마당까지 길어지자 총각은 그늘을 따라 부자 영감의 집 안으로 들어갔습니다.

**08** 욕심쟁이 영감의 집 앞 느티나무 그늘에서 총각이 그늘을 사는 일이 먼저 일어났고, 그 이후 나무 그늘이 영감의 집 마당까지 들어가자 총각도 같이 들어갔습니다.

**09** 어느 더운 여름날에 총각이 욕심쟁이 영감에게 나무 그늘을 샀고, 총각은 그늘을 따라 욕심쟁이 영감의 집 안으로 들어갔습니다.

총각이 욕심쟁이 영감에게 나무 그늘을 산 일, 총각이 그늘을 따라 욕심쟁이 영감의 집에 들어간 일을 차례로 썼으면 정답으로 인정합니다.

**10** 이 글은 이야기글이므로 사건이 일어난 시간의 흐름에 따라 내용을 간추려야 합니다.

**11** 글쓴이는 에너지 자원은 한없이 있는 것이 아니어서 다 쓰고 나면 더는 에너지 자원을 구할 수 없기 때문에 에너지를 절약해야 한다고 하였습니다. 특히 석유는 우리나라에서 나지 않아 외국에서 수입해 오고 있으므로 에너지를 절약해야 한다고 하였습니다.

**12** 글쓴이는 에너지를 불필요하게 사용하지 않기 위해 쓰지 않는 꽂개는 반드시 뽑아 놓고, 빈방에 켜 놓은 전깃불을 끄며, 뜨거운 음식은 식힌 뒤에 냉장고에 넣는다는 실천 방법을 말하고 있습니다.

**13** 에너지 사용을 줄이기 위해서는 조명 기구는 전기가 적게 드는 제품을 사용하고, 한여름에는 냉방기를 적게 쓰고 겨울에도 난방 기구를 덜 쓰도록 노력해야 한다고 하였습니다.

**14** 이 글은 주장하는 글이므로 중심 내용을 정리하여 간추리고, 문제점과 해결 방안의 글의 전개에 따라 내용을 간추릴 수 있습니다.

**15** ㉣는 자원이 한없이 있는 것이 아닌 문제점을 말하고 있고, 그에 따른 해결 방안인 ㉯에 대한 실천 방법은 ㉰이고, 해결 방안인 ㉮에 대한 실천 방법은 ㉱입니다.

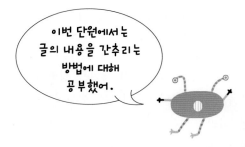

이번 단원에서는 글의 내용을 간추리는 방법에 대해 공부했어.

우리 가족이 실천할 수 있는 에너지 절약 방법을 생각해 봐.

# 3 단원
# 느낌을 살려 말해요

01 (1) ㉡ (2) ㉣   02 ❸   03 ④   04 예 공손하게 인사한 뒤 손가락으로 기호가 몇 번인지 표시하며 밝은 표정과 공손한 말투로 말한다.   05 ⑤   06 ①   07 ②   08 태진   09 ①   10 ④   11 ①   12 ⑤   13 ④   14 ⑤   15 예 남는 곡식 / 남은 생산물 / 잉여 생산   16 물물교환   17 ①, ③   18 조개껍데기(자안패 껍데기)   19 ㉮   20 예 동생에게 말할 때는 이해하기 쉬운 말로 말하였고, 친구에게 말할 때는 친구가 관심 보일 만한 내용으로 설명하였다.   21 예 (주재료인 구리에) 섞는 금속에 따라   22 ①, ③   23 소전   24 예 지폐는 솜으로 만들어서 습기에도 강하고 정교하게 만들면서 위조도 막아 준대.   25 군대   26 ③   27 환경 보호   28 ③   29 ①   30 ⑤   31 예 태양광으로 어떻게 전기를 만들었는지 궁금했다. / 우리나라에도 생태 마을이 있는지 찾아보고 싶었다. / 마을을 바꾸기 위해서는 주민의 실천이 중요하다는 것을 느꼈다.   32 ㉣

01 ❶은 밝게 웃는 표정으로 말하고 있고, ❷는 긴장해 굳은 표정으로 말하고 있습니다.

02 ❸은 바르게 서서 듣는 사람을 바라보며 말하므로 자신의 생각을 분명하게 전달할 수 있으나, ❹는 비뚤게 서서 손으로 머리를 긁적이며 말하고 있어서 자신의 생각을 분명하게 전달하기 어렵습니다.

03 학예회 사회를 보는 공적인 상황이므로, 바르게 서서 듣는 사람에게 잘 전달될 수 있는 말투로 말해야 합니다.

04 회장 선거에 나가서 의견을 말하는 상황이므로 자신이 회장 선거에 나간다면 어떤 표정, 몸짓, 말투로 말해야 할지 생각하여 씁니다.

채점 기준
회장 선거에 나가서 의견을 말하는 상황에 알맞은 표정, 몸짓, 말투, 예를 들면 미소를 짓는 표정, 바르게 선 자세, 자신감 있는 말투 등 적절하게 표현했으면 정답으로 인정합니다.

05 상황에 알맞은 표정, 몸짓, 말투를 사용하면 자신의 생각을 분명하게 전달할 수 있고, 듣는 사람이 잘 알아들을 수 있습니다. 그러나 듣는 사람의 마음까지 헤아릴 수는 없습니다.

더 알아보기
상황에 알맞은 표정, 몸짓, 말투를 사용하면 좋은 점
· 자신의 생각을 분명하게 전달할 수 있습니다.
· 느낌을 잘 표현할 수 있습니다.
· 듣는 사람이 잘 알아들을 수 있습니다.

06 석우는 선생님의 부탁으로 다리가 불편한 영택이의 가방을 들어 주게 되었습니다.

07 석우는 영택이의 가방을 들어 주는 일이 귀찮고 싫었습니다.

08 석우는 3학년이 되어서 더 이상 영택이의 가방을 들어 주지 않아도 되었으나 스스로 가방을 들어 주며 우정을 이어 나갔습니다.

09 동영상을 볼 때는 등장인물의 대사만 듣는 것이 아니라 손의 움직임이나 몸이 움직이는 방향 등을 자세히 보

고, 말하는 표정과 말투 등에 주의하며 봅니다.

10 석우는 영택이에게 음료수 깡통을 가져다주며 한 번 차 보라고 격려해 주었습니다.

11 영택이에게 음료수 깡통을 한 번 차 보라고 권하는 장면이므로 밝은 표정이 알맞습니다.

12 영택이는 자신이 잘 못할 것 같아서 걱정스러울 것입니다. 따라서 소리가 작고 걱정스러운 말투가 알맞습니다.

13 영택이가 해낸 것을 같이 기뻐해 주고 있으므로 친구의 성공을 반기는 밝은 표정으로 엄지손가락을 위로 올리며 칭찬해 주는 몸짓이 알맞습니다.

**표정, 몸짓, 말투를 사용해 말할 때 주의할 점**
• 듣는 사람에게 맞게 사용합니다.
• 표정, 몸짓, 말투가 서로 어울리게 사용합니다.
• 사용하려는 목적을 생각합니다.

14 짐승을 사냥해서 먹거나 나무 열매와 식물을 채집해서 먹으며 동굴에서 잠을 자던 원시 시대에는 돈이 필요하지 않았습니다.

15 농기구가 개발되고 농사 기술이 발전하면서 수확하는 곡식의 양이 늘어나자 인류는 남는 곡식을 어떻게 처리할지 고민하기 시작하였습니다.

16 수확하는 곡식의 양이 늘어 남게 되자 사람들은 남는 물건을 원하는 물건과 서로 바꾸는 물물교환을 했습니다.

17 물물교환이 순조롭지 않았던 것은 사람마다 원하는 물건이 서로 다르고, 가치를 매기는 기준이 서로 달랐기 때문입니다.

18 기록에 전해지는 최초의 돈은 중국인들이 사용한 자안패라는 조개의 껍데기입니다.

19 글을 읽고 알게 된 점을 말할 때는 듣는 사람을 고려하며 말해야 합니다.

20 동생에게 말할 때는 이해하기 쉬운 말로 말하였고, 친구에게 말할 때는 평상시 사용하는 말로 친구가 관심을 보일 만한 내용으로 설명하였습니다.

듣는 사람인 동생과 친구에 따라 내용 수준이나 말하는 방법이 다르다는 것을 알맞게 설명하였으면 정답으로 인정합니다.

21 동전은 주재료가 구리인데, 여기에 아연이나 니켈, 알루미늄 같은 금속을 조금씩 섞어서 만듭니다. 이 섞는 금속에 따라서 동전 색깔이 달라집니다.

22 솜으로 만든 지폐는 습기에도 강하고, 정교한 인쇄 작업과 위조를 방지할 수 있다는 장점이 있습니다.

23 무늬를 새겨 넣기 전의 동전 판을 '소전'이라고 합니다.

우리나라의 화폐 제조 기술은 세계적인 수준이라 무늬를 새겨 넣기 전의 '소전'은 현재 유럽과 미국을 포함한 40여 개 국가에 수출하고 있다고 해.

24 지폐의 재료는 솜이라는 것과 솜으로 만든 지폐는 습기에도 강하고 정교한 인쇄 작업과 위조를 방지할 수 있다는 장점이 있다는 것을 쉬운 말로 설명합니다.

지폐의 재료가 솜이라는 것과 솜으로 만든 지폐의 장점을 알기 쉽게 설명한 경우 정답으로 인정합니다.

**25** 생태 마을이 되기 전 보봉은 1992년까지 군대가 있던 곳이었습니다.

**26** 보봉 마을 사람들이 결정한 실천 조항은 '태양광 사용하기, 자동차 사용 줄이기, 물 아끼기, 콘크리트 쓰지 않기' 입니다.

**27** 보봉 생태 마을은 태양광을 주 에너지원으로 하고, 자동차 사용을 줄이는 등 환경 보호를 가장 중요하게 생각하고 있습니다.

**28** 읽는 사람의 나이, 처지, 상황, 알고 있는 내용 등을 고려해야 하며, 읽는 사람의 기분이 상하지 않도록 예의를 지켜야 합니다.

> **더 알아보기**
>
> **글을 쓸 때 읽는 사람을 위해 고려해야 할 점**
> • 읽는 사람의 나이를 고려해야 합니다.
> • 내용을 잘 알고 있는지 살펴봐야 합니다.
> • 읽는 사람의 처지를 생각해 보고 써야 합니다.
> • 기분이 상하지 않도록 예의를 지켜야 합니다.

**29** 보봉 마을에는 개인 주차장이 없는 대신 유료 공동 주차장이 있습니다.

**30** 알뮤트 슈스터 씨는 보봉이 생태 마을이 된 것은 주민들의 뜻과 의지가 있었기 때문이라고 하였습니다.

**31** 생태 마을이 되기 위해 필요한 것, 생태 마을을 만들기 위해 실천할 점, 이 글을 읽고 더 알아보고 싶은 점 등이 글을 읽고 드는 생각이나 느낌을 알맞게 씁니다.

> **채점 기준**
>
> 생태 마을 보봉의 사례와 관련하여 든 생각이나 느낌을 자연스럽게 쓴 경우 정답으로 인정합니다.

**32** 친구들이 관심을 가질 만한 내용으로 우리나라의 생태 마을을 조사한 내용은 학급 신문을 읽는 친구들에게 쓰기에 알맞습니다.

---

**1** (1) ⑩ 동생이 이해하기 쉬운 말을 사용하여 간단하게 설명해 준다. (2) ⑩ 여러 사람에게 하는 말이므로 높임말을 사용하고, 중요한 내용을 설명해 준다.

**2** ⑩ 사람들은 농사로 인해 남는 곡식이 생기자 물물교환을 하기 시작하였습니다. 그러나 물물교환을 할 때 서로 원하는 것과 생각하는 물건이 다르고, 그 가치가 달라서 불편함을 느꼈습니다. 그래서 사람들은 물건의 가격을 매길 수 있는 새로운 물건을 생각해 내었습니다. 그것이 바로 돈입니다. 최초의 돈은 중국인들이 사용한 조개껍데기였습니다.

**1** 동생에게 말할 때에는 이해하기 쉽게 설명해야 하며, 여러 사람에게 말할 때에는 높임말을 사용하여 설명해야 합니다.

| 채점 기준 | |
|---|---|
| 상 | (1)은 '이해하기 쉽게 / 간단하게 설명' 등의 말이 들어가게 쓰고, (2)는 '높임말을 사용'이 들어가게 썼으면 만점입니다. |
| 중 | (1)과 (2) 중 한 가지를 썼다면 부분 점수를 받을 수 있습니다. 듣는 사람에게 알맞은 말하기 방법을 둘 다 쓰지 못한 점이 아쉽습니다. |
| 하 | (1)과 (2)의 내용이 구분되지 않게 썼다면 점수를 받기 어렵습니다. |

**2** 돈이 생기게 된 까닭을 설명해야 하는데, 반 친구들에게 말해야 하므로 높임말을 사용해서 설명해야 합니다.

| 채점 기준 | |
|---|---|
| 상 | 돈이 생기게 된 까닭을 높임말을 사용하여 자세히 설명하였다면 만점입니다. |
| 중 | 돈이 생기게 된 까닭을 높임말을 사용하여 간단히 설명하였다면 부분 점수를 받을 수 있습니다. 자세히 설명하지 않은 점이 아쉽습니다. |
| 하 | 돈이 생기게 된 까닭을 간단히 설명하였고, 높임말도 사용하지 않았다면 점수를 받기 어렵습니다. |

여러 사람 앞에서 말할 때에는 높임말을 사용해야 해.

**01** (3) ○　**02** 예 듣는 사람이 잘 알아들을 수 없다. / 자신의 생각을 분명하게 전달할 수 없다. / 느낌을 잘 표현할 수 없다.　**03** (1) ㉮ (2) ㉭　**04** ③　**05** ⑤　**06** ②　**07** 친구　**08** ③　**09** 예 동전은 다양한 금속을 섞어 만들기 때문에 색깔이 다양한 거야.　**10** ③, ④　**11** 스산한　**12** 보봉이 어린아이들의 천국이라는 점 때문에　**13** ①, ③　**14** 실천　**15** ⑤

**01** 그림 **1**의 남자아이는 긴장해 굳은 표정이며, 그림 **2**의 여자아이는 비뚤게 서서 손으로 머리를 긁적이고 있습니다. 그림 **3**의 우승한 친구는 인터뷰를 하는 공적인 상황인데 어색하고 예의 없는 말투로 말하고 있습니다.

**02** 여러 사람 앞에서, 혹은 공적인 자리에서 말할 때 알맞은 표정, 몸짓, 말투로 말하지 않으면 자신의 생각을 분명하게 전달하지 못하며, 듣는 사람이 잘 알아들을 수 없게 되고, 느낌을 잘 표현할 수 없습니다.

채점 기준
'듣는 사람이 잘 알아들을 수 없다. 자신의 생각을 분명하게 전달할 수 없다. 느낌을 잘 표현할 수 없다.' 등을 썼으면 정답으로 인정합니다.

**03** 석우는 친구를 격려하며 밝고 장난스러운 말투로 말하고 있으나, 자신이 없는 영택이는 걱정스러운 말투로 말하고 있습니다.

**04** 영택이의 성공을 기뻐하며 축하해 주는 상황이므로, 놀라는 듯 눈을 크게 뜨고 엄지손가락을 위로 올리는 몸짓이 어울립니다.

**05** 상대를 설득할 때는 따뜻한 표정으로 상대를 바라보며 부드럽게 말해야 합니다. 또 알맞은 몸짓을 사용하며 말합니다.

**06** 물물교환을 하던 사람들이 서로 원하는 것과 생각하는 물건의 가치가 달라 불편했기 때문에 돈이 생겨났습니다.

**07** 친구가 관심 있어 하는 내용을 흥미롭게 말해 주고 있습니다. 동생에게는 좀 더 쉽게 말해야 합니다.

**08** 동전을 만들 때 주재료인 구리에 섞는 금속에 따라 동전의 색깔이 달라집니다.

**09** 동생에게 말할 것이므로 이 글의 중요한 내용인 동전의 재료, 동전의 색깔이 달라지는 까닭을 이해하기 쉬운 말로 간단하게 설명해 봅니다.

채점 기준
동전의 재료, 동전의 색깔이 다양한 까닭을 동생이 이해하기 쉬운 말로 간단하게 썼으면 정답으로 인정합니다.

**10** 듣는 사람이 동생이라면 이해하기 쉬운 말로 간단하게 말해야 하고, 듣는 사람이 여러 사람이라면 높임말을 사용해야 합니다.

**11** 보봉은 오랫동안 군대가 머무는 곳으로 묶여 있어 생기라고는 찾아볼 수 없는 스산한 마을이었다고 하였습니다.

**12** 보봉이 어린아이들의 천국이라는 점 때문에 이사를 오게 되었다고 하였습니다.

**13** 태양광 에너지로 전기를 생산하여 사용하며, 개인 자동차보다는 대중교통을 이용하거나 자동차 함께 타기 등을 실천하고 있습니다.

**14** 보봉 마을을 생태 마을로 바꾼 것은 주민의 실천 때문이었으므로, 이 글을 읽고 환경 보호를 직접 실천하는 일에 대해 생각할 수 있습니다.

**15** 읽는 사람의 처지와 상황을 고려하며 환경 보호를 위해 실천할 수 있는 일을 지키자는 의견을 써야 하므로, 놀이터의 문제점에 대한 의견은 알맞지 않습니다.

## 4 단원  일에 대한 의견

 교과서 내용 **학습**     62~67쪽

01 ①   02 ④   03 (1) – ① (2) – ②   04 (1) 사실 (2) 사실 (3) 의견   05 ①   06 ④   07 사실, 예 아버지로부터 들은 말은 실제로 일어난 일이기 때문이다.   08 (1) 의견 (2) 사실 (3) 의견   09 ⑤   10 ①, ④   11 ⑤   12 ㉣, ㉤   13 ⑤   14 ㉡   15 ⑤   16 (2) ○   17 ⑤   18 예 커다란 수박을 열심히 파먹고 있었다. / 수박 껍질을 뚫어 내고 수박씨를 먹고 있었다.   19 (2) ○   20 예 조선 시대와 지금의 수박 껍질 모습이 다르다. / 쥐들이 수박을 좋아한다.   21 (1) – ③ (2) – ① (3) – ②   22 ④   23 (1) 예 직업 체험학습 (2) 예 직업 체험 하는 곳에 가서 성우를 해 보았다. (3) 예 내 목소리가 녹음되어 한 편의 영화가 만들어지는 것이 신기하였다.   24 (1) 의견 (2) 사실

01 **1**에서 정우와 석원이는 박물관에서 본 김홍도 그림에 대해 이야기하고 있습니다.

02 석원이는 사람들의 모습과 표정이 실감 나게 느껴져서 씨름하는 장면을 그린 그림이 가장 마음에 든다고 하였습니다.

03 정우는 실제로 있었던 일을 말하였고, 석원이는 대상이나 일에 대한 생각을 말하였습니다.

04 ㉠과 ㉡은 실제로 있었던 일을 쓴 사실, ㉢은 생각을 쓴 의견입니다.

**더 알아보기**

**사실과 의견**

| 사실 | 실제로 있었던 일을 말함. |
|------|------------------------|
| 의견 | 대상이나 일에 대한 생각을 말함. |

05 이 글은 독도에 여행을 다녀와서 쓴 기행문입니다.

06 글쓴이는 평소에 독도에 관심이 많아 독도에 대한 책도 읽고 사진도 여러 장 찾아보았습니다.

07 아버지께서 직접 말씀하신 것이므로 실제로 있었던 일입니다.

**채점 기준**

'실제로 일어난 일'이라는 말이 들어가게 썼으면 정답으로 인정합니다.

08 실제로 일어난 일, 직접 한 일 등은 사실이고, 그 일에 대한 생각이나 느낌은 의견입니다.

**더 알아보기**

**사실과 의견을 구별하는 근거**

| 사실 | 한 일, 본 일, 들은 일 |
|------|---------------------|
| 의견 | 느낌, 생각 |

09 ㉠은 글쓴이가 들은 일이므로 사실입니다.

10 슴새, 바다제비 등의 새를 직접 보아서 신기하다고 하였습니다.

11 독도는 화산섬이라서 식물이 잘 자라기 힘든 곳이라고 하였습니다.

12 ㉡과 ㉢은 사실을 나타낸 것이고 ㉣과 ㉤은 독도를 여행하고 난 글쓴이의 생각과 느낌을 쓴 것입니다.

13 신사임당의 병풍 그림인 「초충도」 중 '수박과 들쥐'에 대한 글입니다.

14 ㉡은 그림에 대해 쓴 사실을, ㉠, ㉢은 인상적이라는 표현을 통해 볼 때 그림에 대한 글쓴이의 의견을 쓴 것입니다.

15 「초충도」는 식물과 그 주변에 벌레와 곤충이 그려진 그림입니다.

16 '수박과 들쥐'를 보면서 그림에 실제로 나타난 것을 말한 것은 '사실', 그림에 대해 '흥미롭다' 등의 생각이나 느낌을 쓴 것은 '의견'입니다.

17 이 그림 속의 수박과 나비는 아이를 많이 낳아 서로 행복하게 잘 살아가길 바라는 마음을 담고 있는 것으로 생각할 수 있다고 하였습니다.

18 그림 속 쥐들은 수박 껍질을 뚫어 내고 수박씨를 먹고

있다고 하였습니다.

**19** 두 개의 수박을 아래쪽 한가운데에 배치하지 않고 왼쪽에 치우치게 배치함으로써 화면의 단조로움을 극복하고 변화와 움직임을 주었습니다.

**20** 이 글을 읽고 알게 된 사실을 씁니다.

채점 기준
이 글을 읽고 알게 된 사실을 쓴 경우 정답으로 인정합니다.

사실은 실제로 있었던 일을 말하고, 의견은 대상이나 일에 대한 생각을 말하므로 이를 구별하여 써야 해.

**21** 1은 현장 체험학습, 2는 과학의 날 행사, 3은 가족의 결혼식을 떠올려 본 것입니다.

**22** 겪은 일을 정리하는 것이므로 누구와, 언제, 어디에서, 무엇을, 어떻게, 왜 했는지, 그리고 어떤 생각을 했는지 정리해 보아야 합니다.

**23** 자신이 겪은 일을 떠올린 뒤 그 일에 대한 사실과 의견을 씁니다.

채점 기준
떠올린 일의 본 일, 들은 일, 한 일 등을 쓰고, 그에 대한 의견을 쓴 경우 정답으로 인정합니다.

**24** 실제 일어난 일을 그대로 나타낸 것이 사실이고 그에 대해 어떤 생각이 들었는지를 나타낸 것은 의견입니다.

---

### 서술형 수행 평가 돋보기
69쪽

**1** (1) △ (2) ○ (3) ○ (4) ○

**2** 예 숙제를 잘 해 오지 않는 친구가 여러 명 있다.

**3** (1) 예 우리 반에는 숙제를 잘 해 오지 않는 친구가 여러 명 있다. 그 친구들은 숙제를 집이 아닌 학교에서 한다.
(2) 예 숙제를 집에서 해 오면 좋겠다. 숙제를 집에서 해 와야 숙제의 내용도 더 좋고, 학교에서의 시간도 보람차게 보낼 수 있기 때문이다.

**4** 제목: 예 숙제는 집에서!
예 우리 반 친구들 중에는 숙제를 해 오지 않는 친구가 여러 명 있다. 그 친구들은 숙제를 집이 아닌 학교에서 자주 한다. 선생님이 숙제를 내 주시는 까닭은 학교에서 한 공부를 보충하고, 집에서 더 충분한 시간을 가지고 생각하거나 글을 쓰게 하려는 것이다. 그런데 학교에서 숙제를 하면 생각할 겨를도 없이 숙제를 대충하게 된다. 또한 숙제를 하느라 그날 학교에서의 수업에 집중하지 못하게 된다. 그러므로 숙제는 집에서 해 오는 우리 반이 되었으면 좋겠다.

---

**1** 개인적인 일은 학급 신문에 실리기에는 알맞지 않으므로 친구네 가족이 제주도 여행을 다녀온 일은 학급 신문에 실리기에 알맞지 않은 내용입니다.

**2** 우리 반의 문제점을 생각하여 씁니다.

**3** 우리 반의 문제점에 대한 사실과 의견을 구별하여 씁니다.

채점 기준

| | |
|---|---|
| 상 | 우리 반의 문제점에 대한 내용을 사실과 의견이 구별되게 썼으면 만점입니다. |
| 중 | 사실과 의견 중 한 가지를 알맞게 썼다면 부분 점수를 받을 수 있습니다. |
| 하 | 사실과 의견을 썼는데 둘 다 알맞지 않거나 사실과 의견을 쓰지 못했다면 점수를 받기 어렵습니다. |

한 일, 본 일, 들은 일 등은 사실로 쓰고, 느낌, 생각 등은 의견으로 써야 해.

4 **3**에서 정리한 것을 바탕으로 사실과 의견이 잘 드러나도록 신문 기사를 씁니다.

**채점 기준**

| 상 | 학급의 일에 대한 사실과 자신의 의견이 잘 드러나게 기사문을 썼으며, 기사문의 제목을 알맞게 지었고, 글의 흐름이 자연스럽다면 만점입니다. |
| 중 | 학급의 일에 대한 사실과 자신의 의견이 한 가지 이상 드러나게 기사문을 썼으며, 기사문의 제목을 알맞게 지었으나, 글의 흐름이 자연스럽지 못하다면 부분 점수를 받을 수 있습니다. |
| 하 | 학급의 일에 대한 사실과 자신의 의견이 드러나게 기사문을 쓰지 못했다면 점수를 받기 어렵습니다. |

**더 알아보기**

**사실에 대한 의견 쓰기** 예

학교나 집에서 있었던 일 떠올리기
↓
겪은 일에 대한 사실을 누구와, 언제, 어디에서, 무엇을, 어떻게, 왜 했는지, 어떤 생각을 했는지 정리하기
↓
쓸 내용을 사실과 의견으로 정리하기
↓
정리한 내용을 바탕으로 사실과 의견이 잘 드러나는 글 쓰기

 **단원 확인 평가**     73~74쪽

**01** 사실  **02** ⑤  **03** ④  **04** ⑤  **05** (1) 사실 (2) 사실 (3) 의견 (4) 의견  **06** ②  **07** ③, ⑤  **08** (1) 예 쥐들이 수박을 좋아한다. (2) 예 쥐들이 달콤한 수박을 좋아해 껍질을 뚫고 파먹고 있는 모습과 만족스러운 표정이라고 한 부분이 인상 깊고 신기하다.  **09** ④  **10** ②

**01** 실제로 있었던 일을 사실이라고 합니다.

**02** 글쓴이는 박물관에서 우리 조상의 생활 모습을 나타낸 그림들을 보았습니다.

**03** '아침에 일찍 일어나야 한다.'는 것은 글쓴이의 생각에 해당되므로 의견입니다.

**04** 글쓴이는 독도를 아끼고 독도에 꾸준히 관심을 가져야겠다고 생각했습니다.

**05** 실제로 있었던 일로 한 일, 본 일, 들은 일은 사실에 해당되고, 이에 대한 생각이나 느낌은 의견에 해당됩니다.

**06** 작은 쥐들이 커다란 수박을 파먹고 있다는 내용은 그림의 실제 내용을 그대로 쓴 것이어서 사실을 나타낸 것입니다.

**더 알아보기**

「묵직한 수박 위로 나비가 훨훨」을 읽고 사실과 의견 구별하기

| 글 | 사실 / 의견 |
| --- | --- |
| 참으로 당당해 보이는 수박 덩어리이지요. | 의견 |
| 줄기에 작은 수박 하나가 더 매달려 있군요. | 사실 |
| 나비의 색깔이 서로 대비를 이루어 인상적입니다. | 의견 |
| 수박 껍질을 뚫어 내고 수박씨를 먹고 있는 모습입니다. | 사실 |
| 안정감 속에 변화와 생동감이 은근히 배어 있지요. | 의견 |

**07** 커다란 수박 두 덩이가 화면의 무게 중심을 잡고 있고, 수박과 패랭이꽃의 줄기가 대비를 이루고 있기 때문에 그림이 안정적으로 보인다고 하였습니다.

**08** 이 글에서 알게 된 사실과 그에 대한 자신의 생각이나 느낌을 의견으로 씁니다.

**채점 기준**

이 글에 쓰인 사실과 그에 대한 의견을 쓴 경우 정답으로 인정합니다.

**09** ㉯는 본 일에 대한 의견을 써야 하는데, 사실을 정리하였습니다.

> **더 알아보기**
> _____
>
> **사실과 의견이 잘 드러나게 글을 써 보기**
> 제목: 에너지 박물관을 다녀와서
>
>   지난주 수요일에 우리 반은 에너지 박물관에 현장 체험학습을 다녀왔다. 선생님께서는 평소 에너지 절약에 관심이 없는 우리들에게 에너지 절약의 중요성을 알려 주시기 위해서 현장 체험학습을 가는 것이라고 말씀하셨다. 박물관에는 에너지 절약과 관련한 다양한 전시물과 대체 에너지 체험 기구들이 있었다. 선생님께서는 겨울에 입는 내복 하나, 내가 뽑은 꽂개 하나, 종이 뒷면을 한 번 더 활용하는 습관 하나가 에너지를 아낄 수 있다고 말씀하셨다. 이번 현장 체험학습을 통해 에너지의 중요성과 에너지 절약의 필요성에 대해 알게 되었다. 박물관을 나서며 나부터 소중한 에너지를 아껴 써야겠다고 생각했다.

**10** 학급 신문이므로 학급 친구들에 관한 소식이나 학급의 일에 관련된 문제와 그 의견으로 기사를 써야 합니다.

이번 단원에서는 사실과 의견을 구별하는 방법을 공부했어.

기사 내용을 조사하여 학급 신문을 쓸 때에는 어떤 일이 있었는지 사실을 정확하게 조사해야 하고 선생님, 친구, 부모님이 한 말도 기록하면 좋아.

# 내가 만든 이야기

## 교과서 내용 학습

78~85쪽

01 예 감나무가 있는 허름한 집 한 채　02 ⑤　03 (1) – ②
(2) – ①　04 호랑이　05 예 금으로 가득한 산(금이 있는 커
다란 산)　06 ②　07 장소(배경)　08 예 까마귀는 동생을 금
으로 가득한 산에 데려다주고 동생은 주머니에 금을 담아 왔
다.　09 ④　10 ②　11 ㉮ → ㉯　12 예 「흥부와 놀부」, 착
한 사람은 복을 받고 나쁜 사람은 벌을 받는다는 내용이 비슷
하다.　13 날마다 공원에 가서 달리기 연습을 했다.　14 ①
15 (1) 2 (2) 1 (3) 3　16 ②　17 예 아들에게 용기를 주기
위해 약한 몸으로 마라톤에서 꼴찌를 한 아버지의 사랑이 아
름답기 때문이다. / 처음에는 친구들의 놀림이 두려워 겁냈지
만 두려움을 극복하고 끝까지 완주한 수현이의 모습이 아름
다웠기 때문이다.　18 ㉰　19 욕실　20 ④　21 (1) ○　22
②, ⑤　23 ⑤　24 ②　25 냄새 맡기　26 (2) ○　27 예 심
통이 난 초록 고양이는 꽃담이를 항아리에 숨기고 엄마에게
찾으라고 한다.　28 경진　29 (1) ○ (2) △

01 형은 아버지가 남기고 간 많은 재산 중 감나무가 있는
허름한 집 한 채만 동생에게 주었습니다.

많은 재산 중
동생에게 허름한 집 한 채만
준 것을 보니 형은 욕심이
많은 성격이군.

02 까마귀 떼는 동생의 감을 다 먹어 버리고 감 대신 금을
준다고 하였습니다.

03 옛날 어느 마을, 동생은 아버지의 재산 가운데 감나무
가 있는 집 한 채만 받았는데, 동생의 집에서 까마귀가
감을 다 먹어 버린 일이 일어났습니다.

04 이 이야기에는 '형, 동생, 까마귀'가 등장합니다.

05 동생을 등에 태우고 까마귀는 온통 금으로 가득한 산
위에 내려 앉았습니다.

06 마음대로 가져도 된다고 하였는데 작은 주머니에만 금
을 담아 온 것으로 보아, 욕심이 없다는 것을 알 수 있
습니다.

07 동생의 집에서 금으로 가득한 산으로 바뀐 것은 장소
(사건이 일어난 배경)입니다.

08 까마귀는 금 산에 동생을 데려다주고, 동생은 준비해
간 작은 주머니에 금을 담아 왔습니다.

채점 기준
까마귀는 동생을 금으로 가득한 산에 데려다주고 동생은 주머
니에 금을 담아 왔다는 내용이 들어가면 정답으로 인정합니다.

09 형의 금자루가 너무 무거워서 까마귀 등에서 떨어졌습
니다.

10 욕심이 없는 착한 동생은 금을 구해 부자가 되었는데,
욕심을 부려 금을 많이 담은 형은 금 산 위에 버려졌으
므로 욕심을 부리지 말자는 것이 글쓴이가 전하고 싶은
생각입니다.

11 형은 감나무가 있는 집 한 채만 동생에게 주고 모두 가
져왔으나 동생이 부자가 된 것을 듣고 감나무를 빌렸습
니다. 동생과 같이 까마귀가 금 산으로 데려다주었지
만, 너무 많은 욕심을 부려 금을 가져오지 못했습니다.

12 「흥부 놀부」, 「혹부리 영감」 등이 비슷한 이야기입니다.

채점 기준
옛이야기의 제목을 쓰고, 비슷한 점을 알맞게 썼으면 정답으
로 인정합니다.

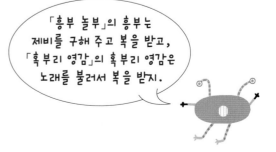

「흥부 놀부」의 흥부는
제비를 구해 주고 복을 받고,
「혹부리 영감」의 혹부리 영감은
노래를 불러서 복을 받지.

**13** 수현이는 마라톤 대회에 참가하여 완주를 하기 위해서 날마다 공원에 가서 달리기 연습을 했습니다.

**14** 마라톤 대회에서 수현이는 끝까지 포기하기 않겠다고 다짐을 하였습니다.

**15** 마라톤 대회에 참가하기 위해 수현이는 달리기 연습을 하였고, 대회 날 마라톤에 참가해 완주하겠다고 다짐했습니다. 마라톤 대회 중에는 힘들어서 포기하려고 하였으나, 자신의 등 뒤에서 응원하는 소리를 들었습니다.

**16** 수현이는 마라톤 경기가 있었던 날, 엄마가 아빠에게 하는 말을 듣고 자신의 뒤에서 꼴찌로 달렸던 사람이 아빠라는 것을 알게 되었습니다.

**17** '아름다운 꼴찌'는 아이에게 용기를 주기 위해 약한 몸으로 마라톤에서 꼴찌를 한 아버지의 사랑 또는 끝까지 완주한 수현이를 말하는 것입니다.

<u>채점 기준</u>
제목의 뜻을 아버지의 사랑, 또는 완주한 수현이 등의 내용으로 썼으면 정답으로 인정합니다.

**18** 대회에 참가하기 위해서 연습한 것(㉺)은 처음의 내용이고, 뒤에서 달렸던 사람이 아빠였다는 것을 알게 된 일(㉻)이 끝의 내용입니다. 나머지 ㉮, ㉯, ㉱의 내용은 가운데의 내용입니다.

**19** 엄마는 욕실에 들어가서 나오지 않았습니다.

**20** 초록 고양이는 커다란 동굴 속 하얀 40개의 항아리 가운데 하나에 엄마가 있다고 하였습니다.

**21** 엄마가 없어진 것이 '원인'이고, 초록 고양이가 엄마를 찾고 싶으면 따라오라고 한 것이 '결과'입니다.

**22** 초록 고양이는 꽃담이에게 항아리를 두드려 봐도 안 되고, 엄마를 불러서도 안 된다고 하였습니다.

**23** 초록 고양이는 꽃담이가 엄마를 찾으면 엄마를 집으로 돌려보내 준다고 하였습니다.

**24** 초록 고양이는 꽃담이가 조금도 겁을 먹지 않아서 화가 났습니다.

**25** 꽃담이는 엄마의 냄새를 맡는 방법으로 엄마를 찾았습니다.

**26** 꽃담이가 항아리의 냄새를 맡는 장면은 꽃담이가 엄마 냄새를 맡아 엄마를 찾는 장면입니다.

**27** 초록 고양이는 꽃담이에게 한 것처럼 엄마에게도 꽃담이를 찾으라고 하였습니다.

<u>채점 기준</u>
초록 고양이가 꽃담이를 숨기고 엄마에게 찾으라고 하였다는 내용이 들어 있으면 정답으로 인정합니다.

<u>더 알아보기</u>
**「초록 고양이」의 사건의 흐름 정리하기**
초록 고양이가 욕실에 있던 엄마를 어디론가 데려감. → 엄마를 데려간 초록 고양이는 꽃담이에게 엄마를 찾고 싶으면 자신을 따라오라고 함. → 초록 고양이는 항아리 40개 가운데에서 엄마가 들어가 있는 항아리를 한 번에 찾으라고 함. → 꽃담이는 엄마 냄새를 맡고 엄마가 있는 항아리를 찾음. → 심통이 난 초록 고양이는 꽃담이를 항아리에 숨기고 엄마에게 찾으라고 함.

**28** 이 이야기의 원인과 결과를 따져볼 때, 초록 고양이는 엄마에게 뚜껑을 열어 봐서도 안 되고 딸 이름을 불러서도 안 된다고 하였으므로, 은수의 상상은 알맞지 않습니다.

꽃담이를 찾기 위해 엄마가 지켜야 할 조건은 뚜껑을 열거나 꽃담이의 이름을 불러서는 안 된다는 거야.

**29** 이어질 내용을 상상해서 쓸 때에는 사건의 흐름에 맞게 이어질 내용을 상상하여 쓰고, 이야기의 처음, 가운데, 끝을 생각하여 쓰며, 사건들 사이에 원인과 결과 관계가 있게 써야 합니다.

 **단원 확인 평가**

90~91쪽

**01** 욕심  **02** ⑤  **03** 예 동생에게 감나무를 빌렸다.  **04** ⑤
**05** 아빠  **06** 은희  **07** ⑤  **08** ⑤  **09** ㉠ → ㉣ → ㉤ →
㉡ → ㉢  **10** 예 엄마도 꽃담이처럼 꽃담이의 냄새를 맡고
꽃담이를 찾는다. 그리고 초록 고양이에게 엄마가 없는 것 같
으니 집에서 같이 살자고 한다.

**01** 글쓴이는 이 글을 통하여 욕심을 부리면 안 된다는 것
을 말하고 싶어 합니다. ㉠는 형이 욕심이 생겨 감나무
를 빌려 달라고 하는 장면입니다.

**02** 형은 금으로 가득한 산에서 동생보다 더 큰 부자가 될
것이라고 생각하며 기뻐했습니다.

**03** 형은 동생의 집에서 감나무를 빌렸습니다.

> 채점 기준
>
> 인물, 장소에 따라 일어난 일을 알맞게 썼으면 정답으로 인정합
> 니다.

> 금 산에서 금을 가져와
> 부자가 된 동생을 보고 욕심쟁이
> 형은 동생에게 감나무를 빌려
> 달라고 하여 동생을
> 따라 했지.

**04** 수현이는 자신의 뒤에서 꼴찌로 달리는 친구가 있다는
것에 힘을 얻어 완주하였습니다.

**05** 그날 밤, 엄마와 아빠의 대화를 통해 꼴찌로 달렸던 사
람은 사실 수현에게 힘을 주기 위해 함께 달렸던 아빠
라는 것을 알 수 있습니다.

**06** 은희는 끝 부분, 정호는 가운데 부분의 사건에 대해 말
하고 있습니다.

**07** 이 이야기에는 '초록 고양이, 꽃담이, 엄마'가 등장합
니다.

**08** 꽃담이는 항아리에서 고소하고 달콤하고 향긋한 엄마
냄새가 났기 때문에 엄마를 찾을 수 있었습니다.

**09** 초록 고양이는 욕실에 있던 엄마를 어디론가 데려가서
꽃담이에게 엄마를 찾고 싶으면 자신을 따라오라고 했
습니다. 초록 고양이는 항아리 40개 가운데에서 엄마
가 들어가 있는 항아리를 한 번에 찾으라고 했고, 꽃담
이는 엄마 냄새를 맡고 엄마가 있는 항아리를 찾았습니
다. 초록 고양이는 꽃담이를 항아리에 숨기고 엄마에게
찾으라고 했습니다.

**10** 초록 고양이가 무엇을 하면 안 된다고 했는지를 생각하
며 꽃담이를 구할 수 있는 방법을 생각하여 이어질 내
용을 상상하여 씁니다. 단, 사건의 흐름에 맞고, 사건들
사이에 원인과 결과 관계가 맞아야 합니다.

> 채점 기준
>
> 초록 고양이가 무엇을 하면 안 된다고 했는지를 생각하며 꽃
> 담이를 구할 수 있는 방법을 앞의 내용과 잘 이어지게 썼으면
> 정답으로 인정합니다.

> 더 알아보기
>
> **이어질 내용을 상상하여 쓸 때 주의할 점**
> • 사건의 흐름에 맞게 이어질 내용을 상상해야 합니다.
> • 이야기의 처음, 가운데, 끝을 생각하고 써야 합니다.
> • 사건들 사이에 원인과 결과 관계가 있어야 합니다.

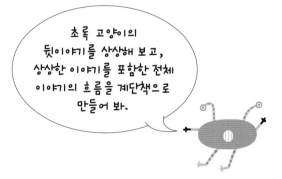

> 초록 고양이의
> 뒷이야기를 상상해 보고,
> 상상한 이야기를 포함한 전체
> 이야기의 흐름을 계단책으로
> 만들어 봐.

> 더 알아보기
>
> **이야기의 흐름 계단책 만들기**
> 1. 크기가 같은 종이 두 장을 일정한 간격(1~2센티미터)으로
>    겹칩니다.
> 2. 간격을 맞춘 종이를 접고 접힌 뒤에도 일정한 간격을 유지
>    하도록 합니다.
> 3. 접힌 부분을 찍개로 세 군데 정도 고정합니다.
> 4. 가장 앞 장은 표지로 사용하고, 다음 세 장은 처음, 가운데,
>    끝의 이야기를 요약해 이야기의 흐름을 정리합니다.

## 6 단원 회의를 해요

### 교과서 내용 학습

94~98쪽

**01** ③, ④  **02** ①  **03** 학교생활을 안전하게 하자.  **04** ①, ③  **05** ④  **06 예** 회의 주제에 대한 의견을 발표한다. / 다른 사람의 의견을 주의 깊게 듣는다.  **07** (1) – ① (2) – ②  **08** 기록자  **09** 표결  **10** (2) ○  **11** 안전 게시판을 만들자.  **12** ㉣ → ㉑ → ㉫ → ㉵  **13** ①  **14** ⑤  **15** ④  **16** (1) **예** 요일별로 일찍 먹는 모둠을 정하여 그 순서대로 돌아가면서 점심밥을 먹자. (2) **예** 요일별로 점심밥을 일찍 먹는 친구들이 달라지므로 공평하기 때문이다.  **17** (1) ○  **18** 현우  **19 예** 말할 기회를 골고루 준다.  **20 예** 회의 참여자는 다른 사람의 의견을 존중한다. / 나 자신의 의견만 옳다고 주장하지 않는다. / 친구가 의견을 말할 때 끼어들지 않는다. / 알맞은 크기의 목소리로 말한다.

**01** 회의에 참여하는 역할에는 사회자, 회의 참여자, 기록자가 있습니다.

**02** 학급 회의 중에서 '개회' 절차에서는 회의 시작을 알립니다.

**03** 주제 선정에서 나온 두 번째 제안은 "학교생활을 안전하게 하자."입니다.

**04** 사회자는 회의 절차를 안내하고 말할 기회를 골고루 주는 역할을 합니다.

**05** 학급 회의 중에서 '주제 토의' 절차에서는 선정된 주제에 맞는 의견을 제시합니다.

**06** 회의 참여자는 다른 사람의 의견을 주의 깊게 들으면서 회의 주제에 대한 의견을 발표하는 일을 합니다.

#### 채점 기준
'주제에 대한 의견을 발표한다, 다른 사람의 의견을 잘 듣는다' 등의 말을 썼으면 정답으로 인정합니다.

**07** 회의 참여자 3은 안전 게시판을 만들면 좋겠다고 하였고, 회의 참여자 4는 모둠별로 안전 지킴이 활동을 하면 좋겠다고 하였습니다.

**08** 회의가 열린 날짜와 장소를 기록하고, 회의록에 내용을 기록하는 역할을 하는 사람은 기록자입니다.

#### 더 알아보기
**회의 참여자의 역할**
- 사회자
  - 회의 절차를 안내함.
  - 말할 기회를 골고루 줌.
- 회의 참여자
  - 의견을 발표함.
  - 다른 사람의 의견을 주의 깊게 들음.
- 기록자
  - 회의가 열린 날짜와 장소를 기록함.
  - 회의 내용을 기록함.

**09** 회의에서 찬성과 반대 의견을 헤아려 다수결로 결정하는 절차를 표결이라고 합니다.

**10** 이 회의에서는 실천 내용마다 찬성하는 사람이 손을 들어서 가장 많은 수가 찬성을 한 의견을 실천 내용으로 정하였습니다.

**11** 이 회의에서 결정된 생활 목표는 "학교생활을 안전하게 하자."이고, 실천 내용으로는 "안전한 게시판을 만들자."로 결정되었습니다.

**12** 회의는 '개회 → 주제 선정 → 주제 토의 → 표결 → 결과 발표 → 폐회'의 절차로 이루어집니다.

#### 더 알아보기
회의의 절차

| 개회 | 회의의 시작을 알림. |
|---|---|
| ↓ | |
| 주제 선정 | 회의 주제를 정함. |
| ↓ | |
| 주제 토의 | 선정된 주제에 맞는 의견을 제시함. |
| ↓ | |

| 표결 | 찬성과 반대 의견을 헤아려 다수결로 결정함. |

↓

| 결과 발표 | 결정된 의견을 발표함. |

↓

| 폐회 | 회의의 마침을 알림. |

**13** 친구들은 회의 주제를 정하는 방법에 대하여 대화하고 있습니다.

**14** "아침에 일찍 일어나자."는 친구들이 공통으로 관심을 가질 만한 것이 아니라고 하였습니다.

**15** 회의 주제에 대한 의견을 말할 때에는 회의 주제와 관련되는 의견과 근거를 내세우고, 실천할 수 있고 많은 사람에게 도움이 되는 의견인지 생각해야 합니다.

**16** 모둠 순서, 출석 번호 순서, 남녀 순서 등 점심밥 먹는 방법을 생각하여 의견을 제시하고, 그에 알맞은 까닭을 근거로 씁니다.

**채점 기준**

"모둠별로 돌아가면서 먹는다.", "출석 번호 순서대로 먹는다.", "요일별로 일찍 먹는 모둠을 정하여 먹는다." 등 점심밥을 먹는 알맞은 방법을 쓰고, 그에 알맞은 까닭을 근거로 제시하였으면 정답으로 인정합니다.

**더 알아보기**

**주제에 대한 의견과 근거를 생각해 보기** 예

| 제목 | | 친구들과 사이좋게 지내자. |
|---|---|---|
| 1 | 의견 | 친구에게 바르고 고운 말을 사용하자. |
| | 근거 | 거친 말을 사용해 다툼이 일어나는 일이 많기 때문입니다. |
| 2 | 의견 | 친구에게 기분이 좋은 말을 하자. |
| | 근거 | 친구가 싫어하는 별명을 부르거나 놀려서 서로 다투는 경우도 많기 때문입니다. |
| 3 | 의견 | 오해가 생기면 대화로 풀자. |
| | 근거 | 오해가 생겼을 때 서로 말을 하지 않으면 오해가 더 깊어져서 친구 사이가 멀어지기 때문입니다. |

**17** 회의 참여자 1은 사회자에게 허락을 얻지 않고 바로 말

하였습니다.

**18** 회의 참여자 3처럼 회의 참여자 2가 말하고 있을 때 끼어들어 말하면 발표하는 친구의 의견을 끝까지 듣지 못하게 됩니다.

**19** 이 회의에서 사회자는 한 사람에게 말할 기회를 계속 주고 있습니다. 사회자는 말할 기회를 골고루 주어야 합니다.

**20** 회의 참여자는 친구가 의견을 말할 때 끼어들지 않으며, 다른 사람의 의견을 존중하고, 사회자의 허락을 얻고 말하며 자신의 의견만 옳다고 주장하지 않아야 하고, 알맞은 크기의 목소리로 말해야 합니다.

**채점 기준**

회의 참여자들이 지켜야 할 규칙인 '친구가 의견을 말할 때 끼어들지 않기, 다른 사람의 의견을 존중하기, 사회자의 허락을 얻고 말하기, 자신의 의견만 옳다고 주장하지 않기, 알맞은 크기의 목소리로 말하기' 중 한 가지를 알맞게 썼으면 정답으로 인정합니다.

회의 절차에 따라 회의에 참여하는 사람들이 자신의 역할을 잘 실행하면 좋은 회의가 될 수 있어.

**01** ②, ⑤  **02** ①  **03** ①  **04** ④  **05** (1) ○  **06** ⑤  **07** ①  **08** (1) 예 친구에게 바르고 고운 말을 사용하자. (2) 예 거친 말을 사용해 다툼이 일어나는 일이 많기 때문이다. **09** ④  **10** ⑤

**01** 회의는 여러 사람이 모여 서로 의견을 들으면서 좋은 해결 방법을 찾기 위해 하는 것입니다.

**02** 이 회의 장면은 주제 토의 부분으로 이 부분의 앞에는 개회, 주제 선정 절차가 있어야 합니다.

**03** 이 회의는 "학교생활을 안전하게 하자."라는 주제로 회의하고 있습니다.

**04** 회의 참여자는 주제에 대한 의견을 발표하고, 다른 사람의 의견을 듣고 있습니다.

**05** 사회자는 회의 절차를 안내하고, 회의를 진행하며, 발표하려는 사람이 있을 때 말할 기회를 골고루 주는 역할을 합니다.

**06** 표결을 한 뒤 사회자가 결정된 의견을 말해 주는 절차로 '결과 발표'에 해당합니다.

**07** 학급 회의의 주제를 정할 때는 친구들이 관심을 가질 만한 학급 공동의 문제로 실천할 수 있는 해결 방법이 있어야 하고, 학급에서 해결해야 할 문제를 주제로 해야 합니다.

**08** "친구들과 사이좋게 지내자."에 대한 의견으로 "바르고 고운 말 사용하기, 친구에게 기분 좋은 말을 하기, 오해가 생길 때는 대화로 풀기, 별명 부르지 않기, 놀리지 않기" 등을 제시하고 그에 알맞은 까닭을 근거로 써 봅니다.

**채점 기준**

의견으로 "바르고 고운 말 사용하기, 친구에게 기분 좋은 말을 하기, 오해가 생길 때는 대화로 풀기, 별명 부르지 않기, 놀리지 않기" 등의 친구들과 사이좋게 지내는 방법을 제시하고 그에 알맞은 근거를 썼으면 정답으로 인정합니다.

**09** 회의 참여자 3이 회의 참여자 2가 말하는 중간에 끼어들어 말하고 있는 장면입니다.

**10** 회의 참여자는 자신의 의견만 옳다고 주장하지 않아야 하며, 다른 사람의 의견을 존중해 주어야 합니다.

**더 알아보기**

**회의 참여자들이 지켜야 할 규칙**

- 사회자
  - 말할 기회를 골고루 줍니다.
  - 회의 절차를 안내합니다.
- 회의 참여자
  - 친구가 의견을 말할 때 끼어들지 않습니다.
  - 다른 사람의 의견을 존중합니다.
  - 사회자의 허락을 얻고 말합니다.
  - 자신의 의견만 옳다고 주장하지 않습니다.
  - 알맞은 크기의 목소리로 말합니다.
- 기록자
  - 중요한 내용을 요약해서 기록합니다.
  - 회의 날짜와 시간, 장소를 기록합니다.

이번 단원에서는 회의의 절차와 회의에 참여하는 사람들의 역할에 대해 공부했어.

**7** 단원

# 사전은 내 친구

**교과서 내용 학습**                                      108~117쪽

**01** (1) 접는다, 묶어서, 찢으면 (2) 벽지, 창호지, 갱지   **02** 벽지   **03** (1) 묶, 어서, 묶다 (2) 찢, 으면, 찢다   **04** ③   **05** (1) ○   **06** 붙이다   **07** (1) ○ (4) ○   **08** ②, ④   **09** ⑤   **10** ⑩ 국어사전에서 낱말의 뜻을 찾아 이해한다. / 주변 어른들께 여쭈어본다. / 글을 읽으면서 대강의 뜻을 짐작한다.   **11** 밝을 때 빛을 저장해 두었다가 어두울 때 스스로 빛을 내는   **12** (1) ⑩ 매우 비밀스러운 (2) ⑩ 기록한 다음에 자동으로 지워진다고 하니까 감추려는 것처럼 생각되어서   **13** ①   **14** ①   **15** 반대인   **16** ④   **17** ⑤   **18** ③   **19** 높다 ↔ 낮다   **20** (1) 움직이다 (2) 뛰다(헤엄치다) (3) 헤엄치다(뛰다)   **21** ①   **22** ⑤   **23** ㉠ → ㉢ → ㉣ → ㉡   **24** (1) – ① (2) – ② (3) – ③   **25** (2) ○   **26** ④   **27** 외계인 또는 생명체   **28** 건우   **29** (3) ○ (4) ○   **30** 20~25만 년 전   **31** ⑤   **32** 포유동물   **33** (3) ○   **34** (1) ⑩ 언어가 있다. (2) ⑩ 인간은 말과 글을 사용하지만 꿀벌은 춤을 이용한다.   **35** ②, ⑤   **36** ①, ④   **37** 친구   **38** 진혁   **39** ③   **40** (1) – ① (2) – ②   **41** ⑤   **42** ⑩ 멸종 위기에 있는 동물을 보호해야 한다.   **43** 고맙고 겸손한 마음   **44** ①, ③

**01** 형태가 바뀌는 낱말은 움직임이나 성질, 상태를 나타내는 낱말인 '접는다, 묶어서, 찢으면'이고, 형태가 바뀌지 않는 낱말은 '벽지, 창호지, 갱지'입니다.

**02** 국어사전에는 첫 자음자가 'ㄱ, ㄲ, ㄴ, ㄷ, ㄸ, ㄹ, ㅁ, ㅂ, ㅃ, ㅅ, ㅆ, ㅇ, ㅈ, ㅉ, ㅊ, ㅋ, ㅌ, ㅍ, ㅎ' 순서로 실리므로, '갱지 → 묶어서 → 벽지 → 접는다 → 찢으면 → 창호지' 순으로 실립니다.

**03** 파란색으로 쓴 낱말은 형태가 바뀌는 낱말들로, 형태가 바뀌지 않는 부분에 '–다'를 붙여 기본형을 만들 수 있습니다.

**04** '달아나서, 달아나니, 달아나는, 달아나고'에서 형태가 바뀌지 않는 부분은 '달아나'이며, 여기에 '–다'를 붙인 '달아나다'가 기본형이 됩니다.

형태가 바뀌는 낱말의 뜻을 국어사전에서 찾을 때는 먼저 낱말을 형태가 바뀌는 부분과 바뀌지 않는 부분으로 나누고, 형태가 바뀌지 않는 부분에 '–다'를 붙여 기본형을 만든 뒤, 기본형을 국어사전에서 찾아 낱말의 뜻을 찾으면 돼.

**05** '작은'에서 형태가 바뀌지 않는 부분은 '작'이며, 여기에 '–다'를 붙이면 기본형은 '작다'가 됩니다.

**06** '붙이+어'인 '붙여'에서 형태가 바뀌지 않는 부분은 '붙이'이고, 여기에 '–다'를 붙이면 기본형은 '붙이다'가 됩니다.

**07** 종이로 물건을 포장할 수 있고, 앞으로도 계속 새로운 종이가 만들어질 것이며, 컴퓨터가 보급되기 시작하면서 종이 사용이 오히려 더 늘어났다고 하였습니다.

**08** 모니터로 보는 것보다 종이에 인쇄하여 보는 것이 익숙하고, 종이책은 전자책과는 다른 특유의 질감에서 오는 매력이 있기 때문에 종이 소비량이 오히려 늘었습니다.

**09** 종이는 가볍고, 값싸고, 비교적 질기고, 위생적이라는 장점이 있어 생활에 많이 활용되고 있습니다.

**10** 글을 읽다 모르는 낱말이 나오면 대강의 뜻을 짐작하거나, 국어사전을 찾거나, 주변 어른들께 여쭈어봅니다.

**11** 축광지는 밝을 때 빛을 저장해 두었다가 어두울 때 스스로 빛을 내는 종이라고 하였습니다.

**12** 앞뒤의 문장이나 낱말을 살펴보고, 비슷하거나 반대되는 뜻의 낱말을 넣어 보거나, 낱말이 사용된 상황을 떠올려 보면 낱말 뜻을 짐작할 수 있습니다.

'매우 비밀스러운'과 비슷한 뜻으로 짐작하고, 그렇게 짐작한 까닭을 합리적으로 썼으면 정답으로 인정합니다.

**13** 축광지, 온도 감응 종이, 복사가 안 되는 종이, 극비 문서로 사용되는 종이 등은 최첨단 과학 기술로 만들어지는 종이이지만, 갱지는 요즘도 흔히 쓰는 종이입니다.

**14** 낱말 뜻을 마음대로 상상하여 짐작하면 안 되고, 앞뒤 문장이나 낱말을 살펴보고, 비슷하거나 반대되는 뜻의 낱말을 넣어 보거나, 낱말을 쪼개어 보거나, 낱말이 사용된 상황을 떠올려 그 뜻을 짐작합니다.

### 더 알아보기

**낱말의 뜻을 짐작하는 방법**
• 문맥의 앞뒤 내용을 살펴보고 상황에 맞는 뜻을 찾아 짐작합니다.
• 낱말을 쪼개어 뜻을 짐작해 봅니다.
• 모양이 비슷한 다른 낱말의 뜻으로 뜻을 유추해 봅니다.
• 다른 낱말을 넣어 뜻이 통하는지 살펴봅니다.

**15** '가다'와 '오다'는 뜻이 서로 반대인 관계의 낱말입니다.

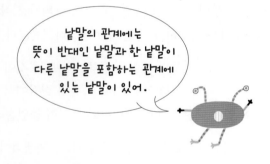

낱말의 관계에는 뜻이 반대인 낱말과 한 낱말이 다른 낱말을 포함하는 관계에 있는 낱말이 있어.

**16** '책'이란 낱말은 '동화책'이란 낱말을 포함하고, '동화책'이란 낱말은 '책'에 포함되는 낱말입니다.

**17** '침침해서'와 '흐릿하다'는 뜻이 서로 비슷한 관계의 낱말입니다.

**18** '요일'은 일주일의 각 날을 이르는 말로, 월요일부터 일요일이 '요일'에 포함되는 낱말입니다. '공휴일'은 '요일'에 포함되는 낱말이 아닌 '국가나 사회에서 정하여 다 함께 쉬는 날'이라는 뜻을 가진 낱말입니다.

**19** 뜻이 반대인 낱말은 '높다'와 '낮다'입니다.

**20** 보기 중 포함 관계에 있는 낱말은 '움직이다', '뛰다', '헤엄치다', '날다'로 '움직이다'가 '뛰다', '헤엄치다', '날다'를 포함하는 낱말입니다.

**21** 화성은 붉게 빛나는 별로 표면이 삭막하고, 강줄기가 마른 것처럼 보이는 곳과 두꺼운 얼음처럼 보이는 부분은 있으나, 바다는 없습니다.

**22** 1997년 미국의 화성 탐사선 마스 글로벌 서베이어가 보내온 화성의 사진을 보면 화성에는 고원 지대와 협곡, 분지 지형, 화산 지형이 있음을 알 수 있습니다.

**23** 국어사전에는 첫 자음자가 'ㄱ, ㄲ, ㄴ, ㄷ, ㄸ, ㄹ, ㅁ, ㅂ, ㅃ, ㅅ, ㅆ, ㅇ, ㅈ, ㅉ, ㅊ, ㅋ, ㅌ, ㅍ, ㅎ' 순서로 실리므로, '관측 → 분지 → 퇴적 → 협곡' 순서로 실립니다.

**24** 앞뒤의 문장이나 낱말을 살펴보면 낱말 뜻을 대강 짐작할 수 있습니다.

### 더 알아보기

**낱말의 뜻**
• 협곡: 험하고 좁은 골짜기.
• 분지: 높은 지형으로 둘러싸인 평지.
• 퇴적: 자갈, 모래 등이 물, 바람 등에 의해 운반되어 쌓인 현상.

**25** 물의 영향을 받은 암석의 발견을 통해 화성 표면에서 오랜 시간에 걸쳐 물이 있다가 증발하는 과정이 반복되었음을 알 수 있습니다.

**26** 큐리오시티는 화성에서 사람들이 사는 데 필요한 정보를 수집하고 있습니다.

**27** '화성인'을 포함하는 낱말로 '외계인'과 '생명체'가 나옵니다.

**28** 이 글은 화성에 관해 설명하는 글로, 속담은 나오지 않기 때문에 속담 사전을 이용하여 낱말을 찾는 것은 알맞지 않습니다.

**29** 인간은 자신을 동물보다 뛰어나고 특별하게 여기지만, 지구의 주인은 인간이 아니고, 인간은 엄연히 동물에 속한다고 하였습니다. 또 인간은 지구에서 아주 짧은 시간을 살아 왔다며 인간을 어린 아이에 비유하였습니다.

**30** 인간의 조상이 지구에 처음으로 나타난 때는 지금으로부터 20~25만 년 전입니다.

**31** '하찮다'는 '그다지 훌륭하지 않다, 대수롭지 않다'는 뜻이므로, '볼품없다'와 그 뜻이 비슷합니다.

**32** 인간과 돼지, 개, 고양이는 모두 새끼를 낳고 젖을 먹여 키우는 포유동물에 속합니다.

**33** 인간은 최초의 생명이 수십억 년에 걸쳐 다양하게 가지를 뻗으며 진화하는 과정에서 우연히 생겨난 생물의 한 종일 뿐이기 때문에 지구의 막내라고 하였습니다.

**34** 인간과 꿀벌 모두 언어가 있는데, 인간은 말과 글을 사용하지만 꿀벌은 춤을 이용한다고 하였습니다.

**채점 기준**
언어가 있다는 공통점과 인간은 말과 글을 사용하지만 꿀벌은 춤을 이용한다는 차이점을 썼으면 정답으로 인정합니다.

**35** 감정에는 기쁨, 화남, 슬픔, 아픔 등이 있습니다.

**36** 언어는 인간만이 가진 능력이라고 생각했는데 꿀벌에게도 언어가 있다는 것이 밝혀졌고, 인간에게만 있다고 생각한 아름답고 훌륭한 감정을 동물의 세계에서도 발견할 수 있다고 하였습니다.

**37** '동료'는 '같은 직장이나 같은 부문에서 함께 일하는 사람.'을 뜻합니다. **4**의 고래 이야기에서는 '동료'와 '친구'를 비슷한 뜻으로 사용하였습니다.

**38** 몸이 불편한 동료를 돕는 고래와 어미의 죽음을 슬퍼하는 침팬지의 예를 통해 동물들도 인간처럼 아름다운 마음을 가졌다는 것을 알 수 있습니다.

**39** '종종'은 '가끔'과 같은 뜻의 낱말입니다.

'종종'과 '가끔'은
'시간적, 공간적 간격이
얼마쯤씩 있게.'의
뜻으로 쓰여.

**40** '삶'과 '죽음'은 뜻이 반대인 낱말이고, '동물'과 '고래'는 '동물'이 '고래'를 포함하는 낱말입니다.

**41** 코끼리는 다른 동물의 뼈에는 아무런 관심이 없지만 코끼리의 뼈를 발견하면 큰 관심을 보이며, 뼈를 굴리며 시간을 보내거나 하며 죽은 이를 기억합니다.

**42** '멸종'은 생물의 한 종류가 아주 없어짐을 나타내는 말이므로, 그런 의미를 써서 짧은 문장을 만듭니다.

**채점 기준**
생물의 한 종류가 아주 없어짐을 뜻하는 말로 '멸종'을 넣어 짧은 글을 지어 썼으면 정답으로 인정합니다.

**43** 글쓴이는 생명 앞에서 우쭐할 게 아니라 고맙고 겸손한 마음을 가져야 한다고 하였습니다.

**44** 글을 읽을 때 국어사전을 활용해 읽으면 낱말의 뜻을 정확하게 알 수 있고, 글의 내용을 더 잘 이해할 수 있습니다.

평소 책을 읽거나
다른 과목을 공부할 때 바로 사전을
찾기보다는 여러 가지 방법으로
낱말의 뜻을 짐작해 보고, 짐작한
뜻을 사전에서 확인해 보는 연습을
꾸준히 하도록 해.

## 단원 확인 평가
123~126쪽

**01** ② **02** ② **03** (1) 익숙하기 (2) 질감 **04** (3) ○ **05** (1) 예 사용되는 것 (2) 예 문맥에 매일 사용할 수 있다는 설명이 나와서 **06** ⑤ **07** 꽃 **08** ⑤ **09** 암석 → 외계인 → 조사하다 → 착륙하다 **10** ② **11** ④ **12** 춤 **13** (3) ○ **14** 예 동물 백과사전에서 '포유동물'에 관한 내용을 찾아보고 싶다. / 스마트폰으로 인터넷 사전을 이용해 조사하고 싶다. / 도서관에 가서 국어사전을 찾아 낱말의 뜻을 알고 싶다. **15** (3) ○ **16** ①, ④ **17** ⑤ **18** 자식 **19** ③ **20** 다은

**01** '묶어서'는 형태가 바뀌지 않는 부분이 '묶'이며, 기본형은 '묶다'입니다.

**02** 처음 컴퓨터가 보급되기 시작할 때 많은 사람이 종이 사용이 점점 줄어들 것이라고 예상했습니다.

**03** 모니터로 보는 것보다 종이에 인쇄하여 보는 것이 익숙하고, 종이책은 전자책과는 다른 특유의 질감에서 오는 매력이 있기 때문에 오히려 종이 소비가 늘어났습니다.

**04** 비슷한 다른 낱말의 뜻으로 뜻을 짐작하였습니다.

**05** '상용화'는 '일상적으로 쓰게 됨.'을 뜻하는 말로 문맥에 매일 사용할 수 있다는 설명이 나와서 그렇게 짐작할 수 있습니다.

> **채점 기준**
> '사용되는 것.', '즐겨 쓰게 됨.', '매일 쓰게 됨.' 등의 뜻으로 짐작하고, 그렇게 짐작한 까닭을 썼으면 정답으로 인정합니다.

**06** '곱다'와 '예쁘다'는 뜻이 비슷한 낱말입니다.

**07** '장미꽃', '개나리', '코스모스'를 모두 포함하는 한 글자의 낱말은 '꽃'입니다.

**08** 물이 있다는 것은 화성에 화성인 또는 외계인까지는 아니더라도 생명체가 있을 수 있음을 의미하기 때문에 사람들의 관심이 많습니다.

**09** 국어사전에는 첫 자음자가 'ㄱ, ㄲ, ㄴ, ㄷ, ㄸ, ㄹ, ㅁ, ㅂ, ㅃ, ㅅ, ㅆ, ㅇ, ㅈ, ㅉ, ㅊ, ㅋ, ㅌ, ㅍ, ㅎ' 순서로 실리므로, 'ㅇ'으로 시작하는 '암석'과 '외계인'이 먼저 오는데, 모음자 'ㅏ'가 'ㅚ'보다 앞에 오므로 '암석-외계인' 순서로 실리고, '착륙했다'와 '조사할'은 형태가 바뀌는 낱말이므로, 기본형인 '착륙하다', '조사하다'의 형태로 실립니다. 둘 중 첫 자음자가 'ㅈ'이 'ㅊ'보다 앞에 실리므로 '조사하다'가 '착륙하다' 앞에 옵니다.

**10** '착륙하다'는 '비행기 따위가 공중에서 활주로나 판판한 곳에 내리다.'는 뜻이고, '이륙하다'는 '비행기 따위가 날기 위하여 땅에서 떠오르다.'는 말로, 뜻이 서로 반대입니다.

**11** 인간은 새끼를 일정 기간 몸속에서 키워 내보낸 뒤 젖을 먹여 키우는 포유동물이며, 새끼를 갖고 키우는 방식에서 인간은 돼지나 개, 고양이와 다를 바 없다고 하였으므로, 포유동물에는 인간, 개, 돼지, 고양이가 포함됩니다. 까치는 알을 낳고 새끼에 젖을 먹이지 않으므로 포유동물이 아닙니다.

**12** 인간은 말과 글을 사용하지만, 꿀벌은 춤을 이용합니다.

**13** '동물'은 '인간'을 포함하는 낱말입니다.

**14** 사전의 종류에는 국어사전, 인터넷 사전, 동물과 식물 백과사전, 속담 사전 등이 있습니다. '포유동물'은 동물 백과사전이나 인터넷 사전, 국어사전 등에서 찾아볼 수 있습니다.

> **채점 기준**
> '포유동물'이란 낱말의 뜻을 어떤 사전을 이용해 찾을지 썼으면 정답으로 인정합니다.

**15** 글쓴이는 지구의 주인은 인간이 아니고, 인간만이 특별한 생명체도 아니라고 주장하면서, 인간보다 먼저 지구에 생겨난 다른 포유동물과 인간처럼 언어를 갖고 있는 꿀벌 등의 예를 들었습니다.

**16** 글쓴이는 고래와 침팬지의 예를 들어 동물이 인간과 같은 훌륭한 감정을 가지고 있음을 이야기하고 있습니다.

**17** 글쓴이는 고래와 침팬지 등의 예를 통해 동물들도 인간처럼 훌륭한 감정을 가지고 있으므로, 동물 앞에 우쭐대지 말고 고맙고 겸손한 마음을 가져야 한다고 주장하고 있습니다.

**18** '부모'와 뜻이 반대인 낱말은 '자식'입니다.

**19** 보기 의 낱말들을 모두 포함하는 낱말은 '생물', 또는 '생명'입니다. 그러나 이 글에서는 ㉡에 '생명'이라는 말이 들어가야 뒤에 이어지는 내용들과 자연스럽게 연결됩니다.

**20** '겸손하다'는 '남을 존중하고 자기를 내세우지 않는 태도가 있다.'는 뜻으로, 다은이가 그 뜻을 바르게 짐작하였습니다.

이런 제안 어때요

교과서 내용 **학습**                    130~134쪽

01 ②   02 유진   03 ④   04 예 제안하는 글을 쓸 때에는 문제 상황, 제안하는 내용, 제안하는 까닭이 들어가야 한다.
05 ①, ④   06 우리 모두   07 (1) 영수가 (2) 축구를 합니다.
08 3   09 ②   10 (2) ○   11 ②   12 ④ → ⓓ → ⓐ → ②
13 ⓓ   14 소미   15 (1) 예 깨끗한 물을 마시지 못하는 아프리카 어린이들을 위해 기부 운동에 참여합시다. (2) 예 기부 운동에 참여하면 아프리카 어린이들이 깨끗한 물을 마시고 사용할 수 있습니다.   16 ⑤   17 ③   18 (1) ○   19 (1) 예 교실에서 뛰지 말고 걸어다니면 좋겠다. / 친구를 장난으로 놀리지 않으면 좋겠다. (2) 예 뛰어다니다가 친구끼리 부딪혀 다칠 수 있기 때문이다. / 놀림을 받은 친구의 기분이 상하고 우정이 깨질 수 있기 때문이다.   20 ④, ⓓ   21 ⑤   22 (1) ○ (2) ○

01  글쓴이는 꽃을 심어 놓은 꽃밭에 쓰레기가 많아서 실망했습니다.

02  '자신의 의견을 알리고자 아파트 주민에게 글을 써서 붙이기로 결심했습니다.'를 보고 글쓴이가 생각한 문제 해결 방법을 알 수 있습니다.

03  우리 주변에서 불편하다고 생각하거나 바꾸었으면 좋겠다고 생각한 점이 있을 때에는 제안하는 글을 쓰면 좋습니다.

04  글쓴이는 꽃밭에 쓰레기가 많이 버려져 있다는 문제 상황을 쓰고, 꽃밭에 쓰레기를 버리지 말자는 제안과 깨끗한 꽃밭에서 꽃이 잘 자랄 수 있다는 제안하는 까닭이 드러나게 글을 썼습니다.

채점 기준
제안하는 글에 문제 상황, 제안하는 내용, 제안하는 까닭(이유)이 들어가야 한다고 썼으면 정답으로 인정합니다.

05  ㉠에 들어갈 문장의 짜임은 '누가/무엇이'입니다.

06  '우리 모두 운동을 합시다.'에서 '누가/무엇이'에 해당하는 부분은 '우리 모두'입니다.

07  '영수가 축구를 합니다.'에서 '누가/무엇이'에 해당하는 부분은 '영수가'이고, '어찌하다/어떠하다'에 해당하는 부분은 '축구를 합니다.'입니다.

08  '아이들이, 여자아이가, 이층 버스의 색깔이'는 '누가/무엇이'에 해당하는 부분이고, '공을 찹니다.', '빨갛습니다.', '자전거를 타고 있습니다.'는 '어찌하다/어떠하다'에 해당하는 부분입니다.

09  '여자아이가 빨갛습니다.'라는 문장은 어색합니다. '누가/무엇이'에 내용을 추가하여 '여자아이가 입은 옷은 빨갛습니다.'로 고칠 수 있습니다.

10  '아프리카에는 깨끗한 물이 없어 물을 마실 수 없는 어려움을 겪고 있는 어린이들이 있습니다.'에서 문제 상황을 알 수 있습니다.

11  제안을 할 때에는 문제 상황을 정확하게 이해하고 문제를 해결할 수 있는 제안을 해야 합니다. 글에 나타난 문제 상황은 아프리카에 마실 물이 없다는 것으로, ②는 문제 상황과 관련이 없는 제안입니다.

12  제안하는 글을 쓰는 과정은 '문제 상황 확인하기, 제안하는 내용 정하기, 제안하는 까닭 파악하기, 제안하는 글 쓰기'입니다.

13  아프리카 어린이들을 위한 기부 운동에 참여하자는 것은 제안하는 내용에 해당합니다.

14  아프리카 어린이들은 더러운 물을 마셔 생명이 위험할 수도 있는 상황입니다.

15  아프리카 어린이들이 깨끗한 물을 구하지 못해 질병의 위협에서 생활하고 있는 것은 '문제 상황'이고, 어린이들을 위해 기부 운동에 참여하자는 것은 '제안하는 내용', 기부 운동에 참여하면 어린이들이 깨끗한 물을 마시고 사용할 수 있다는 것은 '제안하는 까닭'입니다.

제안하는 내용과 제안하는 까닭을 잘 찾아 썼으면 정답으로 인정합니다.

**16** 더러운 물을 마셔 생명이 위험할 수 있는 아프리카 어린이들을 위해 기부 운동에 참여하는 것을 제안하고 있습니다. 따라서 가장 적절한 제목은 기부를 권하는 「당신의 1리터를 나누어 주세요」입니다.

**17** 제안하는 글을 쓸 때에는 내가 하는 제안을 다른 사람들이 실천할 수 있는지도 생각해 보아야 합니다. 실천하기 어려운 내용은 제안하는 글에 알맞지 않습니다.

**18** (2), (3), (4)는 문제가 해결된 상황이며, 늦은 밤 피아노를 치는 문제는 해결되기를 바라는 문제입니다.

**19** 그림에서 친구들은 교실에서 뛰어다니면서 친구들을 놀리고 장난치고 있습니다. 이런 상황에서 어떤 제안을 하면 좋을지 생각하여 써 봅니다.

교실에서 뛰지 말라는 내용이나 친구를 장난으로 놀리지 말라는 제안을 하고, 그 제안에 대한 적절한 까닭을 '만약 ～하면 ～할 수 있습니다.'나 '왜냐하면 ～하기 때문입니다.'를 사용하여 쓰면 정답으로 인정합니다.

**20** 이 글에서 제목과 누구에게 제안하는지는 찾아볼 수 없습니다.

**21** ㉠은 친구들이 점심시간에 음식을 많이 남기고 있다는 문제 상황입니다. 문제 상황을 쓸 때에는 '요즘 ～하고 있습니다.', '～(이)가 심각해지고 있습니다.', '가장 큰 문제점은 ～입니다.' 등의 표현을 사용하면 좋습니다.

**22** ㉡에는 제안하는 까닭이 들어가야 합니다. 글쓴이가 수요일에는 음식을 남기지 말고 다 먹자고 제안하고 있습니다. 음식을 남기지 않고 먹으면 자원 낭비를 막을 수 있고, 환경 오염도 막을 수 있습니다.

---

**서술형 수행 평가 돋보기**
135쪽

**1** 문제 상황

**2** (1) ㉮ 꽃밭에 쓰레기를 버리지 않았으면 좋겠습니다. / 당번을 정해 청소를 하면 좋겠습니다. / 꽃밭 주변에 쓰레기통을 설치했으면 좋겠습니다. (2) ㉮ 꽃은 쓰레기가 없는 깨끗한 꽃밭에서 건강하게 자랄 수 있기 때문입니다. / 꽃밭 청소를 하면 꽃도 건강하게 자랄 수 있고 꽃을 보는 사람들도 기분이 좋아지기 때문입니다. / 꽃밭 주변에 쓰레기통을 설치하면 사람들이 꽃밭에 쓰레기를 버리지 않을 것이기 때문입니다.

**3** ㉮ 지난 주말에 저는 동생과 함께 집 앞 꽃밭에 꽃을 심었습니다. 그런데 오늘 물을 주려고 보니 쓰레기가 꽃 주위에 흩어져 있었습니다. 그 모습을 보니 속이 상했습니다. 꽃밭에 쓰레기를 버리지 않았으면 좋겠습니다. 꽃은 쓰레기가 없는 깨끗한 꽃밭에서 건강하게 자랄 수 있습니다. 우리가 노력하면 꽃밭을 더 아름답게 가꿀 수 있습니다. 작은 실천이 우리의 꽃밭을 아름답게 만들어 줄 것입니다. / 지난 주말에 저는 동생과 함께 집 앞 꽃밭에 꽃을 심었습니다. 그런데 오늘 물을 주려고 보니 쓰레기가 꽃 주위에 흩어져 있었습니다. 그 모습을 보니 속이 상했습니다. 당번을 정해 꽃밭 청소를 하면 좋겠습니다. 꽃은 쓰레기가 없는 깨끗한 꽃밭에서 건강하게 자랄 수 있습니다. 또 깨끗한 꽃밭을 보면 기분도 좋아지고 자원봉사를 한 뿌듯함도 느낄 수 있습니다.

**1** 제안하는 글에는 문제 상황, 제안하는 내용, 제안하는 까닭이 들어가야 합니다. 문제 상황에는 우리 주변에서 불편하다고 생각하거나 바꾸었으면 좋겠다고 생각한 점들을 씁니다.

**2** 꽃밭에 쓰레기가 버려진 문제 상황을 어떻게 해결하면 좋을지 제안할 내용과 까닭을 떠올려 써 봅니다.

**3** 제안하는 글에는 문제 상황, 제안하는 내용, 제안하는 까닭이 들어가야 합니다. 문제 상황을 쓸 때에는 '요즘 ～하고 있습니다. / ～(이)가 심각해지고 있습니다.'를, 제안하는 내용을 쓸 때에는 '～했으면 좋겠습니다. / ～하는 것이 어떨까요?'를, 제안하는 까닭을 쓸 때에

는 '왜냐하면 ~하기 때문입니다. / 만약 ~하면 ~할 수 있습니다.'라는 표현을 사용하면 좋습니다.

채점 기준

| 상 | 문제 상황과 제안하는 내용, 제안하는 까닭이 모두 들어가 있고, 제안하는 까닭을 적절하게 썼으면 만 점입니다. |
|---|---|
| 중 | 문제 상황과 제안하는 내용, 제안하는 까닭을 모두 썼으나 제안을 하는 까닭이나 근거가 부족한 점이 아쉽습니다. |
| 하 | 글에 문제 상황, 제안하는 내용, 제안하는 까닭이 한 가지라도 들어가지 않았다면 점수를 받기 어렵 습니다. |

### 단원 확인 평가

139~140쪽

01 ③  02 ①  03 ①  04 (1) ⑩ 꽃밭에 쓰레기를 버리지 맙시다. / 아름다운 꽃밭을 만들기 위해 노력해 주세요. (2) ⑩ 글쓴이가 꽃밭에 쓰레기를 버리지 말라고 제안하고 있고 그 내용이 가장 중요해 보이기 때문입니다. / 쓰레기를 버리지 말고 아름다운 꽃밭을 만들기 위해 노력하자고 말하고 있기 때문입니다.  05 (1) 해적들이 (2) 배에 타고 있습니다.  06 ④  07 ④  08 ⓓ  09 ④, ⑤  10 (1) ⑩ 자전거를 타다가 넘어져서 크게 다치는 친구들이 많습니다. (2) ⑩ 자전거를 탈 때 안전장비를 착용하고 타면 좋겠습니다. (3) ⑩ 자전거를 탈 때 안전장비를 착용하면 머리나 다리를 다칠 위험이 줄 어들기 때문입니다.

01 이 글은 글쓴이가 꽃밭에 쓰레기를 버리지 않았으면 좋 겠다고 제안하는 글입니다. 제안하는 글에는 문제 상 황, 제안하는 내용, 제안하는 까닭이 드러나 있습니다.

02 꽃밭에 쓰레기가 떨어져 있는 모습은 해결되어야 할 문 제 상황입니다.

03 글쓴이는 꽃이 건강하게 자랄 수 있도록 꽃밭에 쓰레기 를 버리지 말 것을 제안하고 있습니다.

04 글쓴이는 꽃밭에 쓰레기를 버리지 말고, 꽃이 건강하게 자랄 수 있도록 해달라고 제안하고 있습니다. 글쓴이의 제안에 어울리는 제목을 붙여 봅니다.

채점 기준

꽃밭에 쓰레기를 버리지 말라는 내용, 꽃이 건강하고 아름답 게 자랄 수 있도록 노력하자는 내용으로 제목을 붙였으면 정 답으로 인정합니다.

05 '해적들이'는 '누가 / 무엇이'에, '배에 타고 있습니다.'는 '어찌하다 / 어떠하다'에 해당합니다.

06 ①, ②, ③, ⑤는 모두 문장에서 '누가 / 무엇이'에 해당 하는 부분이고, ④'매우 중요합니다.'는 '어찌하다 / 어 떠하다'에 해당하는 부분입니다.

07 깨끗한 물이 없어 어려움을 겪고 있는 어린이들에게 깨 끗한 물을 마실 수 있도록 도와주자는 내용이 제안하는 내용으로 가장 어울립니다.

08 ㉮는 제안하는 내용, ㉯는 제안하는 까닭, ㉰는 문제 상 황입니다.

09 제안하는 글을 쓸 때에는 문제 상황과 문제를 해결하기 위한 자신의 의견, 제안하는 내용에 대한 적절한 까닭, 자신이 한 제안을 다른 사람들이 실천할 수 있는지를 생각하며 써야 합니다.

10 우리 주변에서 해결되었으면 하는 상황을 생각하여 문 제 상황, 제안하는 내용, 제안하는 까닭을 적절하게 써 봅니다.

채점 기준

문제 상황, 제안하는 내용, 제안하는 까닭을 적절하게 썼으면 정답으로 인정합니다.

# 9 단원
# 자랑스러운 한글

## 교과서 내용 학습
144~151쪽

**01** ⑤  **02** 새로운 문자를 만드는 일  **03** ④  **04** 예 세종 대왕의 눈이 어두워졌기 때문에 / 세종 대왕의 눈이 심하게 나빠졌기 때문에  **05** ①  **06** ⑤  **07** 훈민정음 / 한글  **08** (1) 예 훈민정음 28자를 완성했다.  (2) 예 한글로 책을 읽거나 편지를 쓰는 사람이 늘어났다.  **09** ③, ⑤  **10** ⑤  **11** (한국 의) 레오나르도 다빈치  **12** 하늘  **13** ②, ⑤  **14** (1) – ② (2) – ①  **15** ④  **16** (1) 예 한글은 적은 수의 문자로 많은 소리를 적을 수 있는 음소 문자이다.  (2) 예 한글은 쉽고 빨리 배울 수 있는 문자이다.  **17** ②  **18** ③  **19** ②  **20** 경진  **21** ④  **22** 나무 찍는 소리는 쩡쩡 울리고, 새들은 짹짹 울음 을 우네.  **23** ④, ⑤  **24** 예 한문만 글로 여기고 우리글에는 관심을 가지지 않았다.  **25** (1) 배재학당  (2) 1906  **26** (3) ○  **27** 예 한글, 고맙고 소중한 우리글  **28** (1) ㉮, ㉰  (2) ㉯, ㉱, ㉲  **29** (1) ○  **30** ④, ⑤  **31** 호연

**01** 세종 대왕은 명나라에 가는 사신들에게 말소리 연구에 관한 책을 구해 오라고 하였습니다.

**02** 세종 대왕은 나라가 안정되자 새로운 문자를 만드는 일 에 온 힘을 기울였습니다.

**03** 세종 대왕은 신하들 중에 중국의 글자인 한자를 쓰는 데 자부심을 느끼는 이가 많아서 새 문자를 만드는 일 을 알았다가는 벌 떼처럼 들고 일어날 것이기 때문에 새 문자를 만드는 일을 비밀에 부치기로 하였습니다.

**04** 방 안의 불을 밝히지 않아서 어두웠던 것이 아니라 세 종 대왕의 눈이 어두워졌기 때문에 방 안이 어두웠던 것입니다.

**05** 글은 한자로 쓰면서 말은 우리말을 썼던 당시 상황을 보면서 세종 대왕은 글은 말과 같아야 한다고 생각하였 습니다.

**06** 세종 대왕은 하늘과 땅, 사람, 그리고 사람이 말소리를 내는 발음 기관을 본떠 한글을 만들었습니다.

**07** 한글이 만들어진 이후 백성들의 생활이 편리해졌기 때 문에 훈민정음은 세종 대왕이 백성들에게 준 가장 큰 선물이라고 하였습니다.

**08** 세종 대왕은 눈이 나빠져도 문자 연구를 계속하여 훈민 정음 28자를 완성하였습니다. 그 후 한글로 책을 읽거 나 편지를 쓰는 사람이 늘어났습니다.

### 채점 기준
(1)은 훈민정음 완성, (2)는 책을 읽거나 편지를 쓰는 사람이 늘 었다는 내용을 중심으로 서술되어 있으면 정답으로 인정합니 다.

**09** 지구상에 많은 언어가 있지만 현재 사용하는 문자가 약 50개밖에 안 되는 까닭은 말은 있지만 문자가 없는 언 어도 많고, 말은 다르지만 같은 문자를 쓰는 경우도 있 기 때문이라고 하였습니다.

**10** 재러드 다이아몬드라는 학자는 한글이 독창적이고 과 학적인 글자라고 칭찬하며, 한국인의 문맹률이 한글 덕 분에 낮다고 말하고 있습니다.

**11** 펄 벅은 한글은 익히기 쉬운 훌륭한 문자라고 하였고 한글을 창제한 세종 대왕을 한국의 레오나르도 다빈치 라고 하였습니다.

**12** 한글 모음자는 하늘, 땅, 사람을 본떠 각각 '•', 'ㅡ', 'ㅣ' 의 기본 문자를 만들었습니다.

**13** 한글 자음자는 발음 기관의 모양을 본떠 'ㄱ, ㄴ, ㅁ, ㅅ, ㅇ'의 기본 글자를 만들고, 이 기본 글자에 획을 더 하거나 같은 글자를 하나 더 써서 'ㅋ, ㄲ'과 같은 자음 자를 만들었습니다.

**14** 기본 자음자에 획을 하나 더 그으면 거센소릿자가 되고 겹쳐 쓰면 된소릿자가 됩니다.

**15** 한글은 적은 수의 문자로 많은 소리를 적을 수 있는 음 소 문자라고 하였으므로 한글은 사람 입에서 나오는 대 부분의 소리를 효과적으로 적을 수 있는 문자입니다.

16  한글은 적은 수의 문자로 많은 소리를 적을 수 있는 음소 문자이고, 쉽고 빨리 배울 수 있는 문자입니다.

17  한글은 배우기 쉽고 과학적이기 때문에 세계 언어학자들은 한글을 '알파벳의 꿈'이라고 표현하였습니다.

18  한글로 휴대 전화 문자를 보낼 때 다른 문자에 비해 빠르다는 연구는 한글이 기계화에 적합한 디지털 문자의 특성을 가지고 있다는 것을 말하고 있습니다.

19  이 글의 글쓴이는 한글의 우수성에 대하여 말하고 있습니다.

20  낱말에 따라 발음을 외우는 것은 영어의 특징이므로 한글의 우수성이 아닙니다.

21  주시경의 부모님은 아들을 잃은 큰아버지에게 주시경을 아들로 보내기로 하셨습니다. 그래서 주시경은 서울로 가게 되었습니다.

22  '벌목정정'은 나무 찍는 소리는 쩡쩡 울린다는 의미이고 '조명앵앵'은 새들은 짹짹 울음을 운다는 의미입니다.

23  주시경은 한문을 공부하면서 알아듣기 힘든 한문을 우리말로 다시 풀이해야 하니 이상하고, 처음부터 우리말로 하면 바로 알아들을 것이라고 생각하였습니다.

24  주시경이 살던 당시에는 한문만 글로 여기고 우리글인 한글에는 관심이 없었습니다.

25  주시경은 1894년에 배재학당에 입학하였으며, 1906년에는 『대한 국어 문법』이라는 책을 펴냈습니다.

26  주시경은 사람들이 볼 만한 우리말 문법책이 없어서 『대한 국어 문법』을 펴냈으며, 그 책에는 한글과 우리말을 바르게 사용하기 위한 규칙을 실었습니다.

27  우수한 한글을 소중히 여기는 마음을 담아 표어로 만들어 봅니다.

28  맛있는 밥집, 우리 문방구는 한글로만 쓰인 간판이고, 나머지는 다른 나라 문자가 쓰인 간판입니다.

29  ㉣의 영어 표현을 한글만을 사용하여 바꾼 것은 (1)입니다.

30  다른 나라 문자로 된 간판을 보았을 때 어떤 뜻인지 잘 이해가 되지 않으며, 무엇을 파는 가게인지 잘 모를 때가 있습니다.

31  간판의 글을 한글로 쓰면 우리말에 대한 소중함을 느낄 수 있습니다.

### 서술형 수행 평가 돋보기  153쪽

1 ㉠ 한글의 우수성을 알리기 위해

2 (가) ㉠ 한글은 그 제자 원리가 독창적이고 과학적인 문자이다.

(나) ㉠ 한글은 적은 수의 문자로 많은 소리를 적을 수 있는 음소 문자이다.

(다) ㉠ 한글은 빨리 배울 수 있는 문자이다.

(라) ㉠ 한글은 컴퓨터, 휴대 전화 등 기계화에 적합한 문자이다.

3 ㉠ 한글은 그 제자 원리가 독창적이고 과학적인 문자란다. 한글은 적은 수의 문자로 많은 소리를 적을 수 있는 음소 문자라서 입에서 나오는 대부분의 말을 적을 수 있고, 한글은 일정한 원리에 따라 만들어졌기 때문에 쉽게 빨리 배울 수 있어. 요즘 디지털 시대라서 컴퓨터와 휴대 전화 문자를 많이 사용하는데, 한글은 컴퓨터, 휴대 전화 등 기계화에 적합한 문자이기도 해.

1  글쓴이는 이 글을 통해 한글의 우수성을 알리려고 합니다.

2  각 문단의 첫째 문장에 한글의 우수성이 나타나 있습니다.

| 채점 기준 | |
| --- | --- |
| 상 | (가)~(라)의 내용을 모두 답안과 같이 썼으면 정답입니다. |
| 중 | (가)~(라) 중 두 가지를 알맞게 쓰지 않아서 아쉽습니다. |
| 하 | (가)~(라)의 내용이 모두 알맞지 않으면 점수를 받기 어렵습니다. |

**3** 이 글은 한글의 우수성을 정리하고 있습니다. 이 내용을 바탕으로 한글을 잘 모르는 외국인 친구에게 한글을 소개하는 글을 씁니다. 한글의 우수성을 한 가지 이상 소개하고, 친구에게 말하듯이 자연스럽게 써 봅니다.

| 채점 기준 | |
| --- | --- |
| 상 | 한글의 우수성을 한 가지 이상 구체적으로 쓰고, 친구에게 말하듯이 자연스럽게 이어 썼으면 정답입니다. |
| 중 | 한글의 우수성을 한 가지 이상 썼지만 구체적이지 않아서 아쉽습니다. |
| 하 | 한글의 우수성이 정확하게 드러나지 않아서 점수를 받기 어렵습니다. |

> 한글을 바르게 사용하기 위해서는 한글에 관심을 가지고 바르게 사용하려고 노력해야 해.

## 단원 확인 평가

157~158쪽

**01** ⑤　**02** (1) 3 (2) 2 (3) 1　**03** ①　**04** 알파벳의 꿈　**05** 예 한글은 쉽고 빨리 배울 수 있는 문자이다.　**06** ④　**07** ⑤　**08** ④　**09** 맛있는 밥집, 우리 문방구　**10** 예 우리말에 대한 소중함을 느낄 수 있다.

**01** 세종 대왕은 새로운 문자를 만드는 데 활용하기 위해서 말소리 연구에 대한 책을 구해 오라고 하였습니다.

**02** 세종 대왕은 말소리 책을 읽으며 문자 연구를 하였습니다. 그리고 눈이 나빠져도 문자 연구를 계속하였으며, 훈민정음 28자를 완성하였습니다.

**03** 'ㄱ, ㄴ, ㅁ, ㅅ, ㅇ'은 기본 자음자이고, 기본 자음자에 획을 하나 더 그은 거센소릿자는 'ㅋ, ㅌ' 등이 있습니다. 그리고 기본 자음자에 겹쳐 쓴 된소릿자는 'ㅃ, ㅆ' 등이 있습니다.

**04** 세계 언어학자들은 한글이 배우기 쉽고 과학적인 까닭에 한글을 '알파벳의 꿈'이라고 표현하였습니다.

**05** 이 글은 한글은 쉽고 빨리 배울 수 있는 문자라는 우수성에 대해 설명하고 있습니다.

**채점 기준**
한글을 쉽고 빨리 배울 수 있다는 내용이 들어가 있으면 정답으로 인정합니다.

**06** 『대한 국어 문법』은 한글과 우리말을 바르게 사용하기 위한 규칙인 문법이 실려 있습니다.

**07** 주시경이 살던 시기에는 다른 나라들이 서로 우리나라를 차지하려고 다투었습니다.

**08** 주시경은 두루마기를 차려입고 옆구리에 커다란 보따리를 들고 다녀서 '주보따리'라는 별명으로 불렸습니다.

**09** 맛있는 밥집, 우리 문방구가 한글로 된 간판입니다.

**10** 간판을 한글로 쓰면 더 잘 알아볼 수 있고, 더 잘 이해할 수 있으며 우리말에 대한 소중함을 느낄 수 있습니다. 그리고 우리 문화를 지킬 수 있습니다.

**채점 기준**
간판을 한글로 쓰면 좋은 점을 더 잘 알아볼 수 있고, 이해할 수 있고 우리말에 대한 소중함을 느낄 수 있으며, 우리 문화를 지킬 수 있다는 내용으로 썼거나 그렇지 않더라도 합당하게 썼으면 정답으로 인정합니다.

> 이번 단원에서는 한글을 만든 과정과 특성에 대해 알고, 한글을 소중히 여기는 마음에 대해 공부했어.

# 10 단원
# 인물의 마음을 알아봐요

교과서 내용 **학습**    162~169쪽

01 ④  02 ②, ④  03 ⑤  04 (1) 말 (2) 행동  05 ③  06
(1) 예 검은색 세로선이 여러 개 그려져 있다.  (2) 예 우울한
마음  07 ②  08 ③  09 예 당황스럽고 걱정스럽다.  10
③  11 (1) – ② (2) – ①  12 ②  13 ⑤  14 뱀 / 왕뱀
15 은영  16 ④  17 ②  18 ①, ②  19 ②  20 (1) 반가움
(2) 귀여움  21 예 용이 사람처럼 말을 하는 장면이 재미있었
다. / 아이들이 용을 보고 놀라는 표정과 용을 '왕뱀'이라고 말
한 부분이 재미있었다.  22 용궁  23 ①  24 예 아이들에게
용궁을 구경시켜 줄 마음에 들떠 있는 것 같다.  25 ④  26
①, ②  27 (1) ○ (2) ○  28 나연

01 장면 **7**에서 선생님은 소민이에게 다음부터는 좀 더 크
게 읽으라고 하셨습니다.

02 말풍선의 내용이나 얼굴 표정과 배경에 그려진 선을 보
고 긴장하고 걱정하는 소민이의 마음을 알 수 있습니다.

03 말풍선의 위치로 만화 속 인물의 마음을 짐작하는 것은
알맞지 않습니다.

04 인물의 말이나 행동, 배경 등을 통해서 인물의 마음을
짐작할 수 있습니다.

**더 알아보기**

**만화를 읽을 때 인물의 마음을 짐작하는 방법**
• 인물의 표정이나 행동을 살펴봅니다.
• 말풍선의 내용과 함께 그 모양도 살펴보는 것이 좋습니다.
• 인물뿐만 아니라 만화의 배경 색이나 배경에 그려진 다양한
  효과로도 인물의 마음을 짐작할 수 있습니다.

05 떨리고 긴장된 마음을 표현하기 위해서 말풍선의 테두
리를 울퉁불퉁한 물결 모양으로 표현했습니다.

06 검은색 세로선이 여러 개 그려져 있는 배경 효과를 통
해서 마음에도 비가 내리는 것 같은 우울한 마음일 것

이라고 짐작할 수 있습니다.

**채점 기준**

인물의 마음을 짐작하게 하는 배경 효과와 짐작한 마음이 알
맞으면 정답으로 인정합니다.

07 장면 **3**에서는 겨울이라고 하였는데, 장면 **4**에서는
덥다고 했습니다.

08 산에 도착한 아이들은 산꼭대기에 올라가 보기로 했습
니다.

09 '이게 대체 어떻게 된 거지?'라는 말과 당황스러워하는
표정을 통해서 인물의 당황스럽고 걱정스러운 마음을
짐작할 수 있습니다.

**채점 기준**

인물이 무슨 일이 일어났는지 모르는 상황으로 당황스럽고 걱
정하는 마음이라는 내용으로 썼으면 정답으로 인정합니다.

10 ㉠은 당황스러운 상황에서 해결책을 이야기하는 장면
이므로 차분하고 분명한 말투로 말하는 것이 어울립니다.

11 ㉡은 길을 잃어서 걱정스러운 목소리, ㉢은 장난스러운
목소리로 말하는 것이 어울립니다.

12 장면 **11**은 깜짝 놀라는 상황으로, 인물은 입을 크게 떡
벌리고 있습니다.

13 인물이 갖고 있는 물건을 자세히 표현하는 것은 인물의
마음을 실감 나게 표현하는 것과 관계가 없습니다.

**더 알아보기**

**인물의 마음을 실감 나게 표현하는 방법**
• 표정을 과장되게 흉내 내야 합니다.
• 상황에 어울리는 소리를 함께 내면 좋습니다.
• 상황에 어울리는 말투와 몸짓으로 표현해야 합니다.

14 처음에 아이들은 용을 왕뱀(뱀)이라고 생각하였습니다.

15 장면 **13**은 용을 보고 놀란 장면으로, 장난을 치고 싶어
하는 마음은 알맞지 않습니다.

16 용은 아이들을 보고 오랜만에 보는 사람이라며 신기하
다는 반응을 보였습니다.

17 장면 **16**은 용이 사람을 만났을 때의 장면으로, ㉠에는

놀랍고 흥분한 말인 '캬오-'가 들어가야 알맞습니다.

**18** 용이 말을 할 수 있다는 사실에 놀라는 표정과 그로 인해 흠칫 놀라 주춤거리는 몸짓이 어울립니다.

**19** 아이들은 용이 말을 하는 모습을 보고 신기하게 생각했습니다.

**20** 새끼 용은 아이들을 보고 반가운 마음이 들었고, 아이들은 새끼 용을 보고 귀여워했습니다.

**21** 재미있는 내용이나 인상적이었던 인물의 표정에 대해 씁니다.

<채점 기준>
재미있는 내용이나 인상적이었던 인물의 표정에 대해 썼으면 정답으로 인정합니다.

**22** 용은 자신이 살고 있는 용궁으로 아이들을 초대한다고 하였습니다.

**23** 장면 **23**은 용궁으로 간다는 말에 남자아이가 재미있어하는 장면이므로 신나고 설레는 표정이 어울립니다.

**24** '청룡열차보다 빨리 가는 행동과 털들이 흩날리게 날아가는 모습'을 통해서 아이들에게 용궁을 구경시켜 줄 마음에 들떠 있음을 알 수 있습니다.

<채점 기준>
인물의 표정과 행동에 알맞은 인물의 마음에 대해 썼으면 정답으로 인정합니다.

**25** 똥 냄새를 맡고 남자아이는 소희가 방귀를 뀌었다고 의심하며 놀렸습니다.

**26** 남자아이의 말에서 누군가에게 장난을 치고 싶어 하는 마음이 느껴지며, 남자아이의 표정에서 소희의 반응이 어떨지 궁금해하는 마음이 느껴집니다.

**27** 오른쪽 남자아이는 장난스럽게 놀리는 표정과 말투로, 왼쪽 남자아이는 방귀 뀌는 몸짓과 함께 장난스럽게 놀리는 말투로, 소희는 놀리지 말라며 오른쪽 남자아이의 몸을 잡는 몸짓과 큰 목소리로 장면을 실감 나게 표현할 수 있습니다.

**28** 인물의 마음을 실감 나게 표현하는 방법에는 인물의 표정을 과장되게 흉내 내는 것과 상황에 어울리는 소리, 말투와 몸짓으로 표현하는 것이 있습니다.

<더 알아보기>
**인상적인 장면을 골라 인물의 마음을 실감 나게 표현하기**
• 표현하고 싶은 장면을 골라 봅니다.
• 자신이 고른 장면에 등장하는 인물의 마음을 실감 나게 표현하기 위해 어떤 점에 주의해야 하는지 생각해 봅니다.
• 인물의 마음을 실감 나게 표현하는 방법을 떠올리며 표현을 연습해 봅니다.

**단원 확인 평가**                                    174~175쪽

**01** ⑤   **02** (2) ○   **03** (1) 예 이마에 그려진 땀방울 / 입술과 눈이 그려진 모양  (2) 예 당황한 마음   **04** ①, ③   **05** 명준
**06** ④   **07** 예 반가운 마음   **08** (1) 들떠 있는  (2) 시원해
**09** 주하   **10** (1) ○  (3) ○

**01** 그림의 아이는 입을 벌리고 놀라는 표정이므로, 징그러운 벌레를 봤을 때의 표정에 가깝습니다.

<더 알아보기>
**상황에 알맞은 인물의 표정이나 행동**
• 운동 경기에서 이겼을 때: 예 신나서 양팔을 높이 듭니다.
• 밤이 되어 잠잘 시간이 되었을 때: 예 하품을 하고 피곤한 표정을 짓습니다.
• 다른 사람에게 칭찬받을 때: 예 수줍게 웃습니다.
• 친한 친구가 전학 갔을 때: 예 혼자 무릎을 세우고 앉아서 웁니다.

**02** 구석에서 웅크리고 앉아 슬픈 표정을 지은 (2)의 아이는 외롭고 슬픈 마음입니다. (1)의 아이는 수줍은 표정을 짓고 있으므로 수줍고 부끄러운 마음입니다.

**03** 이마에 그려진 땀방울이나 입술과 눈이 그려진 모양을 통해서 남자아이의 당황한 마음을 짐작할 수 있습니다.

> **채점 기준**
> 인물의 마음을 짐작하게 하는 부분과 짐작한 마음이 모두 알맞으면 정답으로 인정합니다.

**04** 장면 **3**의 내용으로 보아 여자아이는 부끄러움을 많이 타고 자신감이 부족한 아이인 것 같습니다.

**05** 말풍선의 내용이나 얼굴 표정과 배경에 그려진 선을 보고 인물이 긴장하고 걱정하고 있는 마음임을 짐작할 수 있습니다.

**06** 인물의 마음을 짐작하기 위해서는 인물의 표정, 행동, 말풍선, 만화의 배경 색이나 배경 효과를 살펴봐야 합니다.

**07** 용은 아이들을 만난 것이 반가워서 용궁까지 초대하였습니다.

**08** 장면 **2**에서 용은 아이들에게 용궁을 구경시켜 줄 마음에 들떠 있는 것 같고, 눈썹이 흩날리는 모습에 속도감을 느낄 수 있으며 시원해 보입니다.

**09** 장면 **3**은 남자아이가 소희를 놀리는 장면으로, 장난스러운 표정을 지으며 실감 나게 표현할 수 있습니다.

**10** 인물의 마음을 실감 나게 표현할 때에는 표정을 과장되게 흉내 내야 하며 상황에 어울리는 소리도 함께 흉내 내면 좋습니다. 그리고 상황에 어울리는 말투와 몸짓으로 표현해야 합니다.

> 말투, 표정, 행동을 통해
> 인물의 마음을 잘 찾아봤지?
> 그럼, 이젠 내 마음도 말투, 표정,
> 행동으로 한번 표현해 보자.

 **1**
**단원** **쪽지 시험**
13쪽

**01** 다르게, 느낀 점　**02** 봄　**03** (1) ○　**04** 말타기놀이
**05** 예 오행시 짓기, 그림으로 표현하기, 인물이 되어 말하기
**06** 예 가훈 쓰기　**07** 사방 백 리 안에 굶어 죽는 사람이 없
게 하라.　**08** 예 어려운 사람을 도와주려는 할아버지의 깊은
뜻이 느껴졌다.　**09** 예 기동이에게 미안하다. 유리구슬을 찾
아 기쁘다.　**10** 예 소중히 여기는 물건

14~16쪽

**학교 시험 만점왕**　　　**1. 생각과 느낌을 나누어요**

**01** (1) ㉣ (2) ㉮　**02** (2) ○ (3) ○　**03** ⑤　**04** ③　**05** 예
아이들이 손가락을 땅속에 집어넣는다고 하니까 내가 흙을
만지는 듯한 기분이 든다.　**06** ①, ②　**07** 예 은찬이가 불러
서　**08** 오행시 짓기　**09** 흉년에는 흰죽 한 끼 얻어먹고 논
을 팔아넘긴다고 해서　**10** ㉢　**11** ②　**12** ⑤　**13** 의심
**14** ㉣　**15** 노마가 친구를 의심한 것은 잘못입니다.

**01**

남자아이는 청록색 부분의 마주보는 사람을 보고 있고,
여자아이는 주황색 부분의 커다란 잔을 보고 있습니다.

**02** 남자아이와 여자아이가 그림을 다르게 보는 까닭은 같
은 것을 보고도 상황에 따라 다르게 생각할 수 있고, 같
은 그림이지만 느낀 점이 다를 수 있기 때문입니다

**03** ㉠은 봄비가 내리는 것을 말하며, 봄비를 사람같이 표현
하고 있습니다. 꽃잎이 내리는 것과는 거리가 멉니다.

**04** 꽃씨는 봄이 되어 싹을 틔우려고 돌아누웠습니다.

**05** 이 시에 대한 생각이나 느낌을 자유롭게 씁니다.

**채점 기준**
이 시를 읽고 시와 관계있는 내용으로 생각이나 느낌을 썼으
면 정답으로 인정합니다.

**06** 성민이는 '학교 앞 문방구를 지나서 네거리를 지나서
우리 집을 지나서'라고 하였습니다.

**07** 은찬이가 부르는 소리에 말이 멈추었다고 하였습니다.

**08** 시를 읽고 느낀 점을 오행시 짓기로 표현하였습니다.

**09** 흉년에는 흰죽 한 끼 얻어먹고 논을 팔아넘긴다고 해서
흰죽 논이라는 말이 생겨났다고 하였습니다.

**10** ㉠과 ㉡은 할아버지에게 감사하는 농부의 말이고, ㉢은
생선 장수의 마음을 헤아리라는 할아버지의 말입니다.

**11** 노마는 어쩌다가 유리구슬 한 개를 잃어버렸습니다.

**12** 글 ㉮는 구슬을 잃어버렸을 때이므로, 잃어버린 구슬을
다시 가지고 싶은 마음이 들었을 것입니다.

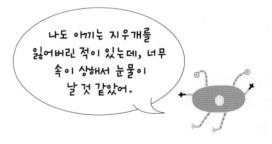
나도 아끼는 지우개를
잃어버린 적이 있는데, 너무
속이 상해서 눈물이
날 것 같았어.

**13** 기동이의 조끼 주머니를 보면서 구슬을 보자고 한 것은
잃어버린 구슬을 기동이가 가지고 있을 것이라고 의심
하는 마음입니다.

**14** 노마가 기동이에게 구슬 가진 것을 보자고 했을 때, 기
동이는 자신에게 노마의 것은 없다고 말할 수 있습니
다. ㉮는 기동이를 의심했던 노마가 기동이에게 할 수
있는 말이고, ㉯는 노마가 구슬을 찾았을 때 기동이가
할 수 있은 말입니다.

**15** 세진이의 생각 중에서 '노마가 친구를 의심한 것은 잘
못입니다.' 부분은 의견이고, 나머지는 까닭입니다.

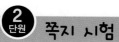

**01** 은주  **02** 성대를 울려서  **03** 성대나 입과 혀의 생김새가 사람과 달라서  **04** ㉠, ㉢  **05** 예 부자 영감의 집 안 / 부자 영감의 집 마당  **06** (1) 예 총각 (2) 예 들어갔습니다  **07** (2) ○  **08** 예 에너지 자원은 한없이 있는 것이 아니다.  **09** 예 에너지를 절약하자.  **10** (1) ○

**학교 시험 만점왕**          **2. 내용을 간추려요**

**01** 예 날씨  **02** (1) - ① (2) - ③ (3) - ②  **03** ⑤  **04** 예 매미는 발음근으로 소리를 냅니다.  **05** (1) (가) (2) (나), (다) (3) (라)  **06** 나무 그늘  **07** (3) ○  **08** ⑤  **09** (1) 예 어느 더운 여름날 (2) 예 욕심쟁이 영감의 집 마당과 안방  **10** (1) 예 나무 그늘이 자기 것이라고 주장하며 화를 냈습니다. (2) 예 욕심쟁이 영감을 혼내 주려고 나무 그늘을 샀습니다. (3) 예 욕심쟁이 영감의 집 마당과 안방으로 들어갔습니다.  **11** 생활을 편하고 넉넉하게 하려고  **12** ⑤  **13** ③  **14** ⑤  **15** (1) 한없이 (2) 에너지 (3) 실천

**01** 이 글은 날씨 정보를 알려 주는 일기 예보입니다.

**02** 날씨 정보를 들을 때에는 (1)과 같이 듣는 목적을 생각하고, (2)와 같이 아는 내용이나 경험을 떠올리며, (3)과 같이 들은 내용을 어떻게 할지 생각해야 합니다.

**03** 물고기는 부레로 여러 가지 소리를 냅니다.

**04** 글 (나)의 중심 문장은 '매미는 발음근으로 소리를 냅니다.'이고, 나머지는 뒷받침 문장입니다.

**05** 글 (가)는 처음 부분으로 이 글에서 설명하려는 내용이 나와 있고, 글 (나)와 (다)는 가운데 부분으로 매미와 물고기가 소리를 내는 방법을 설명하고 있으며, 글 (라)는 끝 부분으로 이 글을 마무리하고 있습니다.

**06** 총각은 욕심쟁이 영감에게 나무 그늘을 샀습니다.

**07** 총각은 욕심쟁이 영감에게 나무 그늘을 샀고, 나무 그

**08** 이 이야기는 욕심으로 나무 그늘이 자기 것이라고 우기는 욕심쟁이 영감이 벌을 받는 이야기로, 욕심을 부리지 말자는 교훈을 담고 있습니다.

**09** 어느 더운 여름날에 일어난 일이며, 장소는 욕심쟁이 영감의 집 앞 느티나무 그늘에서 부자 영감의 집 마당과 안방으로 변하였습니다.

**10** 나무 그늘에서 자다가 잠에서 깬 욕심쟁이 영감이 자고 있는 총각을 보고 나무 그늘이 자기 것이라고 주장하였습니다. 총각은 욕심쟁이 영감을 혼내 주려고 나무 그늘을 샀으며, 욕심쟁이 영감의 집 마당과 안방으로 그늘이 옮겨 가자 영감의 집으로 들어갔습니다.

**채점 기준**

(1)은 욕심쟁이 영감이 나무 그늘이 자기 것이라고 우기는 사건, (2)는 총각이 나무 그늘을 사는 사건, (3)은 총각이 욕심쟁이 영감의 집 마당과 안방으로 들어간 사건과 비슷하게 썼으면 정답으로 인정합니다.

**11** 우리는 생활을 편하고 넉넉하게 하려고 에너지를 사용하고 있습니다.

**12** 에너지 자원은 한없이 있는 것이 아니기 때문에 에너지를 절약해야 합니다.

**13** 글 (가)와 (나)에서는 한없이 있지 않은 에너지를 문제점으로 제시하고 있으며, 글 (다)에서는 그 문제점을 해결하는 방안으로 에너지 사용을 줄이자고 제시하였습니다.

**14** 이 글은 한없이 있지 않은 에너지의 문제점을 제시하고, 에너지 사용을 줄이자는 해결 방안과 실천 방법을 설명하고 있습니다.

**15** 에너지 자원은 한없이 있는 것이 아니므로 에너지를 절약해야 하고, 생활 속에서 실천해야 합니다.

## ③ 단원 쪽지 시험

23쪽

**01** (1) ○  **02** 밝은  **03** ㉠ 소리가 작고 걱정스러운 말투
**04** ㉠ 엄지손가락을 위로 올리는 몸짓  **05** 물물교환  **06** 조개껍데기  **07** (1) ○  **08** 생태  **09** ㉠ 읽는 사람  **10** 표정, 몸짓, 말투

---

24~26쪽

**학교 시험 만점왕**　　　　　**3. 느낌을 살려 말해요**

**01** **1**, **3**  **02** ②  **03** (1) ○  **04** ②  **05** (1) ㉠ 친구의 성공을 반기는 표정  (2) ㉠ 엄지손가락을 위로 올림.  **06** ④
**07** ②  **08** (1) - ②  (2) - ③  (3) - ①  **09** ④  **10** 솜  **11** 생태 마을  **12** ④  **13** ②  **14** ①, ④  **15** (2) ○  (3) ○

---

**01** 여러 사람 앞에서 말할 때에는 밝게 웃는 표정과 바르게 선 자세로 말해야 자신의 생각을 분명하게 전달할 수 있습니다.

**02** 자신의 생각을 잘 전달하기 위해서는 상황에 알맞은 표정과 몸짓이 필요합니다.

**03**

우승하신 소감 좀 말씀해 주세요.

당연히 기분좋죠. 누가 안 좋겠어요.

이 그림에서 말하는 사람은 어색하고 예의 없게 말하고 있습니다. 인터뷰를 하는 상황에서는 예의를 지켜 자연스럽게 말해야 합니다.

**04** 음료수 깡통을 차 보라는 석우의 말에 다리가 불편한 영택이는 자신 없는 표정으로 잘 못할 것 같다고 말하고 있는 장면입니다.

**05** 친구의 성공을 기뻐해 주는 상황이므로 반기는 표정,
기쁜 표정, 엄지손가락을 위로 올리는 몸짓 등이 알맞습니다.

**채점 기준**

친구의 성공을 반기는 상황에 알맞게 반기는 표정, 기쁜 표정, 엄지손가락을 위로 올리는 몸짓 등을 썼으면 정답으로 인정합니다.

**06** 있었던 일을 설명할 때는 자신 있는 표정으로 정확하게 말하며, 손을 적절하게 사용하는 것이 좋습니다. 또 듣는 사람을 바라보며 말합니다.

**07** 글 (가)~(다)는 사람들이 돈을 만든 까닭에 대해 정리한 내용입니다.

**08** 듣는 사람이 동생일 때는 이해하기 쉬운 말로 말하였고, 친구에게는 관심 있어 하는 내용을 흥미롭게 말하였으며, 여러 사람 앞에서 말할 때에는 높임말을 사용했습니다.

**09** 솜으로 만든 지폐는 습기에 강하고 정교한 인쇄 작업과 위조를 방지할 수 있다는 장점이 있습니다.

**10** 지폐는 솜으로 만들어서 습기에도 강하고 정교하게 만들 수 있으며 위조도 막아 줍니다.

**11** 보봉 마을 주민들은 마을을 생태 마을로 만들기로 결정하였습니다.

**12** 보봉 마을 주민들이 결정한 실천 조항들로 보아 환경을 살리는 노력을 하였을 것이므로, 자동차 사용을 줄이는 일을 했을 것입니다.

**13** 이 글은 보봉 마을 주민들의 노력으로 생태 마을이 된 사례에 대한 글이므로, 이 글로 인해 생각해 볼 점을 써야 합니다. ②는 이 글의 내용과 반대되는 내용입니다.

**14** 글을 읽고 생각이나 느낌을 쓸 때에는 읽는 사람의 처지나 상황을 고려하며, 예의를 지켜서 씁니다.

**15** 겪은 일을 실감 나게 말하기 위해서는 느낌을 생생하게 말해야 합니다. 과장해서 말하는 것과는 다릅니다.

**40** 국어 4-1

## 4단원 쪽지 시험
28쪽

01 사실  02 의견  03 석원  04 사실  05 독도  06 ㉣
07 (1) 사실 (2) 들은 일  08 「초충도」  09 ⓔ 흥미롭다.
10 (1) 사실 (2) 의견

---

29~30쪽

**학교 시험 만점왕**  **4. 일에 대한 의견**

01 단원 김홍도의 그림  02 ③, ⑤  03 ③  04 ④  05 (1)
사실 (2) 의견  06 ②  07 (1) ㉠, ㉣ (2) ㉡, ㉢  08 정우
09 (1) ⓔ 지난주에 독서 퀴즈 대회를 하였다. (2) ⓔ 어려운
문제가 많아서 책을 자세히 읽지 않은 것이 후회되었고, 앞으
로는 책을 주의깊게 읽어야겠다고 생각했다.  10 ⑤

---

01 정우와 석원이는 박물관에서 단원 김홍도의 그림을 보
   았습니다.

02 정우는 실제로 있었던 일을 말하였고, 석원이는 대상이
   나 일에 대한 생각을 말하였습니다.

03 사실은 실제로 있었던 일을 나타낸 것입니다.

04 ㉠은 글쓴이가 실제로 했던 일이기 때문에 사실에 해당
   합니다.

05 ㉡은 글쓴이가 한 일이므로 사실이고, ㉢은 글쓴이의
   느낌을 나타낸 것이므로 의견입니다.

   **더 알아보기**

   **사실과 의견의 특성**
   • 사실에는 한 일, 본 일, 들은 일 등이 나타나 있습니다.
   • 의견에는 생각이나 느낌 등이 나타나 있습니다.

06 「초충도」는 여덟 폭으로 이루어진 병풍 작품으로 화면
   의 중앙에 핵심이 되는 식물을 두고 그 주변에 각종 벌
   레와 곤충을 배치한 그림으로, 화면은 정사각형에 가깝
   습니다.

07 ㉡의 '당당해 보이는', ㉢의 '인상적입니다' 등의 표현은
   그림에 대한 생각이므로 의견에 해당됩니다.

08 세준이는 알게 된 사실을 썼고, 정우는 자신의 생각을
   썼습니다.

09 학교나 집에서 겪은 일을 한 가지를 생각하여 쓰고, 그
   에 대한 생각이나 느낌을 의견으로 씁니다.

   **채점 기준**

   겪은 일을 쓰고, 그에 대한 자신의 생각이나 느낌을 의견으로
   쓴 경우 정답으로 인정합니다.

   > 겪은 일에 대한
   > 사실과 의견이 잘 드러나게
   > 글을 쓰기 위해서는 누구와,
   > 언제, 어디에서, 무엇을, 어떻게,
   > 왜 했는지 정리해 보고,
   > 겪은 일에 대한 생각을
   > 글로 표현해 봐.

10 학급의 일에 대한 의견이 드러나게 기사로 쓸 때에는
   개인의 경험보다는 학급 공동의 일에 대한 글을 쓰는
   것이 좋습니다.

01 옛날 어느 마을   02 동생   03 (1) 인물  (2) 차례   04 아빠   05 아버지의 사랑   06 주제   07 처음, 끝   08 초록 고양이   09 뚜껑을 열어 봐서도 안 되고, 딸 이름을 불러서도 안 된다.   10 (1) ○

33~34쪽

| 학교 시험 만점왕 | 5. 내가 만든 이야기 |
| --- | --- |

01 금   02 동생의 집   03 현수   04 ⑤   05 예 글 (나)에서 알 수 있는 이 글의 주제는 수현이에 대한 아빠의 사랑이다.   06 ③, ⑤   07 ④   08 예 엄마의 냄새를 맡고 찾았다.   09 (1) 3 (2) 4 (3) 1 (4) 2   10 ㉰

01 까마귀는 동생의 감을 다 따먹은 대신 금을 주겠다고 하고, 동생을 금으로 가득한 산으로 데리고 갔습니다.

02 옛날에 재산이 많은 아버지가 돌아가시자 동생은 형에게 감나무 있는 집 한 채만 받았습니다. 까마귀는 동생의 집에 있는 감을 다 먹어 버렸습니다. 까마귀가 감 대신 금으로 가득한 산으로 데려다 주었고, 동생은 금을 가져왔습니다. 따라서, 까마귀가 감을 다 먹어 버린 일이 일어난 장소는 동생의 집입니다.

03 이 이야기는 동생이 착한 마음을 가져서 복을 받았다는 내용으로, 착한 사람이 복을 받는다는 주제를 나타내고 있습니다.

04 수현이는 뒤에 달려오는 친구가 있다는 것에 힘을 얻어서 마라톤 완주를 할 수 있었습니다.

05 이야기에서 나타내려고 하는 생각을 주제라고 합니다. 글 (나)에는 수현이에게 힘을 주고픈 아빠의 사랑이 나타나 있습니다.

**채점 기준**

수현이에 대한 아빠의 사랑을 주제로 썼으면 정답으로 인정합니다.

06 이야기는 장소는 계속 변할 수 있고, 이야기의 전체 흐름은 이야기의 처음, 가운데, 끝을 보아야 합니다. 이야기의 끝 부분에서는 새로운 일이 생기기보다 일이 마무리됩니다.

07 초록 고양이는 엄마를 커다란 동굴 속 40개의 하얀 항아리 안에 숨겨 놓았다고 하였습니다.

08 꽃담이는 엄마의 냄새를 맡고 엄마를 찾았습니다.

09 초록 고양이는 꽃담이에게 엄마를 찾고 싶으면 자신을 따라오라고 했습니다. 초록 고양이는 항아리 40개 가운데에서 엄마가 들어가 있는 항아리를 찾으라고 했고, 꽃담이는 엄마가 있는 항아리를 찾았습니다. 꽃담이가 너무 쉽게 찾자 심통이 난 초록 고양이는 꽃담이를 항아리에 숨기고 엄마에게 찾으라고 했습니다.

10 초록 고양이는 엄마에게 뚜껑을 열어 봐서도 안 되고, 딸 이름을 불러서도 안 된다고 하였으므로 뚜껑을 열어 보는 일은 이야기의 흐름과 맞지 않습니다.

**더 알아보기**

『초록 고양이』 뒷이야기 상상하기 예

꽃담이를 영영 못 찾게 될 수도 있다는 초록 고양이의 말에 엄마는 화가 났어요.

"만일 내가 찾으면 어떻게 할 건데?"

초록 고양이는 노란 장화를 신은 발을 탁탁 구르며 말했어요.

"그야 꽃담이를 집으로 돌려보내 주지요."

화가 난 엄마는 초록 고양이의 말은 듣지도 않고 항아리를 하나씩 깨기 시작했어요. 초록 고양이는 반칙이라며 소리를 질러 댔지만, 엄마는 멈추지 않았어요. 드디어 한 항아리가 깨지며 꽃담이가 나왔어요. 엄마는 꽃담이를 안고 울었어요.

"어쩔 수 없지요. 꽃담이를 데려가세요."

그 말을 하고 사라진 초록 고양이는 빨간 우산과 노란 장화를 남긴 채, 다시는 나타나지 않았답니다. 꽃담이는 그날부터 비가 오는 날이면 빨간 우산에 노란 장화를 쓰고 다닌답니다.

## 6단원 쪽지 시험

36쪽

01 ⓔ 해결 방안   02 주제 선정   03 학교생활을 안전하게
하자.   04 기록자   05 주제 토의   06 표결   07 말할 기회
를 골고루   08 (2) ○   09 근거   10 혜란

37~38쪽

### 학교 시험 만점왕 · 6. 회의를 해요

01 ⑤   02 지형   03 ③   04 개회   05 (3) ○   06 ⑤   07
ⓔ 공통의 관심사   08 ③, ⑤   09 ④   10 ⓔ 사회자가 회의
참여자 2에게만 말할 기회를 주고 있다. 사회자는 말할 기회
를 골고루 주어야 한다.

01 이 그림은 회의를 하는 장면으로, 여러 사람이 어떤 것
을 결정하기 위해 의논하는 상황입니다.

02 이 그림과 같이 회의를 한 경험을 말한 친구는 지형입
니다.

03 회의를 하는 까닭은 여러 사람의 의견을 듣고 문제에
대한 좋은 해결 방법을 찾기 위해서입니다.

04 개회는 회의의 시작을 알리는 절차입니다.

05 ㈐에서 "학교생활을 안전하게 하자."는 회의 주제에 대
하여 학교에서 위험한 행동을 했을 때 벌점을 받는 제
도를 만들자는 의견이 제시되었습니다.

06 회의의 시작과 같은 회의 절차를 알려 주는 사람은 사
회자입니다.

### 더 알아보기

#### 회의를 할 때 참여자의 역할

| 사회자 | • 회의 절차를 안내함.<br>• 말할 기회를 골고루 줌. |
| --- | --- |
| 회의<br>참여자 | • 의견을 발표함.<br>• 다른 사람의 의견을 주의 깊게 들음. |
| 기록자 | • 회의가 열린 날짜와 시간, 장소를 기록함.<br>• 회의 내용을 기록함. |

07 그림의 친구들은 공통으로 관심을 보일 만한 것으로 주
제를 정하고 있습니다.

08 주제에 대한 의견을 제시할 때에는 주제와 관련이 있는
지, 실천할 수 있는지를 생각해 보아야 합니다.

09 ㉮에서는 회의 참여자 1이 사회자의 허락을 얻지 않고
말하였습니다.

10 ㉯에서 사회자는 말할 기회를 한 사람에게만 주고 있으
므로, 말할 기회를 골고루 주어야 한다는 규칙을 알려
주어야 합니다.

### 채점 기준

사회자가 잘못한 점을 쓰고, 말할 기회를 골고루 주어야 한다
는 사회자의 역할을 쓴 경우 정답으로 인정합니다.

### 더 알아보기

#### 회의에서 참여자가 알아야 할 규칙

| 사회자 | • 말할 기회를 골고루 줌.<br>• 회의 절차를 안내함. |
| --- | --- |
| 회의<br>참여자 | • 친구가 의견을 말할 때 끼어들지 않음.<br>• 다른 사람의 의견을 존중함.<br>• 자신의 의견만 옳다고 주장하지 않음.<br>• 알맞은 크기의 목소리로 말함. |
| 기록자 | • 중요한 내용을 요약해서 기록함.<br>• 회의 날짜와 시간, 장소를 기록함. |

**7**
**단원** **쪽지 시험** 40쪽

01 갱지  02 묶다, 찢다  03 예 생활에 꼭 필요한 물건  04
(2) ○  05 뜻이 반대인 낱말  06 가구  07 속담 사전  08
협곡  09 암석  10 예 스마트폰으로 인터넷 사전을 이용
한다.

41~43쪽

**학교 시험 만점왕**　　　　**7. 사전은 내 친구**

01 ④  02 ①  03 ③, ⑤  04 (1) ○  05 명훈  06 ③
07 음식  08 ④  09 (1) ○ (3) ○  10 ③  11 ③, ④  12
예 그 일은 엄연히 내가 해야 할 일이었다.  13 ⑤  14 ③
15 준우

01 '붙여'의 기본형은 '붙이다'입니다.

02 첨단 종이에 대해 소개하고 있는 글입니다.

03 ③은 온도 감응 종이의 특징이고, ⑤는 영수증 종이의
특징입니다. 나머지는 전자 종이의 특징에 해당합니다.

04 '감응'을 '감'과 '응'으로 낱말을 쪼개어 뜻을 짐작하였습
니다.

05 전자 신호를 이용하여 스스로 인쇄한다고 한 것과 무선
신호로 내용을 바꿀 수 있다는 것으로 보아, 사람이 직
접 인쇄하지 않는 것과 거리가 떨어져 있다는 것을 짐
작할 수 있습니다.

06 '침침하다'는 '눈이 어두워 물건이 똑똑히 보이지 아니하
고 흐릿하다.'는 뜻으로 '선명하다'와 뜻이 반대됩니다.

07 '떡볶이', '치킨', '잡채'를 포함하는 낱말에는 '음식'이 있
습니다.

08 (개)는 과거의 화성 탐사 내용에 대해 설명하고 있고, (내)
는 미래의 화성 탐사 계획에 대해 설명하고 있습니다.

09 글에 속담이 나오지 않으므로 속담 사전을 찾는 것은
알맞지 않습니다.

더 알아보기

**속담 사전**
• 특징: 여러 가지 속담의 뜻과 쓰임을 자세하게 설명해 줌.
• 쓰임 및 좋은 점: 책을 읽다가 모르는 속담을 보았을 때나
글을 쓸 때 효과적인 표현을 위해 속담을 찾아볼 수 있음.

10 '생명체'는 '생명이 있는 물체.'를 뜻하는 것으로, '암석'
은 생명체가 아닌 무생물입니다.

11 (개)를 통해 인간도 동물과 다를 바 없고, 지구에서 아주
짧은 시간을 살았다는 사실을, (내)를 통해 동물도 인간
처럼 남을 돌볼 줄 안다는 사실을 알게 되었습니다.

12 '부인할 수 없을 만큼 뚜렷하게.'라는 뜻의 '엄연히'를
넣어 짧은 문장을 씁니다.

채점 기준

'부인할 수 없을 만큼 뚜렷하게.'라는 뜻으로 '엄연히'를 넣어
문장을 자연스럽게 썼으면 정답으로 인정합니다.

더 알아보기

**국어사전에서 낱말 찾기**
• 첫 자음자가 실린 순서: ㄱ, ㄲ, ㄴ, ㄷ, ㄸ, ㄹ, ㅁ, ㅂ, ㅃ, ㅅ,
ㅆ, ㅇ, ㅈ, ㅉ, ㅊ, ㅋ, ㅌ, ㅍ, ㅎ
• 모음자가 실린 순서: ㅏ, ㅐ, ㅑ, ㅒ, ㅓ, ㅔ, ㅕ, ㅖ, ㅗ, ㅘ, ㅙ,
ㅚ, ㅛ, ㅜ, ㅝ, ㅞ, ㅟ, ㅠ, ㅡ, ㅢ, ㅣ
• 받침이 실린 순서: ㄱ, ㄲ, ㄳ, ㄴ, ㄵ, ㄶ, ㄷ, ㄹ, ㄺ, ㄻ, ㄼ,
ㄽ, ㄾ, ㄿ, ㅀ, ㅁ, ㅂ, ㅄ, ㅅ, ㅆ, ㅇ, ㅈ, ㅊ, ㅋ, ㅌ, ㅍ, ㅎ

예를 들어 '벽지'를
찾으려면 먼저 첫 번째 글자인 '벽'을
찾고, 그다음에 두 번째 글자인
'지'를 찾아. 그리고 '벽'을 찾을 때에는
첫 자음자인 'ㅂ'을 찾고,
모음자 'ㅕ', 받침 'ㄱ'을
순서대로 찾아.

13 '포유동물'은 새끼를 낳아서 젖을 먹여 키우는 동물을
말하므로 '바퀴벌레'는 포유동물이 아닙니다.

14 '훈훈하다'는 '마음을 부드럽게 녹여 주는 따스함이 있
다.'는 뜻으로 '따뜻하다'와 뜻이 비슷한 낱말입니다.

15 사전에 여러 개의 뜻이 나올 때에는 나온 뜻 중 글의 문
장에 어울리는 뜻을 찾아야 합니다.

## 8단원 쪽지 시험

45쪽

**01** 문제 상황  **02** (2) ○  **03** 제안하는 까닭  **04** (1) ○
**05** (1) 우리 반 친구들이  (2) 도서관에서 책을 읽습니다.  **06**
⟨예⟩ 깨끗한 물을 구하지 못해 어려움을 겪고 있습니다.  **07**
(2) ○  **08** ⓛ → ⓒ → ⓓ → ㉮  **09** 실천  **10** (2) ○

46~47쪽

| 학교 시험 만점왕 | 8. 이런 제안 어때요 |

**01** ⑤  **02** (4) ○  **03** ④  **04** (1) ㉮, ⓟ  (2) ⓓ, ⓔ  (3) ⓒ
**05** ①  **06** ⑤  **07** ⑤  **08** ⟨예⟩ 제안하는 글을 쓸 때에는 제
안하는 글을 읽을 사람이 누구인지 생각해야 한다. / 내가 하
는 제안을 사람들이 실천할 수 있는지 생각해야 한다. / 문제
상황, 제안하는 내용과 까닭이 잘 드러나게 써야 한다.  **09**
(3) ○  **10** 제목

**01** '누가+어찌하다'의 짜임으로 되어 있는 문장은 '사람들
이 춤을 춘다.'입니다. ①, ②, ④는 '무엇이+어떠하다'
의 짜임으로 되어 있는 문장이며, ③은 '누가+어떠하
다'의 짜임으로 되어 있는 문장입니다.

**02** '이층 버스의 색깔은 빨갛습니다.'는 '무엇이+어떠하다'
의 짜임으로 되어 있는 문장입니다.

**03** 제안하는 글은 우리 주변에서 해결되기를 바라는 문제
가 있을 때 쓰는 글입니다. 제안하는 글에는 문제 상황,
제안하는 내용, 제안하는 까닭을 써야 하며, 제안하는
글을 쓰면 문제 상황과 해결 방법을 알릴 수 있습니다.

**04** ㉮와 ⓟ는 문제 상황이 무엇인지 드러나 있는 표현이
고, ⓓ와 ⓔ는 문제를 해결하기 위한 의견을 제안하는
표현이며, ⓒ는 제안에 대한 적절한 까닭이 드러나 있
는 표현입니다.

**05** 제안하는 내용을 쓸 때에는 '~했으면 좋겠습니다.', '~
해 봅시다.', '~하는 것이 어떨까요?' 등의 표현을 사용
하면 좋습니다. ②와 ③은 문제 상황, ④와 ⑤는 제안하

는 까닭을 쓸 때 알맞은 표현입니다.

**06** 이 글은 연웅이가 교장 선생님께 수요일은 음식을 다
먹는 날로 정하자고 제안하는 글입니다. 음식을 다 먹
으면 자원 낭비와 환경 오염을 줄일 수 있습니다.

**07** '교장 선생님, 수요일에는 음식을 남기지 않고 다 먹는
날로 정해 주시기 바랍니다.'에서 연웅이가 제안하는
내용을 알 수 있습니다.

**08** 제안하는 글을 쓸 때에는 우리 주변에서 해결되어야 할
문제가 무엇인지 생각하고 문제 상황과 제안하는 내용,
제안하는 까닭이 잘 드러나게 써야 합니다. 또한 제안
하는 글을 읽을 사람이 누구인지, 내가 하는 제안을 다
른 사람들이 실천할 수 있는지 생각하며 써야 합니다.

**채점 기준**
제안하는 글을 쓸 때 주의해야 할 점을 알맞게 썼으면 정답으
로 인정합니다.

**09** 그림은 '학교 앞 과속'과 관련된 그림입니다. (1)은 문제
상황, (2)는 제안하는 까닭, (3)은 제안하는 내용입니다.

**10** 제안하는 글을 쓰고 나서 제안하는 내용이 잘 드러나도
록 알맞은 제목을 붙입니다.

**01** 말  **02** (1) ○  **03** 글을 읽지 못해 억울한 일을 당하는 사람이 줄었다.  **04** ㉔ 24개(스물넉 자)  **05** 소리  **06** 한글은 적은 수의 문자로 많은 소리를 적을 수 있는 음소 문자이다.  **07** 『대한 국어 문법』이라는 책을 펴냈다.  **08** ㉔ 어려운 때일수록 우리글이 힘이 될 거라고 생각하여서  **09** 맛있는 밥집  **10** (2) ○

50~51쪽

**학교 시험 만점왕**       **9. 자랑스러운 한글**

**01** 훈민정음  **02** ㉣ → ㉮ → ㉯  **03** (1) ○  **04** 된소릿자
**05** 알파벳의 꿈  **06** ⑤  **07** (1) - ②  (2) - ①  (3) - ③
**08** ③, ⑤  **09** ①, ③  **10** ㉔ 한글에 관심을 갖는다. / 바르고 정확하게 한글을 사용하려고 노력한다. / 외국어나 외국 문자로 된 말을 우리말로 고쳐 본다.

**01** 세종 대왕이 오랜 시간을 연구한 결과 '훈민정음' 28자를 완성하였습니다.

**02** 글을 읽지 못해 억울한 일을 당하는 백성이 많은 것을 알게 된 세종 대왕은 눈이 나빠져도 문자 연구를 계속했으며, '훈민정음' 28자를 완성하였습니다. 그 뒤, 글을 읽지 못해 억울한 일을 당하는 사람이 줄었습니다.

**더 알아보기**

**세종 대왕이 한글을 만들게 된 배경과 과정**

- 글을 읽지 못해 억울한 일을 당하는 백성이 많았다.
- 우리말에 알맞은 글자가 필요하다고 생각했다.

↓

- 말소리에 대한 책을 구해 읽으며 문자 연구를 했다.
- 신하들의 반대를 피해 새 문자 만드는 일을 비밀에 부쳤다.

↓

- 세종은 눈이 나빠져도 문자 연구를 계속했다.
- 훈민정음 28자를 완성했다.

↓

- 한글로 책을 읽거나 편지를 쓰는 사람이 늘어났다.
- 억울한 일을 당하는 사람이 줄어들었다.

**03** 한글은 일정한 원리에 따라 만들어져서 쉽게 배울 수 있다고 하였습니다.

**04** 기본 자음자 'ㄱ'를 겹쳐 'ㄲ'으로 쓴 것이므로 '된소릿자'가 됩니다.

**05** 한글이 배우기 쉽고 과학적인 까닭에 세계 언어학자들은 한글을 '알파벳의 꿈'이라고 표현하였습니다.

**06** 주시경이 살던 당시는 우리나라 사람들은 한문만을 글로 여기고 우리글에는 관심이 없어서 우리말 문법책이 없었습니다.

**07** 주시경은 1876년에 황해도 봉산에서 태어났고, 1894년에는 배재학당에 입학했으며, 1906년 『대한 국어 문법』이라는 책을 썼습니다.

**08** 주시경은 한글을 가르치고 국어 문법책을 썼습니다.

**09** 우리말로 된 간판은 '맛있는 밥집'과 '우리 문방구'입니다.

**10** 한글을 바르고 정확하게 사용하는 것, 한글에 관심을 갖는 것, 외국 문자를 우리말로 고치는 것 등이 한글을 바르게 사용하기 위한 방법입니다.

**채점 기준**
한글을 바르게 사용하기 위해 우리가 할 수 있는 일을 썼으면 정답으로 인정합니다.

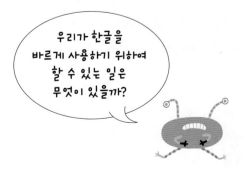

우리가 한글을 바르게 사용하기 위하여 할 수 있는 일은 무엇이 있을까?

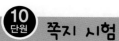 

**쪽지 시험**

53쪽

**01** ㉮ 날아갈 것 같은 마음   **02** ㉮ 부끄러워하는 것 같다. / 당황한 것 같다.   **03** 말풍선   **04** ㉮ 인물의 우울한 기분을 나타내기 위해서   **05** (1) ○   **06** 용의 등 / 용   **07** 용의 눈썹이 흩날리는 모습   **08** ㉮ 소희를 놀리고 싶은 마음   **09** ㉮ 깜짝 놀라 당황스러운 표정   **10** (2) ○

54~55쪽

**학교 시험 만점왕**　　　　　**10. 인물의 마음을 알아봐요**

**01** ①   **02** ③   **03** ①, ②   **04** 혜진   **05** ④   **06** ③, ④   **07** ④   **08** ㉮ 사람을 보고 신기해하며 반가워했다.   **09** (1) ㉮ 용에 올라타고 싶은 호기심 어린 마음 (2) ㉮ 놀라며 머뭇거리는 마음   **10** 지윤

**01** 웅크리고 앉아 있는 여자아이의 모습에서 외롭고 슬픈 마음임을 짐작할 수 있습니다.

**02** 말풍선의 내용이나 표정 등을 통해 여자아이는 긴장하고 걱정하고 있음을 알 수 있습니다.

**03** 장면 **2**에서 이마에 그려진 땀방울과 "콩닥"이라고 적힌 말풍선을 보고 여자아이의 긴장하고 걱정하는 마음을 짐작할 수 있습니다.

**04** 여자아이와 같이 떨리고 긴장되었던 경험을 말한 친구는 혜진입니다.

**05** 만화를 읽을 때 인물의 마음을 짐작할 수 있는 방법으로 인물의 표정이나 행동을 살펴보고 말풍선의 내용과 함께 그 모양도 살펴보며, 인물뿐만 아니라 만화의 배경 색이나 배경에 그려진 다양한 효과로도 인물의 마음을 짐작할 수 있습니다.

**06** 산에 처음 도착했을 때 아이들은 입고 있던 겨울옷을 벗었고 산 위로 올라가 보자고 했습니다.

**07** 신기한 광경을 보고 할 말을 잃은 마음을 실감 나는 표정으로 표현했습니다.

**08** 용은 아이들을 보고 신기해하며 반가워했습니다.

**09** 인물의 표정과 행동을 통해서 남자아이는 용에 올라타고 싶은 호기심 어린 마음임을, 여자아이는 놀라며 머뭇거리는 마음을 알 수 있습니다.

**채점 기준**

인물의 표정과 행동을 보고 남자아이는 호기심 어린 마음, 여자아이는 놀란 마음과 비슷한 내용으로 썼으면 정답으로 인정합니다.

**10** 인물의 마음을 실감 나게 표현하려 할 때 상황에 어울리는 말투와 몸짓으로 표현해야 합니다.

4학년 1학기
국어 공부를 잘 마쳤구나.
2학기 때 다시 만나자!

# 메모